LA DELINCUENCIA Y SU CIRCUNSTANCIA
Sociología del crimen y la desviación

LA DELINCUENCIA Y SU CIRCUNSTANCIA

Sociología del crimen y la desviación

FERNANDO GIL VILLA

tirant lo blanch

Valencia, 2004

© TIRANT LO BLANCH
   EDITA: TIRANT LO BLANCH
   C/ Artes Gráficas, 14 - 46010 - Valencia
   TELFS.: 96/361 00 48 - 50
   FAX: 96/369 41 51
   Email:tlb@tirant.com
   http://www.tirant.com
   Librería virtual: http://www.tirant.es
   DEPOSITO LEGAL: V - 2168 - 2004
   I.S.B.N.: 84 - 8456 - 050 - 3
   IMPRIME: GUADA IMPRESORES, S.L. - PMc

AGRADECIMIENTOS

La concesión del proyecto de I+D+D sobre delincuencia SEC2003-03514/CPSO —en el que figuro como Investigador Principal—, por parte del Ministerio de Ciencia y Tecnología, me ha servido de estímulo para acabar la presente obra.

Índice

V. LOS DEBATES SOBRE EL AUTOCONTROL

VI. ¿QUIÉNES SON LOS DELINCUENTES? CRIMINOLOGÍA CRÍTICA

VII. ¿POR QUÉ HAY TAN POCAS MUJERES EN PRISIÓN? LOS DEBATES SOBRE GÉNERO Y DELITO

SEGUNDA PARTE
LOS ENFOQUES CIRCUNSTANCIALES

I. EL SUJETO INFRACTOR Y SU CIRCUNSTANCIA

II. PRINCIPALES TESIS DE LOS ENFOQUES CIRCUNSTANCIALES

Introducción

1. ¿POR QUÉ ROMPEMOS CON LA NORMA? ¿SOMOS HOY MÁS TOLERANTES CON LOS QUE ROMPEN CON LAS NORMAS?

Vivir en una sociedad significa tener que respetar ciertas normas, algunas de la cuales están escritas y otras vienen marcadas por las costumbres. Puede que no estemos hechos para vivir en soledad, pero muchas veces tampoco parecemos a estar dispuestos a hacernos cargo de las consecuencias de vivir con los demás. Allí donde hay dos o más personas, tarde o temprano surgen diferencias sobre qué normas establecer para la convivencia y cómo interpretarlas después. Si entre dos personas o en una familia ya surgen problemas, éstos se multiplican si hablamos de un grupo social mayor, como por ejemplo, un Estado nacional. Tanto en la familia como en el Estado encontraremos personas dispuestas a saltarse alguna norma en algún momento. Freud escribió en una carta que somos los descendientes de una larga cadena de asesinos. Lutero creía que nos sentimos inclinados a pecar por naturaleza y que la desobediencia es el mayor de los pecados. Poe especuló con la existencia de cierto demonio de la perversidad, el cual explica que muchas veces hacemos lo que no debemos precisamente porque no debemos. Psicología, religión y literatura subrayan la importancia de la desviación a lo largo de toda la historia de la humanidad.

Ahora bien, el debate anterior no tiene fin. Sencillamente no es posible llegar a conclusiones definitivas acerca de la existencia de o no de impulsos en la naturaleza humana hacia el asesinato o a la ruptura de las normas. Para que podamos convertir el crimen y la desviación en objeto de estudio de la ciencia debemos centrarnos en la siguiente cuestión: ¿en qué medida, las circunstancias de nuestra época, favorecen o desfavorecen el crimen y la desviación? No podemos saber si el hombre y la mujer actuales son "malos" o "más o menos malos" que sus antecesores. Suponiendo por tanto que ese factor es una constante en la historia de la humanidad, es el resto de la cosas, el ambiente que rodea la desviación, lo que podemos analizar. Comparando las circunstancias podremos saber cuales son los factores que propician, al menos bajo ciertas condiciones, el crimen y la infracción. Sólo de esa forma podremos luego operar sobre ellas, en algunos casos para eliminarlas, en otro para potenciarlas, según de qué tipo de norma o ley se ha infringido, y de acuerdo con los valores de libertad e igualdad

Todo parece indicar que la sociedad globalizada de nuestros días favorece más que limita la propensión a romper con la norma. De ahí la preocupación creciente de la gente y de los gobernantes con el tema de la inseguridad ciudadana. En parte, esto se debe a una razón simple: más gente y más espacio tiende a organizarse con un conjunto de normas similares, mientras aumenta la movilidad. El individuo aumenta el número y frecuencia de relaciones, y con ello su vulnerabilidad, mientras abundan los huecos y momentos en los que no hay vigilancia. De esta forma se da la primera condición para que alguien cometa un crimen o rompa con la norma. La segunda condición no es material sino moral. Una vez que veo que puedo saltarme la norma sin ser sancionado, necesito consultar a mi conciencia. Esto es lo que hace que ciertas personas no roben en una tienda vacía…, pero muchas otras sí lo harían. Las fuentes que fortalecían esa conciencia han sido durante buena parte de nuestro pasado, fundamentalmente religiosas. En occidente, el proceso de secularización sufrido en los últimos dos siglos ha desecado esta fuente. Es difícil encontrar a alguien que no robe porque piense que es un pecado. Puede que existan otras fuentes, más pequeñas y menos claras, las cuales también encuentran algunos obstáculos a la hora de fluir. La ilusión y creencia en formas de organización colectivas, el grado de satisfacción con los que nos gobiernan, o la *cultura de calle*, como forma de convivencia intergeneracional en espacios públicos, son algunas de ellas. Los lectores pueden evaluarlas personalmente.

¿Somos más o menos tolerantes que hace cien años? En algunos manuales y diccionarios de sociología solía hablarse de tolerancia social para hacer referencia al grado en que una sociedad en un momento determinado hace la vista gorda ante ciertas infracciones. Ello dependería de la cultura, de la visibilidad de la acción o de la notoriedad del papel social de la persona que rompe con la norma —la repercusión social de la infidelidad de un ciudadano cualquiera sería menor que la de un presidente de gobierno por ejemplo—. Si aceptamos esta definición de manual, la lógica nos llevará probablemente a concluir que en las sociedades occidentales la tolerancia es mayor, sobre todo por razones culturales. La lucha por la libertad y la igualdad ha seguido aquí tal trayectoria ascendente que nunca tantas personas contaron con tantos derechos y garantías jurídicas para defenderlos como en la actualidad. Pensemos en el reconocimiento de las parejas de hecho o de homosexuales —en estas materias España no suele marchar por delante—. No hay acuerdo, sin embargo, sobre si declarar la sociedad moderna *incluyente* —y por tanto tolerante— o no. Tampoco lo hay para definir la etapa siguiente, en la cual nos encontramos ahora —segunda modernidad, modernidad tardía, postmodernidad, etc.—. Criminólogos como Young, defienden que la sociedad moderna era incluyente mientras que la actual es excluyente.

Como veremos, sin embargo, esta tesis es bastante discutible. No es difícil, de hecho, sostener lo contrario, que la modernidad practicaba la exclusión —en la familia patriarcal, en la escuela autoritaria, en la fábrica, en el gobierno—, y que la tolerancia se ganó a pulso con movimientos políticos y sociales que culminaron justo cuando se comienza a hablar de una nueva época, en el último tercio del siglo XX[1]. Ahora bien, ese proceso, como casi todas las tendencias en el panorama de los cambios culturales, no es único ni absolutamente coherente. De un lado, el individuo se hace más tolerante en un mundo sin ilusiones, con una memoria histórica sobre errores de la filosofía moderna de la acción y de los procesos de autodivinización, y con una fuerte reflexividad sobre las consecuencias no procuradas de sus acciones. En el proceso de desilusionamiento colectivo se impone, como tarea de supervivencia urgente el trabajo de la auto-tolerancia que desemboca lógicamente en la tolerancia del otro. Sin embargo, este proceso supone el aumento de las autoexigencias, las cuales acaban también cobrándose al otro. De ahí que en los pequeños espacios como el hogar se advierta una mayor sensibilidad a los desencuentros. El sentido de la intimidad y del respeto se desarrolla de tal forma que la convivencia se hace difícil. Este fenómeno contribuye a explicar una parte del aumento de rupturas de pareja. Cada vez toleramos menos cosas en el otro, pero ahora no por principios o normas impuestas por un código sino porque aplicamos un criterio de autoexigencia alto. Si exigimos más al otro no es simplemente porque sí, porque somos el o la que "lleva los pantalones". Ahora, la fuente de la exigencia no es extrínseca sino intrínseca, su validez moral viene del hecho de que te lo exijo a ti porque antes yo me lo he exigido a mí mismo. Este proceso de autoexigencia y exigencia a los demás parece

---

[1] En uno de mis trabajos anteriores he intentado mostrar cómo la socialización en el nihilismo en la última mitad del siglo pasado puede asociarse a la tendencia al aumento de la tolerancia (Gil Villa, 1999).

estar acompañando los últimos desarrollos de la cultura del individuo en la actualidad[2].

Por lo tanto, los procesos de tolerancia social e individual tienen sus límites, no son absolutamente lineales. De un lado, el homosexual y el fumador de marihuana encuentra menos reacción social negativa. De otro, se tolera menos al que fuma cigarrillos, que la pareja no cumpla con su obligación de limpiar la casa el día que le toca, o a aquel que no se recicla en materia sexual. Nótese que en este último caso, la pareja no ha roto ninguna norma previamente pactada, como lo es limpiar la casa un día cada uno. Lo que ha desafiado sin embargo es un norma como uso o tradición no escrita, y que se ha impuesto en los últimos tiempos, y es la obligación de la autorrealización. Exigimos al otro que "crezca", que se desarrolle, para que nos aporte algo nuevo constantemente. Esta costumbre es nueva —excepto por supuesto para ciertas minorías que encontramos en todas las épocas—. Muchas personas utilizan este criterio para la elección de pareja y de amistades: si no cumple ese requisito, no consideran a esa persona "interesante". En la sociedad de la información, la aceleración y el reciclaje, nace una nueva desviación.

El criterio del nivel de exigencia no lo encontramos sólo en el ámbito doméstico. Otro importante ejemplo lo tenemos en la relación con los inmigrantes. Mucha gente se pregunta en países como Francia y España si es justo que dejemos a los musulmanes que levanten mezquitas cuando en sus países de origen no se permite a nuestros conciudadanos católicos construir iglesias. O si es conveniente que las niñas ostenten el velo, cuyo significado es ocultar a la mujer —algo contra lo que se ha estado luchando en occidente desde hace más de un siglo—, pero sobre todo porque la mujer occidental que visite ciertos países islámicos se verá obligada a asumir un papel subordinado de acuerdo con las leyes y costumbres del Corán. Es este último argumento, la falta de reciprocidad, un criterio racional, el que levanta y levantará más polémica[3].

En los dos ejemplos, la justificación del mismo se encuentra más en el territorio de la moral y del individualismo que en el de las éticas

---

[2]   Curiosamente puede observarse cierta compatibilidad con el pensamiento de aquellos que fueron claves en la deconstrucción de los sistemas de ilusión colectiva —religioso o científico— como Nietzsche. En el filósofo alemán, las bases del *übermensh*, si seguimos la lectura de Simmel (1950), se encuentran precisamente en el componente ascético de altos niveles de autoexigencia en materia de virtudes.

[3]   Khalil Samir (2003), *Cien preguntas sobre el Islam*, Madrid: Encuentro.

grupales —sean religiosas, profesionales o de otro tipo—. Una de las consecuencias de esta característica básica es que el criterio se aplica entre individuos iguales. Así sucede en el caso de la pareja y del inmigrante. Ahora bien, cuando se trata de subordinados, el nivel de exigencia disminuye. Esto es lógico si recordamos cómo nació. Nacido del esfuerzo crítico, revolucionario y deconstructor de la modernidad, su reacción lógica será la de no repetir las situaciones históricas en las que la autoridad se repartía de forma asimétrica. Cuando se trate de un hijo, de un alumno, de un trabajador o de un ciudadano, la tolerancia social a la ruptura de normas aumentará. Así se explica el desconcierto actual de muchos padres de familia que se quejan de no controlar el comportamiento de los hijos, de que éstos no les obedecen, y algo parecido encontramos si entrevistamos a los profesores. Existe en nuestra época una especie de "complejo de autoridad" que tiene que ver con varios tipos de factores, algunos de ellos estructurales. En parte, por el imparable ascenso de los derechos de los excluidos. En parte también por el peso de los movimientos contraculturales de los años sesenta en la generación que ahora está ocupando los puestos de poder —incluyendo la familia—. Más coyuntural es el caso de países como España en los que debe sumarse la carga del pasado dictatorial.

Las conquistas en materia de libertad de occidente es algo que se aquí valoraremos de forma muy positiva. Sin embargo, la mejor forma de celebrar una conquista no es precisamente dilapidando sus réditos. Las reacciones excesivas, tan claras en la psicología del individuo, parecen sin embargo ocurrir con la misma claridad a nivel colectivo. Y en los dos casos, pueden acabar siendo peligrosas, al arriesgar precisamente aquello que pretenden proteger de modo excesivo. Así como una madre puede perder el cariño de su hijo al sobreprotegerle debido a lo mucho que le costó sacarlo de una enfermedad, de la misma manera nuestras democracias pueden perder la sagrada libertad conquistada con tanto esfuerzo si en los niveles más básicos, como la escuela o la familia, la autoridad deja de ejercerse dentro de unos límites mínimos. Los éxitos electorales de los partidos de ultraderecha en Francia y en Suiza constituyen una voz de alarma en este sentido que la sociedad debe escuchar. Una vez perdidas las riendas del control y del orden mínimos, muchos pueden acabar fantaseando con el "cirujano de hierro", con el político fuerte que corte por lo sano restaurando no ya la autoridad en su mínima expresión sino en la máxima. Algo parecido podemos observar no vecinos más alejados con pasado no capitalista. En la Federación Rusa, trabajadores, desempleados y miembros de las clases medias venidas a menos tras la devaluación del rublo, —en todo caso personas no pertenecientes a las oligarquías política y económica—, ansían el viejo orden estalinista, dados los altos índices de inseguridad ciudadana en los que viven[4].

Así pues, la tolerancia hacia la ruptura de normas es un fenómeno que admite varios niveles y tendencias que se contrarrestan pero que pueden ser ordenadas a través de una interpretación como la que aquí expuesta. La tolerancia social se refiere a la reacción social hacia la infracción cometida por una persona o grupo de personas, mientras que la tolerancia individual se refiere al grado de auto-tolerancia y auto-exigencia que se aplica al otro en situaciones de vivencia cotidiana. En el primer caso el criterio es la simple desviación. Si alguien desafía una costumbre, la reacción de los vecinos puede ser la de marginarle. En el segundo caso, refleja la sensibilidad hacia la evaluación de los comportamientos en los espacios cotidianos. Aquí, el propio concepto de desviación así como las estructuras de interacción a que dan lugar puede, en ocasiones, diluirse o hacerse irrelevante al análisis sociológico. El apartarse de la tradición o el desafiar una norma legal puede no ser considerado negativo y sin embargo puede serlo el no respetar una norma pactada en privado. En el primer caso, la reacción social se caracteriza por ser poco o nada reflexiva, mientras que en el segundo, el individuo somete a examen la situación antes de adoptar una actitud acerca de la posible sanción. Se podrá decir que ambos ámbitos están conectados y que muchas personas juzgan los comportamientos precisamente en función del simple criterio no racional de la tradición —en el sentido que le da Weber—. Sin embargo, esa conexión es menos evidente hoy que en el pasado[5]. La cultura del individualismo en las últimas décadas parece haber extremado la ruptura con los criterios sociales de enjuiciamiento de la desviación. De ahí que pueda hablarse, en mi opinión, de tolerancia individual como un nivel que podemos analizar de forma separada. De esta forma puede resultar más fácil resolver algunas de las muchas contradicciones con las que nos encontramos al hablar de ruptura de normas en nuestra época.

---

[4] En la Federación Rusa es donde más aumentaron los delitos de robo con fuerza en las cosas (*breaking adn entering* en la categoría de la INTERPOL, concretamente, un 227% entre 1990-1995 (Entorf y Spengler, 2202: 15). Es frecuente encontrar comentarios de los analistas especializados en el caso ruso como el siguiente: "Pese a todas las libertades formales, los rusos de hoy en día sienten que tienen menos derechos que en la época soviética" (Kagarlitski, 2004: 21).

[5] He intentado demostrar esta afirmación en mi ensayo "Individualismo y cultura moral" (2001).

2. ¿A FAVOR O EN CONTRA DE LA DESVIACIÓN?

Es interesante advertir que las definiciones que ofrece el Diccionario de la Real Academia acerca del crimen y de la desviación permiten entender la relación que existen entre ellas y comenzar a comprender las razones por las que puede existir una disciplina con el nombre de sociología del crimen y de la desviación. Se define crimen como delito grave pero también como acción indebida o reprensible, en cuanto que la acepción sexta del vocablo desviación hace referencia a la tendencia o hábito anormal en el comportamiento de una persona. Las dos últimas definiciones admiten amplias posibilidades. La desviación afecta a una persona que se salta sus propias normas o rutina, por ejemplo si no fuma o bebe habitualmente y lo hace un día. Sin embargo, en principio nos preocupará más la ruptura de normas cuando se dé en circunstancias de interacción social, porque entonces surge el conflicto. En un principio, y por simplificar, observamos dos situaciones claramente diferentes. En una pareja, uno de los dos miembros puede romper con las normas de organización de la convivencia establecidas. O alguien se declara homosexual y se encuentra con el rechazo de su familia y de sus compañeros de trabajo. En los dos ejemplos, la persona rompió con la norma en el sentido de "algo que se esperaba de él o de ella", bien porque ese algo había sido pactado o porque la norma venía impuesta por la tradición. En los dos casos, la ruptura puede acarrear una sanción no formal, es decir, no ejecutada por los aparatos de control social especializados, tal como el rechazo. Normalmente, la desviación supone este tipo de sanciones mientras que el crimen, en cuanto que delito, puede conllevar la sanción formal.

Ahora bien, los dos ejemplos no son iguales. En el primer caso el individuo causa un perjuicio a otra persona, mientras que en el segundo no. Desde luego, puede defenderse que los padres del homosexual "sufrieron" con la noticia, pero a la hora de evaluar la acción como "reprensible", si aplicamos un criterio racional es evidente que la homosexualidad no merece tal veredicto en términos weberianos la obediencia de la tradición no encaja en la forma de legitimación racional. La pregunta que surge tras estas primeras aplicaciones del término es la siguiente: el papel del científico social, ¿es resolver los conflictos y eliminar la desviación? La respuesta es: dependerá de los casos. En principio, la única cosa a la claramente aspira la ciencia social es a comprender el fenómeno, entenderlo. Después encontramos varias posibilidades. Volvamos a los ejemplos. Puede suceder que la pareja susodicha no quiera resolver el conflicto que ocasionó uno de los miembros rompiendo con las reglas habituales y pactadas. Cabría la posibilidad de que siguieran conviviendo sin resolver dicho conflicto, en una especie de tolerancia e indiferencia en la que se aceptó la incomunicación. En ese caso, ni se resolvió el conflicto ni la desviación. Lo más normal será, sin embargo, que la pareja intente resolver tanto el conflicto como la desviación que lo ocasionó. Supongamos que la desviación consiste en el consumo habitual y excesivo de alcohol. En ese caso la pareja puede acudir a algún tipo de terapia, a través de un psicólogo o de una asociación de alcohólicos. En ambas posibilidades, el criterio que define la salida es la voluntad de los actores. Sin embargo, cabe una tercera posibilidad. En el caso de que la desviación consista en el maltrato de la mujer, su eliminación no exige la voluntad del desviado, al sobreponerse el criterio del respeto a los derechos básicos.

Estas consideraciones son, por supuesto, muy limitadas, pues se refieren a los primeros casos sobre los que podemos reflexionar. Sin embargo, las he recogido porque avisan a los lectores y a los estudiantes de uno de los peligros que más amenazan el estudio del crimen y de la desviación, a saber: el retoricismo, el cual lo encontraremos no sólo del lado de los gestores de la política criminal sino también del lado de los teóricos. A algunos les supone un esfuerzo pronunciar la palabra desviación dada la posición "progresista" en la cual creen a pie jutillas que están instalados. Pero como acabamos de ver claramente es difícil negar la validez y legitimidad de la terapia y de la psicología clínica cuando se aplica a casos de conflicto y de desviación. Ni a nadie se le podría ocurrir decir que el psicólogo es un conservador, un correcionalista o un funcionalista, siempre que los criterios que marcan su ética profesional fueran los aludidos: la voluntad de los sujetos y el respeto de los derechos fundamentales. Pero igualmente evidente es que, con el uso de los mismos criterios, algunas posiciones teóricas psicológicas y sociológicas, como las de la teoría del etiquetado, no sólo no aspiran a acabar con cierto tipo de desviaciones, como las sexuales, o el consumo de cierto tipo de drogas, sino que la defienden más o menos directamente[6]. Pero de nuevo ello no nos permite afirmar que estas corrientes están a favor de la desviación mientras que otras están en contra. Ningún teórico interaccionista o funcionalista defendió el crimen del asesinato o de la violación.

---

[6]   Curiosamente y tal vez paradójicamente para los progres, aquí coinciden ciertas posiciones funcionalistas con el interaccionismo, como veremos.

Así pues, ¿qué actitud tomar? Existen dos posiciones extremas ante esta cuestión. Algunos llegaron a la conclusión de que no hay que hacer nada, por la sencilla razón de que todo lo que se haga sólo aumentará los problemas. Es la postura escéptica. Si blindo las puertas de los bancos, los ladrones asaltarán los comercios. Lo único que se consigue con la acción es desviar la desviación pero no acabar con ella. Esta postura puede basarse en la creencia en la negatividad de la naturaleza humana. No podrá nunca acabarse con la infidelidad, con el homicidio, con la ruptura de normas, porque se trata de un ingrediente consustancial al hombre y la mujer. Cuando la causa es instintual podrá reprimirse, pero la tendencia saldrá por otro lado, tarde o temprano. Todavía podrían utilizarse pensamientos filosóficos provenientes de fuentes como el taoísmo para defender esta postura. El principio básico del Tao es la no acción para no provocar interferencias. Ahora bien, el principal problema viene al aplicar los valores y criterios occidentales de la ciencia y el derecho. Es difícil demostrar que el daño que dejamos de hacer al no actuar es mayor que el que hacemos al hacerlo. Pero además, si nos guiamos por el criterio de nuestra responsabilidad moral, como seres humanos, de disminuir el sufrimiento del otro, es evidente que esta postura no nos sirve.

La ciencia, y en particular la criminología y la sociología, deben comprometerse con el objetivo de luchar por un mundo en el que el sufrimiento causado voluntariamente por unas personas sobre otras sea el menor posible. El único pesimismo o realismo que encierra este objetivo general es el de que, lógicamente, dicho sufrimiento no desaparecerá nunca del todo. Pero eso no significa que no pueda trabajarse por disminuirlo y que esa disminución justifique nuestros esfuerzos. Por otra parte, la razón por la cual el sufrimiento aludido nunca desaparecerá no se debe únicamente a la naturaleza humana, sino a la complejidad del fenómeno de la desviación, el cual admite múltiples niveles y categorías cuya conexión será complicada. Habrá que atender a la urgencia de la inseguridad en un barrio en un momento determinado pero al mismo tiempo habrá que luchar por la mejor distribución de la renta y en general de las oportunidades para que la desviación no sea un fruto de la exclusión social. Puede incluso que haya ocasiones en las que la no acción sea el mejor medio de lograr estos objetivos, pero ese criterio no puede ser la norma. Pensemos en el consejo de Thoreau en este punto: "Si la justicia forma parte de la necesaria fricción de la máquina del gobierno, dejadla así, dejadla. Quizás desaparezca con el tiempo (…); pero si es de tal naturaleza que os obliga a ser agentes de la injusticia, entonces os digo, quebrantad la ley... Lo que tengo que hacer es asegurarme de que no me presto a hacer el daño que yo mismo condeno" (Thoreau, 2001: 40-41).

La postura opuesta cree que la restauración del orden es un objetivo urgente. El desorden atrae al desorden creando un clima de inseguridad que no puede permitirse el lujo de esperar a que complicadas discusiones teóricas lleguen a alguna conclusión. Llevada al extremo, esta postura práctica y realista corre el riesgo de que la prevención y la protección generen intolerancia. Cuando la preocupación por la seguridad deviene obsesión olvidamos que los problemas causados por ciertas formas de desviación y crimen no se resuelven eliminando sus síntomas aparentes. Si compito con mis vecinos por hacer de mi casa un búnker y llevar en el coche sistemas anti-robo es muy posible que acabe viendo como sospechosos a todos los desconocidos que se acercan a mi casa y a mi coche. La vida se hace más impersonal y el riesgo de discriminación de los que presentan diferencias visibles —como los inmigrantes— aumenta, sobre todo si la obsesión por la seguridad va acompañada de otras tendencias como la privatización de los espacios en los diseños urbanísticos y la funcionalización de los edificios.

El que las dos posturas acarreen sendos peligros no significa que no posean una parte de verdad. Por otra parte, puede que no respondan a una misma cuestión sino a cuestiones diferentes, por lo cual su supuesto carácter opuesto no lo sería tanto. La primera posición se comprende en una época de reflexividad donde se filtra de las ciencias sociales y se normaliza la costumbre de pensar en las consecuencias no buscadas por nuestras acciones y la conciencia de vivir en una sociedad del riesgo. Desde allí se llega a una postura reflexiva y analítica del problema del orden. La cual no tiene por qué ser del todo incompatible con el punto de vista pragmático y urgente del problema que tengo individualmente con el orden debido a las circunstancias en las que vivo. Antes que filosofar sobre el orden debo vivir, tener garantizada una mínima seguridad. De ahí que en ciertas zonas geográficas las políticas duras de "tolerancia cero" puestas de moda hace años en Nueva York sigan teniendo partidarios. Uno de los últimos ejemplos lo tenemos en Francia, donde en el 2003 se ha hecho famoso el ministro Nicolas Sarkozy y para quien "el laxismo de los poderes públicos, desde hace años, ha conducido al establecimiento de zonas sin ley"[7].

---

[7]   Entrevista al diario El País publicada el 21 de enero del 2004.

Los teóricos de izquierdas son los más críticos con estas políticas. Dichas críticas están justificadas si atendemos a los peligros generales que se desprenden, como acabamos de sugerir, de una forma extrema de llevar a cabo esa política de seguridad. Sin embargo, debemos recordar que el miedo a salir de casa no tiene ideología y que tanto podemos encontrarlo en un país capitalista como de socialismo real o postsocialista o incluso en situaciones de anarquía. Habrá que establecer prioridades y buscar formas de equilibrar las medidas de seguridad atendiendo a la causas profundas. Por supuesto, la defensa de la seguridad como materia urgente y dependiendo de las circunstancias no impide que se pueda al mismo tiempo discutir la oportunidad de las leyes e incluso proponer su desobediencia en algunos casos. En este punto, desde luego, las corrientes radicales, como tendremos oportunidad de comprobar, pueden enseñarnos a afilar nuestro sentido crítico. Sin embargo, tampoco las idealizaremos. No debemos olvidar que tales enseñanzas no provienen sólo de las corrientes marxistas que son las que más han dominado directa o indirectamente en la criminología radical. No por acaso hemos citado antes a Thoreau. El autor del famoso ensayo sobre la desobediencia civil se sirve en sus argumentaciones de elementos tomados del cristianismo y del individualismo. Es esta última influencia la que me interesa destacar aquí. Al margen de las similitudes que el caso concreto trae a colación, como las que sugiere su comparación con la obra de Stirner, una de las críticas fundamentales que expondré de estos enfoques es su obstinado y cuasi fanático rechazo de todo individualismo. En mi opinión, la falta de estudio y comprensión de los complejos aspectos de la cultura actual del individualismo limita seriamente las posibilidades de una criminología de izquierdas. Intentaré sugerir algunos caminos generales que podrían ayudar a superar este obstáculo. Por supuesto que no se tratará de programas concretos ni de borradores de manifiestos sino de una forma de estimular el debate para la revitalización de la corriente que más apuesta por compatibilizar la lucha contra la delincuencia con la lucha por la justicia social.

El criminólogo no debe tener ningún recelo a la hora de trabajar en la gestión pública. En general es más difícil definir programas de intervención que escribir libros de criminología desde la torre de marfil de la universidad. Por poner un ejemplo, el criminólogo puede sugerir aumentar la presencia policial en un barrio en un momento de inseguridad alarmante. Lo importante es cómo acompaña esa medida. En primer lugar debe vigilar al policía en su gestión cotidiana —consultando a los vecinos—, para que sus actuaciones sean respetuosas con los derechos. Eso sin contar con la formación previa de los funcionarios que deberían por supuesto conocer las maneras en las que de forma incluso inconsciente, al igual que sucede con los profesores en clase, pueden estar potenciando la discriminación en el trato al ciudadano, por ejemplo a través de los complejos procesos del etiquetado. En segundo lugar, deberían ponerse en marcha medidas paralelas destinadas a la desaparición del aumento de agentes que fueran compatibles con la justicia social. Ello abarcaría desde el rediseño de los espacios urbanísticos, pasando por la educación de adultos, hasta la atracción de servicios sociales y medidas de fomento del empleo que revitalizaran el barrio como entidad socializadora.

3. PREMISAS QUE ORIENTAN ESTE TRABAJO Y SENTIDO DEL MISMO EN EL PANORAMA ACTUAL DE LA CRIMINOLOGÍA ESPAÑOLA

Existen diversos puntos de vista a la hora de hacer ciencia. El más asumido es el que sigue el lema clásico *sine ira et cum studio*. Hay sin embargo autores que basándose en la subjetividad de todo conocimiento en general, y abusando del carácter relativo del crimen y de la desviación en particular, defienden posiciones claramente ideológicas o en todo caso parciales que apuestan claramente por una única interpretación. Tal es el caso de ciertas corrientes radicales o feministas como veremos. El presente texto adopta la primera posición, no la segunda. El peligro de las posiciones que pretenden ser equilibradas en el análisis —no por hacer del equilibrio un prurito sino porque creemos que la verdad está en todas las partes— está, sin embargo, en la tendencia a un cierto pesimismo. Ese escepticismo leve y en algunos casos tal vez no del todo consciente es el que se detecta, en mi opinión, en el prólogo a la cuarta edición —que data del 2003— del manual sobre sociología de la desviación y del crimen que personalmente considero más completo e imparcial: *understanding deviance* de Downes y Rock. En dicho escrito se insiste por activa y por pasiva en el carácter ambiguo y en la falta de consenso de los distintos enfoques sobre las teorías sociológicas del crimen y de la desviación. Aunque nadie puede dejar de asumir el carácter relativo de la propia definición de dichos términos, aquí partiré de la premisa de que en muchas ocasiones los desencuentros no se basan tanto en diferencias argumentales cuanto en "ruidos" en la comunicación, en la falta de una reflexión que ordene con criterios de sentido común los debates. Con ello no se reducirá, como sucede en el caso de la propia delincuencia, toda la incomunicación o disenso —lo cual tampoco constituye el objetivo— pero sí una parte lo suficientemente grande como para mantener la esperanza de que la disciplina merece el esfuerzo del investigador que aspira a hacer un poco mejor el mundo en el que vive. Por lo tanto, intentaré mostrar que algunas de las incompatibilidades entre los enfoques se exageran y que, una vez deconstruidos los mismos —incluyendo los postulados metateóricos— es posible proponer alternativas sincréticas que reconcilien las aportaciones más relevantes de los mismos. Por ejemplo, tras el análisis de los tres enfoques que más se han desarrollado en los últimos años, es posible aspirar a reconciliar ciertos aspectos de la criminología de izquierdas con el individualismo y realismo de lo que aquí rebautizaré como enfoques circunstanciales y con la vigilancia epistemológica de ciertas posiciones del feminismo.

En cuanto a los criterios de ordenación seguidos, cabe decir, en primer lugar que he intentado recoger ejemplos paradigmáticos de las obras que suelen considerarse fundamentales de los enfoques, si bien en algunos casos, la elección será por supuesto discutible, sobre todo cuando se trata de la evolución más reciente sobre la cual no hay todavía consenso en la literatura crítica. En los tres enfoques antes mencionados el riesgo que he asumido es mayor, en parte por la razón aludida y en parte porque el presente trabajo no pretende ser exactamente el típico manual, sino que mezcla el estilo y los objetivos del libro de referencia académico con el del ensayo, arriesgando lecturas nuevas, redefiniendo enfoques y proponiendo alternativas.

En segundo lugar, el análisis de las corrientes no se ha limitado a la exégesis de la obra de los autores que las protagonizan sino que se intenta poner al día y ampliar el sentido de dicha obra con comentarios sobre la evolución sufrida por nuestras sociedades. En mi opinión, en esta ampliación reside una de las aportaciones más importantes que puede realizar la sociología al conocimiento criminológico: la contextualización macrosociológica, la atención al cambio social y cultural es fundamental.

Es esta una primera razón que aconseja la dedicación del sociólogo al estudio del crimen y de la desviación. A ella habría que añadir una segunda: buena parte de las tradiciones teóricas criminológicas modernas provienen de la sociología. A principios del siglo XX la Escuela de Chicago esta asociada al famoso departamento de sociología de esta ciudad. Y casi cien años más tarde feministas como Smart identifican la sociología como una disciplina privilegiada para realizar los análisis deconstructivos del discurso sobre la mujer con ayuda de materiales posestructurales y postmodernos. La criminología crítica nació reclamando, a principios de los setenta, la sustitución del término criminología por el de sociología de la desviación; con ello pretendían evitar el enfoque psicológico y jurídico correccionalista y adoptar otro que se centrara en el contexto social. En cuanto a los enfoques que aquí llamaré circunstanciales, algunos de los trabajos de fundación, como el de E. Cohen y Felson, se publicaron por primera vez en la *American Sociological Review.*

Sumemos a estas razones el importante desarrollo de la criminología en los últimos años. Ha dejado de ser una disciplina marginal en las Facultades de Derecho y de Ciencias Sociales, entre otras cosas por la creciente preocupación de nuestras sociedades con la problemática de la delincuencia (Walton, 1998: 4). Incluso en España, ha aumentado su presencia en la academia y se ha roto el cuasi-monopolio que de ella tenían los juristas (Herrero, 2001: 137 y ss.). Y sin embargo, y a pesar de todo ello, la sociología española se ha preocupado muy poco del crimen y de la desviación. Con ello se ha limitado, lógicamente, el desarrollo de la criminología. Los hechos hablan por sí mismos: en algunos planes de estudios de la carrera de sociología en nuestro país esta disciplina no existe ni siquiera como optativa; no existen obras de referencia o manuales que hayan aclarado la temática con los criterios expuestos anteriormente, los cuales suelen constituir un primer paso en la divulgación y estímulo de las posibilidades de investigación[8]. Es buena medida gracias al esfuerzo de los juristas fundamentalmente que muchos han podido conocer entrar en contacto con esta disciplina.

Si nos comparamos con otros países de tradición sociológica y si tenemos en cuenta la atención que ha recibido la sociología del crimen

---

[8]   Los manuales de criminología no están escritos por sociólogos sino por penalistas y psicólogos. Véase, por ejemplo, García-Pablos (1999) y Garrido, Stangeland y Redondo (2001). En 1980 la Real Academia de Ciencias Morales y Políticas publicó el discurso de Primitivo de la Quintana López, titulado *Introducción al problema de la desviación social. Biología y sociología,* pero en su contenido se recogen sólo algunas de las teorías. Existen algunos trabajos interesantes publicados recientemente, como el de Diego Torrente, *Desviación y delito,* (2001) —citado en este libro— pero que tampoco tienen como objetivo, pese a la importante labor que realizan en la aclaración de conceptos, una exposición de las teorías sociológicas del delito — salvo de forma introductoria, en un breve capítulo—.

y de la desviación por sus teóricos, podemos concluir que se trata de una de las lagunas más importantes de la sociología española a principios del siglo XXI[9]. Su temática es lo suficientemente urgente desde el punto de vista de la responsabilidad social del investigador y lo suficientemente apasionante desde el punto de vista intelectual como para garantizar al sociólogo que no le defraudará.

En cuanto a la organización de los materiales, en la primera parte se expondrán siete grandes debates que han sido desarrollados en los últimos cien años para explicar la delincuencia y la desviación. Se repasan aquí las principales teorías sociológicas modernas del delito y la ruptura de normas y debe aclararse que los lectores deben interpretar la expresión "causas de la delincuencia" —que aparece en el título— *latu sensu*. Porque en ocasiones se discutirá precisamente ese objetivo, como en las críticas desde el feminismo postmoderno a los enfoques radicales, interpretando su fe en las metanarrativas, subyacente en el énfasis que hacen en la etiología, como positivismo, porque este defecto no tiene que ver tanto con la ideología, como se suele pensar, sino con la posición epistemológica. Pero aún en ese caso se debate indirectamente la causa, si bien no ya la causa concreta sino su sentido como concepto y como objetivo de la criminología. Incluso desde este interesante punto de vista crítico, podemos plantear las cuestiones importantes utilizando el término: ¿Cuáles son las causas que están detrás del concepto de mujer que aparece en el discurso jurídico? O más general: ¿Cuál es la causa de que haya muchas menos mujeres en prisión?

Hablar de causas en sentido amplio supone, además, tener en cuenta no sólo el perfil del infractor sino también las circunstancias que rodean al delito, las cuales son de muy variada especie pues invitan a fijarse, por ejemplo, en la relación entre los aparatos de control y el delito, pero también en decisiones morales individuales a pesar de que *una parte* de estas últimas tengan un carácter fijo y universal y no circunstancial. Por otro lado, las causas están relacionadas con los procesos y las consecuencias. Piénsese, por ejemplo, en los efectos de la política criminal o de las sanciones informales a través de la etiqueta. En ocasiones, sobre todo en las desviaciones secundarias, observarán los teóricos del etiquetado, no será fácil distinguir la causa de la consecuencia.

---

[9]   Un comentario más suave sobre esta deficiencia hacía Lamo de Espinosa a finales de los ochenta (1989: 11).

Veremos cómo la Escuela de Chicago conecta con la teoría de la asociación diferencial de Sutherland y más tarde con los interaccionistas. Repasaremos las discusiones acerca de las subculturas del crimen y de la desviación, de la evolución del concepto de anomia desde Durkheim y Merton, del autocontrol y del papel del Estado y la globalización según la criminología crítica. Interpretaré la evolución de los teóricos radicales en los últimos años y propondré el posible camino que podría tomar la criminología de izquierdas en el futuro utilizando el criterio de respeto al objetivo original pero adaptándose a la evolución epistemológica de la ciencia y al contexto de valores culturales actuales. En último lugar figura la exposición dedicada a la criminología feminista, la cual supone, en la transición de los siglos XX y XXI, un verdadero "examen de conciencia" de la disciplina o si se quiere, de "sacudida epistemológica". Aunque algunos sostienen que la aparición de la "nueva criminología" inglesa en los años sesenta supuso un punto de inflexión en la historia de la disciplina, parece más razonable situarlo tras la irrupción de la aportación feminista dado el alcance más profundo de la crítica. Ello es así porque las feministas, a diferencia de los radicales, han digerido la aportación del pensamiento posestructuralista o postmoderno.

En la segunda parte me centraré en una serie de enfoques que considero dentro de una misma corriente y a los que denominaré circunstanciales. He dedicado un mayor espacio a su análisis porque es en las referencias bibliográficas a los mismos donde más malentendidos he detectado, comenzando por las denominaciones con la que se ven reflejados en muchos manuales. Incluso en algunas obras se les sitúa en diversos capítulos sobre diversos enfoques. Sin embargo, existe una importante relación entre los mismos, en cuanto que comparten la misma perspectiva y características metateóricas. Me parecía pues que era necesario hacer un esfuerzo especial en aclarar todos esos puntos y ordenar los debates utilizando para ello como criterio la comunicación que se establece entre los autores y no, como suele suceder, el punto de vista previo del intérprete que hace los comentarios.

Por otra parte, y tal vez de forma menos consciente que los enfoques feministas, los enfoques circunstanciales también reflejan tanto la evolución epistemológica de las ciencias sociales, como la evolución cultural de la sociedad actual. Obviamente, esta afirmación tiene categoría de hipótesis —en la medida en que se trata de un reflejo indirecto—, y uno de los objetivos será el de demostrarla. Los enfoques circunstanciales podrían constituir, por lo tanto, uno de los prismas más adecuados con los tiempos que corren para enfocar la delincuencia, siempre que para ello, y esto es fundamental, optaran por abrir su marco teórico a las deficiencias que se detectan tras una exposición crítica de los mismos. Esto supone incorporar influencias de otros enfoques, incluir el estudio de algunos factores olvidados —como la moral—, y redirigir o ahondar en el estudio de algunos de las principales variables —como la circunstancia en algunos de sus niveles o la racionalidad del sujeto—.

De esta forma, las dos partes de las que consta este libro nos permitirán estudiar la delincuencia enfocando no tanto al sujeto como a la circunstancia, es decir, literalmente, a las cosas que le rodean o están alrededor (*circum-stantia*). Estas podrán ser procesos sociales generales —primera parte— o combinaciones concretas de coincidencias espaciotemporales —segunda parte—. Partiremos pues de la premisa de que la infracción de las normas no se debe tanto al carácter especial del delincuente o del que exhibe un comportamiento distinto al que sigue la mayoría como al contexto que rodea la acción rupturista.

PARTE PRIMERA

LAS CAUSAS DE LA DELINCUENCIA Y DE LA RUPTURA DE NORMAS: GRANDES DEBATES

I
¿La delincuencia se aprende? La Escuela de Chicago y la Teoría de la Asociación Diferencial

1. LA ESCUELA DE CHICAGO

Prácticamente desde principios del siglo XX encontramos autores que, con más o menos reservas, tienden a creer que la delincuencia es un estilo de vida en el cual cualquiera puede ser socializado. Podemos decir que esta idea tiene sus orígenes en el Departamento de Sociología de la Universidad de Chicago, que se hizo famoso ya en las primeras décadas del siglo. La obra titulada, *The City*, de Robert E. Park y Ernest. W. Burgess, se convertiría en un clásico. En ella se estudiaban los problemas sociales a los que daba lugar el crecimiento de las ciudades modernas. Y puesto que la tendencia universal, desde hace más de cien años, es que la población se aglutine en núcleos urbanos grandes más que en zonas rurales o en ciudades pequeñas, las investigaciones de la llamada Escuela de Chicago se convertirían en un referente ineludible para el futuro.

Hoy casi todo el mundo conoce una ciudad, la mayoría vive en ciudades y la tendencia a la concentración de la población sigue aumentando. Sin embargo, se trata de un fenómeno relativamente moderno. Aunque el término "éxodo rural", el abandono del campo para ir a vivir en las ciudades, puede aplicarse a otros momentos de la historia menos recientes —como a la aparición de los primeros "burgos" en la Edad Media—, el fenómeno se hace cualitativamente diferente cuando, por un lado, sus dimensiones se disparan y las ciudades crecen hasta rebasar cifras millonarias, y por otro, se ve acompañado por cambios profundos en la economía —debido a la industrialización— y en el templo de la vida cotidiana de las personas. Con esto último aspecto me refiero no sólo a la cantidad de actividades diferentes que un individuo medio hace en una jornada, sino también al aumento del grado de diferenciación entre dichas actividades y al incremento del espectro espacial que abarcan las mismas, y que a menudo parece ser inversamente proporcional a la reducción del tiempo de las mismas. Esta diferencia es la que convierte la vida urbana en preocupación y motivo de investigación sociológica, dado que tiene consecuencias que no pueden ser comprendidas sin estudio, o genera problemas sociales —lo que en cada momento las gentes consideran motivo de preocupación— que no pueden resolverse sin el mismo.

Los rasgos resaltados por Park como responsables del cambio de las condiciones materiales de vida son los siguientes (Park, 1998: 112 y 116):

1) concentración de la población

2) extensión de los mercados

3) división del trabajo

4) concentración de individuos y grupos en tareas específicas

5) métodos modernos de transporte y comunicación —tranvía eléctrico, automóvil, teléfono y radio—.

Especialmente el último aspecto ha alterado "silenciosa y rápidamente", la organización social de la ciudad moderna, concentrando en el centro el distrito de los negocios y multiplicando los suburbios residenciales. Ahora bien, lo importante es advertir que todos estos cambios no se sitúan sólo en la estructura física de la ciudad sino que están "ligados a cambios en los hábitos, sentimientos y carácter de la población urbana". O dicho de otra manera, debemos entender que un cambio en la dimensión física, en el cuerpo de la ciudad, acarreará consecuencias en su "alma" o dimensión espiritual, entendiendo por ésta lo más íntimo de la vida de los individuos, sus costumbres y sus creencias y opiniones. Para sustentar este planteamiento, Park cita a algunos de los más famosos sociólogos americanos de las primeras generaciones. En primer lugar a Cooley, quien alrededor de 1909 acuño los conceptos de "grupo primario" y "grupo secundario". Los primeros son pequeños, se caracterizan por la interacción cara a cara y son solidarios (Abercrombie, Hill y Turner, 1986: 121). Las personas que forman parte de ellos se conocen bien y no sólo se relacionan para satisfacer un interés concreto y reglado racionalmente por algún tipo de contrato, escrito o tácito. En una pequeña comunidad, donde dominan los grupos primarios, "la interacción se desenvuelve en el terreno del instinto y del sentimiento". En ella, "el control social surge de manera espontánea respondiendo directamente a las influencias personales y al sentimiento colectivo y es, por tanto, el resultado del acuerdo personal más que de la formación de un principio racional y abstracto" (Park, 1998: 116-117). Porque en la gran ciudad, aclara el autor, la población es inestable, padres e hijos trabajan fuera de casa y muchas veces en zonas separadas, y miles de personas tienen vecinos con los que nunca tendrán un contacto cercano. En este contexto, lógicamente, "las relaciones íntimas propias de los grupos primarios se debilitan y el orden moral en el cual descansan se disuelve gradualmente" (*Ibid.*: 117). Es más, Park añade que el rompimiento de los lazos locales y el mencionado debilitamiento de los grupos primarios, "probablemente" son los responsables del aumento del crimen en las ciudades. Algunos de los indicadores que para Park indican la "desintegración del orden moral" serían, además del crimen, las estadísticas sobre divorcio y absentismo escolar.

Ahora bien, llegados a este punto, los lectores deben tener cuidado a la hora de interpretar ciertos términos de los textos clásicos, debido a la barrera del tiempo —en este caso, se trata de un escrito de hace casi cien años—. Junto a la expresión "desorden moral", Park utiliza el término "crisis", remitiendo al sentido que le da otro clásico, W.I. Thomas. Se trata de una acepción bastante inocua o neutral pues simplemente quiere significar "cualquier alteración del hábito". Por ejemplo, hay crisis en la vida de un joven cuando abandona su hogar o en la adaptación del inmigrante a la nueva vida en la ciudad (*Ibid.*: 119). Esto nos da una pista de cómo debemos interpretar la expresión "desintegración del orden moral". No podemos interpretarla, en mi opinión, en el sentido que le damos a la palabra informalmente hoy, ni en el sentido que toman los debates sobre la crisis de la ética universalista y los desafíos que esta supone para la moral. Es decir, no podemos deducir que vivir en la ciudad implicará necesariamente un cambio en nuestra actitud hacia el sufrimiento de los demás en el sentido de aumentar nuestra indiferencia. Porque en este punto, el debate continúa abierto. Son bien conocidos los alegatos hacia la despersonalización que sufrimos en las ciudades, lo cual empujaría hacia la insensibilización hacia los padecimientos del otro. Sin embargo, existen argumentos que se contraponen a los mismos. Entre ellos destacan al menos dos: por una lado la necesidad, expresada por Simmel de contemplar la actitud de "reserva" en la ciudad como una necesidad para sobrevivir (Simmel, 1997: 179), y por otro, la posibilidad, planteada por Bauman de que la crisis de las éticas universalistas —que culmina en la última fase de la modernidad pero que debemos suponer asociada con los tipos de cambios comentados por los autores de la Escuela de Chicago— *podría* suponer la liberación positiva del instinto moral del hombre (Bauman, 1998a: 36-37).

Aclarado el problema de interpretación, podemos seguir observando los razonamientos de Park. Este propone investigar la relación general que se establece entre el nuevo modo de vida en la ciudad y la criminalidad. La hipótesis es que en la gran ciudad la vida familiar y escolar, por citar dos ejemplos, cambia. La comunicación entre los padres y entre los padres y los hijos cambia. O la escuela toma funciones que antes tenía la familia, como la educación sexual. Al mismo tiempo, los maestros ya no son conocidos por los padres y las mismas relaciones entre los padres de alumnos ya no son las mismas que las que observamos en un pequeño pueblo. Al no ser relaciones de amistad o de conocimiento estrecho, el control sobre el comportamiento del hijo disminuye. Parece claro que esto debe tener alguna repercusión sobre la posibilidad de que los individuos, especialmente los jóvenes, aumenten sus conductas infractoras. Más adelante veremos cómo esta hipótesis, muy general aquí, toma cuerpo en diversas teorías en el futuro del siglo XX —no sólo en las más próximas en el tiempo, como veremos a continuación, sino también en las más lejanas, como las que analizaré en la segunda parte con el nombre de teorías circunstanciales—.

El estudio científico del aumento de la criminalidad en las ciudades exige comprobar las explicaciones al uso. Park se refiere a una de las más comunes: la que la achaca a la falta de adaptación de los extranjeros. Se supone que las costumbres y moralidad de éstos resisten bien las influencias de la forma de vida americana, y por lo tanto cumplen su función, en la primera generación. Sin embargo, el control social informal dejaría de funcionar en los hijos de quienes emigraron. Pues bien, Park cita informes de la época donde la Comisión de Inmigración echa por tierra esta hipótesis después de comparar tendencias criminales de padres e hijos de americanos e inmigrantes (*Ibid.*:120). Lo único que puede aseverar el investigador son ciertas tendencias en la evolución del control social y ciertas causas generales. En cuanto a las primeras, podemos destacar las siguientes (*Ibid.*: 123):

1) La sustitución de la costumbre por la ley positiva

2) La racionalización de la aplicación de los métodos de la justicia. Estos funcionan menos por la lógica de la tradición ritualística que por la lógica intrínseca de la objetividad, universalidad y calculabilidad, con la aplicación de los principios abstractos que rigen la aplicación de la ley.

3) Existe una tendencia a extender el control social, su ámbito de aplicación, a terrenos que antes quedaban ocultos en el dominio de lo privado o en todo caso enjuiciables por la opinión pública. Park habla de la manía de los gobiernos de estar continuamente hacien-

do reformas. La reforma, llega a decir, se ha convertido en una especie de "deporte casero". Con ellas quedan controladas cada vez más actividades (*Ibid.*: 121)[1].

En cuanto a las causas generales, dentro del esquema general de cambios antes aludido, Park concede un papel especialmente relevante a la "creciente movilidad de la población" y propone investigar en qué medida se relacionan el crimen con el crecimiento de la población (*Ibid.*: 118). Debemos tener en cuenta que el crecimiento de las ciudades no se produce siempre de forma previsible. Antes al contrario, se alternan fases de organización y desorganización —lo cual supone considerar a esta última como algo normal y no como algo patológico—. Ahora bien, el problema está en que, "si bien el fenómeno de expansión indica que un grado moderado de desorganización puede facilitar y de hecho facilita la organización social, un proceso de expansión urbana rápida vendrá acompañada por un excesivo incremento de enfermedad, crimen, desorden, vicio y suicidio, todos ellos claros índices de desorganización social" (Park y Burgess, 1967: 57).

El crecimiento, no sólo altera "el cuerpo" o la "estructura física" de la ciudad, su fisonomía —sus calles o edificios— sino también las costumbres de sus habitantes. En la ciudad, fuera del barrio y la familia, si rompemos con la norma, nos encontraremos con la policía y otras agencias especializadas en el control social formal. Es en este nivel, en la "comunidad", donde se da la delincuencia. Esta se definirá por el grado en el que las organizaciones especializadas no pueden mantener a raya los impulsos individuales hacia la ruptura de normas, impulsos ayudados por aspectos e ingredientes del crecimiento urbano como el anonimato o el vehículo.

Tomando prestados conceptos de la ecología, y por tanto pensando en la ciudad como un organismo vivo, se dibuja un mapa sociológico de la ciudad formado por cinco círculos concéntricos. De dentro afuera, dichos círculos reciben los siguientes nombres: *loop* o centro, zona en transición, zona de trabajadores, zona residencial y zona de *commuters*[2] (Park

---

[1] Este razonamiento será después trabajado por Foucault y otros autores que trabajan la sociología del cuerpo, como se verá en el debate sobre el autocontrol.

[2] Se conoce por *commuter*, en los países anglosajones a quienes deben tomar trenes de cercanías para cubrir el trayecto entre sus viviendas de residencia y el trabajo o el centro de la ciudad.

y Burgess, 1967: 51). La tendencia general, según la cual los habitantes de una zona se desplazan, si pueden, a la zona posterior, se denominó proceso de *expansión centrífuga* o *sucesión*. En el corazón de la ciudad, el centro o distrito de los negocios, solo quedan al final aquellas actividades que hacen un uso intensivo del suelo, porque son las únicas que pueden amortizar el alto precio del mismo, privilegiado desde el punto de vista de la comunicación. Al lado tenemos la zona de transición, que es donde se concentran los inmigrantes de primera generación y diversos tipos de población flotante. Es en esta zona, con edificios antiguos sin reformar y servicios escasos, donde los estudiosos de la ciudad localizaron la mayor parte de los delitos, tráfico de drogas y prostitución.

2. LA TEORÍA DE LA ASOCIACIÓN DIFERENCIAL DE SUTHERLAND

El recién llegado puede aprende la subcultura de barrio bajo o de *slum*. El delincuente no lo es tanto por debilidad moral o por falta de aptitudes cuanto por aprendizaje. Sin embargo, habrá que esperar unos años para encontrar una teoría que desarrolle esta idea, de la mano de Shuterland (y alguno de sus aventajados alumnos como Cressey). Shuterland, que cursó estudios en los departamentos de sociología y de economía política en 1906 y en 1911 respectivamente, sustituyó el concepto de "desorganización social", tan caro a la Escuela de Chicago, por el de "organización social diferencial", abriendo así el campo socio-lógico al estudio del conflicto entre valores y culturas (Álvarez-Uría, 1999: 37). Así surgió la llamada Teoría de la asociación diferencial, cuya última versión fue publicada en 1947, con la forma de una serie de proposiciones encadenadas (Akers, 1973: 56-59):

1) El comportamiento delictivo se aprende

2) El comportamiento infractor se aprende en la interacción con otras personas a través de un proceso de comunicación.

3) La parte más importante del aprendizaje del comportamiento desviado tiene lugar en el seno de los grupos donde las relaciones son más estrechas y personales.

4) El aprendizaje del comportamiento delictivo comprende: a) técni-cas para cometer los delitos, que pueden ser simples o complicadas,

b) motivos y justificaciones del acto infractor.

5) Los motivos y justificaciones se aprenden por medio del contacto con definiciones favorables o desfavorables a la ley.

6) Una persona puede llegar a ser delincuente si se expone a un número de definiciones desfavorables a la ley que es superior al número de definiciones favorables.

7) Las asociaciones diferenciales pueden variar en frecuencia, duración, prioridad e intensidad.

8) El proceso de aprendizaje del comportamiento delictivo, por asociación con valores delictivos y conformistas, implica los mecanismos típicos de cualquier tipo de aprendizaje.

9) Puesto que el comportamiento delictivo expresa los mismos valores y necesidades generales que el comportamiento conformista, no puede ser explicado por ellos.

Akers nos recuerda que en su primera versión Sutherland hacía depender el aprendizaje del comportamiento delictivo de la relación con personas que cometían delitos. Sin embargo, en la versión de 1947 introduce un cambio importante: la cuestión no está en si uno se asocia diferencialmente con personas conformistas o delincuentes, sino en el contacto que se tiene con valores, pautas y especialmente definiciones favorables o desfavorables a la ley (*Ibid.*: 59). De hecho, en opinión de Cressey, uno de los malentendidos más comunes, originados en la lectura "literal" de la teoría, es pensar que la delincuencia se aprende en contacto con cierta categoría de personas (*Ibid.*: 60). Se corre entonces el riesgo, diríamos nosotros, de simplificar la teoría hasta reducirla al refrán: "dime con quien vas y te diré quien eres". Sin embargo, uno podría tener un amigo policía, es decir, una persona cuyo trabajo se supone que es precisamente hacer respetar la ley, y aprender de él definiciones desfavorables a dicha ley —imaginemos por ejemplo que esta persona ostenta actitudes autoritarias—. Y al revés, podríamos tener un amigo ex-presidiario cuyas actitudes, detalles y discurso está continuamente reforzando la obediencia a las normas. Una prostituta que no oculta el oficio a su hija pero está continuamente advirtiéndole para que no siga sus pasos, ilustra tal vez mejor la idea. Aunque no debemos exagerar la fuerza de este aparente contrasentido —el sentido común nos indica que en la mayoría de los casos lo normal es lo contrario—, la advertencia sirve para no caer en el error de la simplificación de la teoría.

3. LA TEORÍA DEL APRENDIZAJE SOCIAL DE AKERS

De hecho, Akers cita varios estudios que aportan pruebas empíricas a favor de la teoría y concluye citando autores con trabajos de revisión en los que se concluye que la misma posee coherencia interna y es capaz de producir deducciones falsables si los conceptos se operacionalizan (*Ibid.*: 65). Estos éxitos no impiden, sin embargo, el reconocimiento de ciertas limitaciones, que siguen teniendo que ver, sobre todo, con su potencialidad empírica. ¿Realmente es posible —e incluso deseable— medir todas y cada una de las definiciones o significados de las acciones a favor o en contra de las leyes a lo largo de la vida de un individuo?, vienen a preguntarse Downes y Rock (1998: 81). ¿Qué significa exactamente un "exceso de definiciones"? ¿Qué se entiende —en la proposición número 8— por mecanismos típicos del aprendizaje? Partiendo de estas dos últimas cuestiones, Akers intentará proponer una nueva versión de la teoría utilizando elementos de la psicología conductista. La nueva teoría del aprendizaje social se construirá con siete ideas concatenadas que corren paralelas a las siete primeras de Sutherland (Akers, 1973: 68):

1) El comportamiento desviado se aprende de acuerdo con los principios del condicionamiento operante.

2) El comportamiento desviado se aprende tanto en situaciones de interacción, en las que la conducta de otras personas refuerzan o disuaden dicho comportamiento, como en situaciones no sociales.

3) La parte fundamental del comportamiento desviado, se aprende en aquellos grupos que controlan la mayor fuente de refuerzos individuales.

4) El aprendizaje del comportamiento desviado, que incluye las técnicas específicas, las actitudes y los procedimiento de evitación, está en función de los refuerzos y de las contingencias reforzadoras.

5) La clase específica del comportamiento específico que se aprende, así como la frecuencia con la que se da, depende de los refuerzos que son efectivos y que están disponibles, y de la dirección desviada o no desviada de las normas, reglas y definiciones que en el pasado han acompañado los refuerzos.

6) La probabilidad de que una persona observe un comportamiento desviado dependerá del proceso de refuerzo diferencial de dicho comportamiento.

7) El grado de desviación del comportamiento dependerá de la cantidad, frecuencia y probabilidad de su refuerzo.

Debe aclararse que la hipótesis del aprendizaje del comportamiento desviado no debe entenderse ni de forma simplista ni incompatible con explicaciones estructurales. En el primer caso, aunque normalmente la asociación delictiva es un factor que suministra modelos de comportamientos rupturistas —y por lo tanto debe ser considerado como causa— debe entenderse que los procesos de aprendizaje son complejos y que la relación entre las variables no siempre sigue una misma dirección. En el segundo caso, Akers admite que su teoría no es incompatible con explicaciones estructurales, ya que la estructura social encaja como marco previo donde se establecen los procesos de aprendizaje (Cid y Larrauri, 2001: 118).

Akers utiliza, para elaborar la teoría, las cuatro piezas básicas del aparato conductista, a saber: el refuerzo y la sanción positivos, por un lado y el refuerzo y la sanción negativas, por el otro. En el primero, el comportamiento se estimula de forma activa añadiendo un premio o un castigo. En el segundo, se eliminan estímulos tanto positivos (recompensa) como negativos del ambiente con la finalidad de favorecer el comportamiento. La idea es que el comportamiento desviado puede ser inducido por recompensas o por ausencia de sanciones. Si la acción infractora tiene consecuencias "placenteras" o "deseables" —dinero o estatus por ejemplo— es posible que se repita.

De los enunciados expuestos, los dos últimos requieren una explicación adicional puesto que en ellos se concentran los conceptos fundamentales. El proceso específico por el que el comportamiento desviado se impone sobre el conformista depende del llamado "refuerzo diferencial". Significa que si al sujeto se le presenta una situación con dos posibles acciones, una de las cuales implica un beneficio —dinero, comida, aprobación, etc.— y otra una sanción, aunque sea leve, elegirá la primera. Significa también que ante dos opciones cuyas consecuencias son similares, se optará por aquella cuya cantidad, frecuencia o probabilidad de beneficio sea mayor. El estímulo puede a su vez presentarse de forma continua o intermitente. Un ejemplo del primer caso es cuando le damos a un niño un caramelo cada vez que pronuncia una palabra correctamente. Un trabajador que recibe su paga cada semana o mes encajaría en el segundo caso. Lo usual es que la frecuencia, matiza Akers, no la dicte tanto el tiempo, como la ratio de las respuestas. Diremos que un delincuente que encuentra algo valioso que robar en una casa de cada tres, tiene una probabilidad de refuerzo en el delito del robo, menor que el que lo consigue en cada intento (*Ibid.*: 75).

Por último, el concepto de "definición" juega un papel diferente en la teoría del aprendizaje social de Akers en comparación con el otorgado por Sutherland. Las "definiciones" son el sentido correcto o incorrecto que se otorga a la acción de forma verbal. Hay definiciones que condenan y otras que aprueban los actos delictivos. Para Akers, las definiciones vienen a ser una especie de refuerzo de los refuerzos, es decir, vienen a subrayar, apoyándolas, las acciones infractoras. Las hay de dos tipos. Algunas subrayan la función positiva de la acción rupturista, como las que en la subcultura homosexual subrayan la contribución de dicha tendencia sexual al bienestar del mundo puesto que aumentarían aspectos como la tolerancia, la libertad o la relativización del sexo. Otras en cambio, son justificaciones, racionalizaciones de la acción —del tipo, "tú también lo harías", o "toda mujer casada es en el fondo una prostituta porque intercambia favores sexuales a cambio de su sustento"—. Este tipo de definiciones han sido originadas probablemente, señala Akers, a través de procesos de refuerzo negativo, es decir, del tipo de refuerzos que elimina la posibilidad del castigo. Algo parecido al niño que atropella a su hermanita con la bicicleta, sabiendo que su padre le perdonará si asegura que fue un accidente, y utiliza esta explicación como excusa para evitar el castigo (*Ibid.:* 78).

Aunque puede ocurrir que las acciones delictivas no se vean acompañadas de las verbalizaciones que las refuerzan, lo más probable es que suceda lo contrario. En todo caso, la diferencia con Sutherland es que el exceso de una serie de definiciones sobre otra (a favor o en contra de la norma), en el sentido de una proporción acumulativa, no sería crucial para explicar la desviación. Más bien, la salida de la desviación vendría determinada por el refuerzo diferencial y el valor de los estímulos discriminativos de un conjunto de verbalizaciones sobre el otro (*Ibid.:* 79).

Dada la importancia del conductismo en la teoría, es lógico suponer que admitirá desarrollos en materia de política criminal. Las propuestas podrán centrarse en aspectos generales y previos de la socialización —a través de la educación— o bien actuar sobre los infractores con la finalidad de "reeducarlos". En este último caso, cierto "aprendizaje correctivo" puede incidir en varios aspectos (Cid y Larrauri, 2001: 120):

1) Control imitador. Asignándole al joven infractor un encargado de libertad vigilada con la finalidad de que sea un modelo de comportamiento a imitar.

2) Alteración de la asociación diferencial. Ofrecer a la persona un nuevo grupo de referencia —por ejemplo a un drogodependiente un grupo de ex-drogodependientes—.

3) Uso de programas de modificación del comportamiento basados en las técnicas del condicionamiento operante[3].

Al margen de las discusiones sobre los postulados concretos y el alcance de las teorías del aprendizaje[4], la idea general según la cual podemos aprender pautas de comportamiento que la sociedad califica de desviadas y contra las que reacciona negativamente, sigue demostrándose en trabajos empíricos hoy en día. Como ejemplo, expondremos el caso del *training* en una casa de prostitución femenina (Sherman, 1999). En el estudio de la prostitución se han reconocido generalmente tres tipos: la callejera, la telefónica —*call girl*— y la de los clubs. En cada una de ellas podemos encontrar una serie de normas o reglas que suelen respetarse. En un trabajo sobre la prostitución por contacto telefónico, Bryan distinguió dos dimensiones básicas al respecto, la filosófica y la interpersonal (Bryan, 1965: 291 y ss.). La primera se referiría al sistema de valores subcultural y regularía aspectos profundos y básicos de la relación entre colegas y del trato a los clientes. La segunda aludiría a técnicas, consejos y trucos prácticos en relación al trabajo sexual. Es posible que esta división pueda ser utilizada en los tres tipos de prostitución. De hecho, Sherman la utiliza para su trabajo. De cualquier forma, parece claro que es dentro de los locales donde el aspecto del aprendizaje cobra una mayor relevancia, debido a dos razones fundamentales, la obligada convivencia y la solidaridad en el negocio —una prostituta de calle o de contacto inexperta se arriesga a perder clientes, pero si ejerce su trabajo en un club la pérdida afecta a otras personas—.

La metodología consistió en: 1) largas entrevistas con tres nuevas trabajadoras y con la encargada —la *madame*—, 2) grabación de las reuniones de la encargada con 14 nuevas trabajadoras en el periodo 1971-1975 —y que tuvieron lugar pasados los primeros días de adapta-

---

[3]   Estos suelen estar basados en programas de economía de fichas —el sujeto obtiene fichas canjeables por privilegios si el comportamiento es aceptable— o en otros de condicionamiento aversivo —en el que se asocia la actividad a evitar con el dolor, por ejemplo suministrando drogas que provocan vómitos cuando si se consume alcohol— (*Ibid.*: 120).

[4]   En la segunda parte, al repasar la teoría de Hirschi sobre los "lazos sociales" volveremos sobre este punto.

ción de las recién llegadas—, y 3) visitas al club —10 veces— y contacto semanal con la encargada durante los cuatro años señalados (*Ibid.:* 295).

En el análisis de contenido, y siguiendo la doble clasificación señalada por Bryan, de las sesiones se observaron dos grandes temas: el comportamiento físico y verbal con el cliente y el aprendizaje de valores. Respecto al primero, la *madame* enseña a las neófitas las técnicas rudimentarias de los tres tipos básicos de acto sexual —felación, coito y *half and half*—. Posteriormente explica las reglas económicas concernientes al tipo de sexo y el tiempo empleado, cómo chequear al cliente para cerciorarse de que no está enfermo —las primeras inspecciones las realizará la propia *madame*—. Otro aspecto fundamental será el manejo del lenguaje verbal para tratar de convencer al cliente de que pida más y por lo tanto gaste más.

En relación a la dimensión valorativa, Sherman encuentra aspectos concordantes y discordantes con el trabajo de Bryan. Las "call girls" se guían por el criterio de maximizar los beneficios y reducir los gastos aun cuando para ello "transgredan la naturaleza moral o legal". Sin embargo, en el club dicho criterio acabaría yendo en contra de la reputación ya que depende de una clientela más fija. Antes al contrario, se apela en las sesiones al valor de la honestidad (*Ibid.:* 298). No hay discrepancia sin embargo en aspectos como la competencia leal o la fidelidad al "chulo" en caso de que exista. La prostitución exige también, al profesionalizarse, un "trabajo emocional": el estilo personal, el entusiasmo y el sentido del humor son importantes[5]. "El cliente siempre tiene razón", y debe por tanto ser tratado con paciencia y afectividad.

---

[5] Volveremos sobre el concepto de "trabajo emocional" cuando hablemos del autocontrol y de la sociología del cuerpo.

II
La etiqueta y el rol social de desviado.
El interaccionismo simbólico

1. INTRODUCCIÓN

La Escuela de Chicago quedó eclipsada a finales de los años 30 con la aparición del estructural-funcionalismo de Harvard. Las dos siguientes décadas, fueron de claro dominio funcionalista. Sutherland y sus colegas, no obstante, mantuvieron viva la llama de la etnografía y se la entregaron a los interaccionistas, que brillaron con especial fuerza en los años sesenta —algunos han llamado al interaccionismo simbólico una segunda Escuela de Chicago— (Downes y Rock, 1998: 182-183). En realidad, esta corriente sociológica viene de los años 30, cuando G.H. Mead escribió y publicó *Mind, Self and Society*. En ella se describe el proceso central de socialización, la adquisición de la personalidad, como un asunto sociológico. La persona es una combinación de papeles sociales —mujer, blanca, hija, estudiante, etc.—, es decir, se piensa a sí misma, y eso nos dirá si le pedimos que se describa, a través de dichos papeles. Los papeles sociales son guiones de comportamiento con características generales y compartidas. Los niños los aprenden ya desde que tienen 4 o 5 años, a través del juego de imitación. En esta primera fase, al "jugar a médicos", por ejemplo, el niño o la niña realizan la siguiente operación: entresacan de sus experiencias de relación con los médicos, cómo es el comportamiento de los mismos. Posteriormente, a partir de los 11 años, los juegos de equipo servirán al niño para interiorizar *el otro generalizado*, aprendiendo ahora a arreglárselas en situaciones de interacción social más complejas, en las que hay varios actores con distintos papeles y unas reglas que obedecer. "La comunidad o grupo social organizados que proporcionan al individuo su unidad de persona pueden ser llamados *el otro generalizado*" (Mead, 1982: 184). El interaccionismo simbólico es una teoría que explica cómo se construyen los papeles, a través de un lento proceso de ajuste de expectativas. Actuamos en función de lo que los demás esperan de nosotros. Pero estamos continuamente poniendo a prueba nuestra concepción de los demás, por lo que los papeles no son guiones de comportamiento cerrados o fijos sino flexibles y en continua redefinición. En nuestra época, caracterizada por una alta inestabilidad social, esta teoría parece más adecuada que otras para explicar la socialización (Gil Villa: 1999: 118).

Desde estos primeros trabajos comienza ya a observarse la relación entre interaccionismo y funcionalismo. Así, el trabajo de Mead sobre la psicología de la justicia punitiva, al que nos referimos en otro apartado, es considerado como un ensayo típico de esquemas funcionalistas en sociología de desviación[6]. Habrá que esperar bastante tiempo, hasta los años sesenta, para poder hablar de interaccionismo simbólico aplicado al estudio de la ruptura de normas y del delito. La forma y la filosofía de estos investigadores suponía un cambio bastante radical de entender la ciencia. Si quieres entender un problema, vienen a decirnos, no puedes escribir un libro inventando definiciones del mismo. El sociólogo no puede imponer el significado de los actos sociales, debe ir a observar directamente el comportamiento de los protagonistas y ver el sentido que ellos le otorgan. Utilizando sobre todo entrevistas y observación participante, el investigador debe situarse en el punto de vista del actor. Entonces verá que la situación que viven los sujetos observados —drogodependientes, enfermos, prostitutas— se redefine constantemente en los procesos de interacción y en función de los cambios experimentados en el entorno así como de complejos procesos de negociaciones en los que se van poniendo a prueba los papeles. Es decir, la concepción del yo como "fumador", "enfermo", "homosexual", cambia, de acuerdo con lo pronosticado por la teoría del interaccionismo simbólico.

2. H. BECKER Y A. CICOUREL

Howard Becker suele citarse como el cabeza de filas del interaccionismo aplicado a la desviación en este periodo. Su estudio sobre los fumadores de marihuana constituye uno de los ejemplos más claros a la hora de ilustrar esta corriente[7]. Aunque escrito en los años sesenta, buena parte

---

[6]   Véase el apartado de G. Becker en la segunda parte.

[7]   El estudio es recogido en dos capítulos de *Outsiders*: "Becoming a Marihuana User" y "Marihuana Use and Social Control". En lo que sigue citaré dos ediciones inglesas de *Outsiders*- aunque también haré mención de una argentina. En España, en el

de las observaciones siguen siendo válidas si consideramos que la droga continua siendo mal vista e incluso perseguida en los Estados Unidos y en otros países, ya comenzado el siglo XXI.

¿Por qué la gente fuma marihuana? Becker comienza negando las explicaciones tradicionales, de corte psicológico, como la necesidad de evadirse de la realidad. En muchos casos, cuando se habla con los consumidores, este no parece ser el motivo. El punto de partida será pues que no hace falta una motivación psicológica previa para romper con una norma y desviarse de una costumbre. O en sus propias palabras: "en vez de ser los motivos desviados los que llevan al comportamiento desviado, es este último el que produce aquellos" (Becker, 1973: 42). Por tanto, sólo se necesitan, de entrada, dos condiciones para llegar a adoptar el hábito como un hecho o suceso normal, a saber: que se busque el placer en el consumo, y que se mantenga una cierta frecuencia en el consumo.

En efecto, para ser fumador de marihuana el individuo debe:

1) Aprender a disfrutar la droga,

2) Aprender a burlar los controles sociales que lo impiden.

En el primer caso, Becker observa, analizando las 50 entrevistas que realizó a fumadores, que la experiencia con la droga viene a ser como un camino con distintas etapas en las que la concepción de la droga por parte del usuario va evolucionando. Las estaciones de ese camino serían por lo menos tres.

1) Aprender la técnica. Este paso inicial es clave para poder tener acceso a los efectos placenteros. El iniciado debe aprender a mantener en los pulmones el humo el mayor tiempo posible. El control de la respiración no lo aprende en solitario sino en grupo. Es en grupo como se adquiere la técnica, ya sea por enseñaza directa, o por observación e imitación cuando el sujeto tiene vergüenza de decir que no sabe fumar.

2) Aprender a percibir los efectos. Este paso se desdobla a su vez en dos. Por un lado, que el efecto del consumo debe ser percibido significa que debe llegar a distinguir las diferencias en el olor,

---

momento de escribir esto, no hay, que yo sepa, ninguna edición del clásico circulando, lo cual, en mi opinión, constituye una prueba más del pobre estado de la sociología de la desviación en este país, entrado ya el siglo XXI, y a la que ya me referí en la introducción.

sabor y efectos de las distintas semillas y cosechas, como en los vinos. Por otro lado, debe saber interpretarse dicho efecto. Por ejemplo, si el tiempo pasa rápido, ¿debe el usuario interpretar este hecho como normal o como raro? En ambos casos, el grupo es fundamental, porque pone a disposición del neófito un argot especialmente diseñado para expresar e interpretar los efectos y sirve de punto de referencia en las comparaciones.

3) Aprender a disfrutar los efectos. Con este aspecto, Becker habla en realidad de la necesidad de redefinir los efectos negativos del consumo de la droga. Efectos inmediatos, como la boca seca, el hormigueo en la cabeza, mareos, hambre o somnolencia, y efectos más distantes, como cierto tipo de resaca. El iniciado, al percibirlos las primeras veces, tendrá que tomar una decisión: continuará en caso de que el placer de fumar compense aquellos efectos. En este caso, le servirán, además de las verbalizaciones del grupo de referencia, la comparación con otras drogas legales como el alcohol, las cuales también tienen efectos negativos pero se siguen consumiendo en experiencias posteriores.

Ahora bien, el aprendizaje del disfrute de la droga es una condición necesaria pero no suficiente para consumir (*Ibid.:* 59). El usuario se enfrenta a la reacción social negativa que sanciona moral y legalmente (a veces parcialmente y en función de las leyes vigentes en cada país) el consumo. Sólo seguirá fumando en caso de que aprenda a burlar el control social, el cual se materializa en tres tipos de problemas: suministro, ocultación y estigmatización moral.

1) Suministro. El acceso es un primer obstáculo puesto que en los Estados Unidos, como en casi todos los países, la droga no se vende en los estancos, como el tabaco. El fumador principiante debe superar el miedo a ser detenido[8]. Tras las primeras compras, observará que con las precauciones elementales que dicta el sentido común, la detención puede no obstante evitarse sin demasiadas dificultades. Al mismo tiempo, cuanto más tiempo pase en grupos de amigos que consumen, será más fácil contactar con intermediarios que le consigan la droga más barata, lo cual estimulará el consumo.

---

[8] Este miedo, como veremos más adelante, puede darse perfectamente en la España de comienzos del siglo XXI debido a la discrecionalidad de la policía y jueces a la hora de distinguir entre cantidad destinada al consumo personal o al tráfico.

2) Ocultación. A la hora de decidir continuar fumando marihuana, el sujeto se enfrentará a un dilema fundamental. Puede decidir ocultar lo máximo posible el hábito. En este caso tendrá que renunciar al placer que supone un uso más frecuente y conformarse con ser un usuario ocasional. Al mismo tiempo tendrá que aprender a ocultar los síntomas, y a realizar las actividades cotidianas después de haber fumado. Pero también puede tomar la decisión en el otro sentido, es decir, arriesgando al máximo, ocultando lo mínimo. En este caso, el precio a pagar será cierto aislamiento, en el sentido de vivir en el seno de grupos subculturales que aceptan el consumo, como vendedores ambulantes de artesanía, hippies o neohippies, bohemios u otros. Debe advertirse el carácter dramático de esta decisión. Si se opta por la segunda de las posibilidades, el usuario deberá probablemente romper sus lazos con la familia y renunciar a un buen número de oportunidades, es decir, tendrá que reducir de forma importante el alcance de su vida social. Es este un ejemplo claro de la relación que se suele establecer, hablando de ruptura de normas, entre reacción social negativa y acción automarginalizante, la cual dirige a la exclusión social (Gil Villa, 2002: 31).

3) Estigmatización moral. El fumador de marihuana, por último, debe enfrentarse a los prejuicios y etiquetamientos generales que suele hacerse del hábito. Para ello utilizará las racionalizaciones o justificaciones oportunas, destinadas a neutralizarlos y que se aprenden también a través del cuerpo de conocimientos e informaciones que pone a su disposición el grupo. Así, dirá que los efectos de la marihuana son menos nocivos que los de ciertas drogas legales, como el alcohol, el tabaco o los ansiolíticos. No obstante, el principal reto en este punto será el demostrarse a sí mismo que no está "enganchado". Para ello, se pondrá a prueba dejando de vez en cuando de fumar. Si no lo consigue, podría llegar a dejarlo. Otro recurso será el uso de conciencia del problema como técnica de racionalización. Ser consciente de que el uso de la droga va limitando cada vez más tu vida social, proporcionaría aquí la esperanza o ficción de la solución ("Creo que esto es lo que pasa conmigo, sí. Pero creo que por lo menos soy consciente así que puedo luchar contra ello") (*Ibid.:* 77).

Así pues, el estudio de Becker describe el proceso por el cual la desviación es un proceso de aprendizaje que depende sobre todo de la experiencia compartida en grupos de iguales. Debemos advertir que ambas notas, como se recordará, estaban también presentes en la teoría de la asociación diferencial de Sutherland.

Por otro lado, Becker argumenta que la ley prohibicionista de la marihuana en Estados Unidos es el resultado de una campaña publicitaria de la Oficina Federal de Investigación que manipuló al Congreso y a los medios de comunicación. Se trata de un ejemplo de cómo los grupos y los individuos intentan imponer su voluntad unos a otros, o en términos más democráticos, negociar con ellos (O'Donnell, 1997: 356). A una escala menor, los interaccionistas se refieren en varias ocasiones al fenómeno del etiquetado en las aulas, por el cual las expectativas que tienen los profesores de los alumnos se acaban cumpliendo. Así, Cicourel y Kistuse encontraron que en los *high schools* norteamericanos los orientadores acababan sesgando la trayectoria de los alumnos en función de su origen social. Aspectos como el lenguaje, la indumentaria o los modales de los estudiantes de clase baja les hacían acreedores de etiquetas negativas como "oportunistas" o "estudiantes de bajo rendimiento" (Cicourel y Kitsuse, 1977)[9].

La asunción del postulado del etiquetaje, sin embargo, coloca a los interaccionistas, en ocasiones, ante ciertos riesgos. El más evidente es el de derivar hacia posiciones radicales en la explicación de la infracción y el delito. En su opinión, la desviación primaria, la primera vez que se comete un delito, puede deberse a múltiples causas, casi imposibles de clasificar. Es más importante la desviación secundaria, es decir, la reincidencia explicada como reacción al etiquetado, aquella en la que el individuo se ha visto obligado a reorganizar simbólicamente su yo a consecuencia del sambenito que le hemos colgado de "drogadicto", "delincuente", "prostituta", "homosexual", etc. (Lemert, 1967: 40)[10].

---

[9]   Un trabajo clásico en este área es el de Rosenthal y Jacobson, *Pygmalion en el aula* (1980).

[10] El concepto de desviación secundaria acuñado por Lemert fue en general bien recibido por la comunidad sociológica, lo que mereció un desarrollo posterior por parte del mismo autor. La desviación secundaria "se refiere a la clase de respuestas socialmente definidas que la gente da a problemas creados por la reacción social a su desviación. Estos problemas son esencialmente problemas morales que tienen que ver con la estigmatización, sanciones, segregación y control social" (Lemert, 1967: 40). La idea es que las personas violan la ley por múltiples razones siendo lo que marca la diferencia lo que sucede a continuación. Si el sujeto es detenido y se hace de dominio público la infracción, sufrirá un proceso de estigmatización por parte de los órganos de la ley y de las personas que lo conocen de tal forma que le

Porque dicho rótulo no se limita a describir un comportamiento de forma más o menos objetiva sino que supone que la persona etiquetada practica la desviación habitualmente, se le adscribe una serie de cualidades negativas y acaba activando mecanismos de sanción informal, como el rechazo, temor, sospecha, retraimiento.

De esta forma, el etiquetado se verá obligado a buscar la compañía de quienes son calificados de la misma forma, en busca de la aceptación social que le niega el grupo general, lo cual a su vez pondrá en marcha el aprendizaje de las técnicas y de los motivos y justificaciones de un comportamiento desviado que se tiende a organizar y en el cual no se había pensado todavía como forma de vida. De ahí que para Goffman, los desviados sociales sean sobre todo los que sufren un proceso de etiquetado o de reacción social negativa —lo cual a su vez tiende a reforzar como reacción el comportamiento rupturista—, por tanto "gente a quien se considera comprometida con cierto tipo de rechazo colectivo del orden social" (Goffman, 1995: 165). De igual modo, para Becker, "los grupos sociales crean la desviación al inventarse las reglas cuya infracción la constituye y al aplicar dichas normas a determinadas personas que etiquetará como marginados" (Becker, 1963: 9).

Para aclarar este punto, el autor recoge una larga cita de Malinowski en su estudio sobre las Islas Trobriand, donde se narra el suicidio de un chico que mantenía relaciones sexuales con la hija de una hermana de su madre. Dichas relaciones se consideraban en la tribu incestuosas, y además eran conocidas, pero "no se había hecho nada" hasta que un pretendiente despreciado por la muchacha denuncia los hechos públicamente (Becker, 1971: 20). La conclusión parece obvia: un comportamiento es desviado en caso de que se haga público. Pero, ¿significa esto que el comportamiento desviado, o si prefiere la ruptura de normas, no existe si no es descubierta y etiquetada como tal por los otros? Esta es una de las cuestiones abiertas sobre este tipo de enfoques, pese a que, como nos recuerdan Downes y Rock, el interaccionismo también nos dice que las personas pueden adaptar la concepción que tienen de sí mismas sin necesidad de la intervención de los otros (Downes y Rock, 1998: 191). En todo caso, el debate deja abierta una de las puertas que comunican a estos enfoques con los funcionalistas, los cuales correrían el riesgo, en opinión de Matza, de "disculpar" o "justificar" la acción rupturista.

---

obligará a redefinir la visión que tiene de sí mismo asumiendo el rol de desviado ya sea como un medio de defensa o de defensa a la reacción de los demás.

Es decir, de forma más o menos insensible, este tipo de investigación tiende a crear una empatía entre el sociólogo y las personas de su estudio que le pueden llevar a "ponerse de su lado". Aunque la simpatía parece justificable en casos como el consumo de marihuana o la prostitución, no lo parece tanto en casos como el robo. Y sin embargo, desde el punto de vista de los presupuestos teóricos, se podría llegar a la misma conclusión, puesto que la justificación del delito contra la propiedad en términos de justicia social debido a la desigualdad de partida, sostenida por los criminólogos radicales, no parece incompatible con la definición de Becker de la desviación.

Y no sólo por dicha definición sino por los mismos procesos por los que se construye la sociedad a través de la continua redefinición de la situación por los actores sociales. Para explicar esta idea comencemos por advertir que los interaccionistas observan que en muchas ocasiones el poder no está totalmente en las manos de un grupo o individuo concretos. Emplearán el término *negociación* para describir el proceso por el cual se crea el orden en diversos contextos de la vida social.

En nuestro caso, uno de los trabajos más relevantes al respecto es el que lleva a cabo Aaron Cicourel en los juzgados para analizar el funcionamiento de la justicia en el caso de los jóvenes infractores (1968)[11]. Los actores implicados en una situación concreta dentro de un contexto social organizado —en este caso los juzgados— producen actos sociales que tienen consecuencias sociales a través de un proceso complejo por el que se van poniendo a prueba las "observaciones iniciales". Estas son procesadas partiendo de presunciones subyacentes —creencias sobre cómo funciona la realidad que se dan por sentado— sobre lo que es un comportamiento correcto e incorrecto. Así por ejemplo, a la hora de decidir si un joven es o no delincuente —de definirlo como tal—, lo que puede implicar el separarlo de su casa y recluirlo en centro especial, los actores decisores —juez, padres, trabajadores sociales, etc.— se forman una impresión previa sobre los hechos —*what happened*—leyendo el informe de la policía y observando las apariencias del joven y de su familia. Posteriormente, nueva información será

---

[11]   Algunos autores sitúan a Cicourel dentro del interaccionismo (O'Donnell, 1997: 356). Otros, como Downes y Rock, dentro de los enfoques fenomenológicos. La diferencia podría estar en que para los interaccionistas el individuo no es consciente ni muestra certeza en lo que es ni en lo que construye socialmente (Downes y Rock: 1998: 187).

procesada que podría alterar aquella primera impresión, como informes del psicólogo, informes sobre antecedentes penales o testimonios de vecinos y amigos. La realidad que se da por sentado —*taking for granted reality*— es un factor importante para los análisis fenomenológicos o interaccionistas. El conjunto de presunciones sobre lo que está bien o mal, y por tanto la tolerancia acerca de la ruptura de normas, cambia con el tiempo. Así, ante dos casos iguales de hurto presentados con el mismo tipo de evidencias, uno puede acabar con un veredicto de culpabilidad y otro, varios años después, con la conclusión de que el joven no es exactamente culpable porque cierto tipo de robos se considera un comportamiento normal en los adolescentes.

Por último, —y este es un aspecto fundamental para los argumentos anteriores— se tiene en cuenta la posición social de los actores que entran en el proceso de negociación. Tanto la visión de los hechos como los recursos disponibles difieren según la clase social. Las familias de clase media, debido al miedo del estigma que conlleva el encarcelamiento, movilizarán todo los recursos disponibles para evitarlo (*Ibid.*: 331). Entre ellos se halla la estrategia en la negociación. Dichos padres suelen estar más dispuestos a "colaborar" con el instructor del caso, básicamente asumiendo la culpabilidad, condición para que las decisiones finales sean menos duras. Sin embargo, las familias de clases populares pueden llegar a enfrentarse más al instructor, utilizando una estrategia de solidaridad con el hijo y sosteniendo que su comportamiento es normal —con lo cual bloquean el mecanismo de asunción de la culpa-arrepentimiento-perdón— (*Ibid.*: 317).

3. INTERACCIONISMO Y FUNCIONALISMO

En España, merece la pena citar dentro de la corriente interaccionista, uno de los pocos trabajos realizados por sociólogos, el de Lamo de Espinosa, *Delitos sin víctima* (1989). Se trata, en realidad, de una colección de trabajos en los que, asumiendo explícitamente el enfoque señalado, el autor investiga algunos debates en nuestro país, como el de la droga o el de prostitución, en algunos casos usando datos de la época de la dictadura militar.

En cuanto a la explicación de la prostitución, esta se dará probablemente en toda sociedad donde haya monogamia institucionalizada y desequilibrio entre lo sexos (*Ibid.*: 144). En ese caso, la solución para las personas abocadas a la soltería y la castidad sería alguna de las siguientes formas de desviación:

1) La homosexualidad

2) Las relaciones incestuosas o adulterinas

3) La masturbación

4) Las formas extremas de la castidad y de la violencia sexual.

5) La prostitución.

Resumiendo, añade el autor, "cuando por razones demográficas o morales hay grupos de personas a las que se les niega el acceso a la relación heterosexual legítima y satisfactoria, aparecerán *instituciones* latentes (o no), en todo caso ilegítimas y amorales, como parte esencial del equilibrio social" (*Ibid.:* 146).

El análisis de Lamo de Espinosa es un ejemplo de las implicaciones funcionalistas del interaccionismo. Y ello no sólo por utilizar la idea motora de las funciones latentes —como se verá en el tercer debate, el funcionalismo se caracteriza por buscar ese tipo de funciones en los fenómenos de desviación y en los procesos sociales en general—, o la de equilibrio, sino también por estar inspirado en autores clásicamente recogidos en los manuales de sociología criminológica en el capítulo del funcionalismo. Tal es el caso de Kingsley Davis en su famoso estudio sobre la prostitución —que data de 1937— y de N. Polsky (1967) en su no menos famoso trabajo sobre la pornografía (Downes y Rock, 1998: 100). En el primer caso, la prostitución se contempla como un complemento de la institución de la familia nuclear basada en la monogamia. Los argumentos de Davis llegan a coincidir, como apuntan Downes y Rock, con los de las asociaciones de prostitutas de Europa Occidental, al recalcar la función de esta actividad como un servicio social para aquellos que pueden satisfacer sus necesidades sexuales de ningún otro modo. No obstante, veremos que este punto ha sido criticado por las corrientes feministas.

En definitiva, la prostitución es una válvula de escape ante la represión de los instintos, y desde luego, una salida preferible a la de la agresión sexual, que sería una alternativa en caso de que aquella estuviera prohibida. Algo parecido viene a decir Polsky sobre la pornografía, la cual proporcionaría formas pacíficas, a través de transacciones comerciales, de gratificación sexual, mucho menos destructivas del orden social y familiar monogámico que la alternativa del adulterio (*Ibidem.*). Downes y Rock, siguiendo a su vez a autores como Matza, colocan estos trabajos en el capítulo del funcionalismo debido a la justificación de las formas de desviación a la que llegan sus autores. Al considerar que cierto tipo de prostitución y de pornografía es "bueno" y defendible, están aplicando la idea básica del funcionalismo según la cual la desviación y la delincuencia sirven paradójicamente para lograr el orden y son de alguna manera necesarios. Cuando analicemos las teorías de la anomia volveré sobre estos comentarios, sobre los cuales, en mi opinión, algunos críticos han malinterpretado el mensaje funcionalista, lo cual es en parte lógico si consideramos que en las modas intelectuales de la academia esta corriente no ha estado muy bien vista en las últimas décadas.

Algo parecido podríamos decir en relación al debate sobre las drogas. Lamo de Espinosa repasa aspectos como la ineficacia preventiva de la penalización, o "consecuencias no queridas" como la asociación diferencial y el mercado negro. Colocándose en una perspectiva realista y lógica, concluye que una correcta política sobre las drogas debería basarse en los siguientes valores (Lamo de Espinosa, 1989: 123-124)[12]:

1) Tolerancia. Puesto que la llamada "amenaza de la droga" deriva de la ignorancia y del temor irracional que genera.

2) Información objetiva.

3) Legalizar o al menos tolerar, el tráfico y consumo de drogas blandas.

4) Proveer a los toxicómanos para evitar la delincuencia secundaria.

5) Perseguir y sancionar severamente a los traficantes de heroína, cocaína y derivados.

Existen algunos trabajos realizados con posterioridad sobre colectivos específicos, como el de los gitanos, que han insistido en la idea de la inutilidad de la política de criminalización de las drogas (Equipo Barañí, 2001). ¿Sirve la condena para reducir el consumo de drogas? La respuesta es que no. Sus argumentos, algunos de los cuales recogeré aquí, han sido extraídos tanto de la investigación específica en España como de fuentes secundarias:

---

[12] Con estas medidas entraríamos en el apartado de prevención, que trataremos de forma específica en la segunda parte.

1) La cantidad de droga decomisada como pequeñas cantidades constituye un porcentaje insignificante del consumo total y sin embargo supuso la detención de 35.000 personas en 60.000 operaciones (*Ibid.:* 89).

2) Muchos de los adictos y adictas consiguen comprar la droga no por medio del robo sino por medio de trabajos parciales y "trapicheos". En España, algunos cálculos sitúan en menos de un 15% el porcentaje de consumidores que sustentan el consumo por robos (*Ibid.:* 91; Baum, 1997).

3) En algunos estudios se ha observado que la política de detenciones no es efectiva porque cuando se encarcela a un "camello" otro lo sustituye inmediatamente reestableciendo la cadena del tráfico (Currie, 1998).

4) La subjetividad en las detenciones conecta con un postulado clásico del interaccionismo que los autores creen haber demostrado en su investigación. La frontera entre el consumo y el tráfico de drogas no está clara en la legislación. Si se "cachea" a una gitana y se le encuentra droga en pequeña cantidad, hay casos en los que se puede interpretar que dicha cantidad era para consumo personal o para tráfico. La diferencia está en el castigo: una sanción administrativa o hasta tres años de prisión. Para aclarar un poco más este tema debemos tener en cuenta que de varias sentencias del Tribunal Supremo se deduce que la cantidad presumida para el propio consumo es la que se necesitaría para un máximo de entre una semana y 10 días, aunque el problema en la interpretación subsiste a la hora de fijar la cantidad de gramos que se debe considerar normal para el consumo diario. Pese a que existen criterios orientativos[13], parece lógico pensar que el límite de provisión normal no puede ser fijado de forma estandarizada y previa, sino teniendo en cuenta cada caso. (García García, 1996: 14).

5) Un segundo postulado clásico. La detención se produce porque la vigilancia de la policía se concentra de forma discriminatoria en

---

[13]   El mismo autor citado recoge la Circular 1/84 de la Fiscalía General del Estado en la que se establecen, como pautas los siguientes límites: para la heroína por vía parenteral un máximo de 1 gramo por día, para la cocaína esnifada, un máximo de 3,5 gramos diarios, y para el hachís, un máximo de 5 gramos al día.

ciertos espacios, descuidando otros. En 1999 se realizaron 21 operaciones policiales en La Celsa, La Rosilla y la Barranquilla, tres asentamientos gitanos de Madrid, con el resultado de 8 gitanas detenidas. Excepto en dos de esas operaciones, en las que se incautaron cantidades de droga alrededor de medio kilo, en el resto sólo se decomisaron cantidades inferiores a los 100 gramos, siendo en la mayoría entre 10 y 20 gramos (*Ibid.*: 63).

Los efectos negativos de la criminalización a causa de la prohibición del consumo de drogas ilícitas han sido magistralmente expuestos por Douglas Husak. Evidentemente, el consumo de estas drogas con fines recreativos entraña ciertos riesgos, pero, ¿por qué entonces permitimos otras actividades del mismo tipo —por ejemplo deportes de riesgo como el parapente— o el consumo de drogas lícitas *cuyos riesgos para la vida y la salud son mayores*? En la respuesta sólo puede haber una desconfianza de base del legislador y de los mentores de nuestras sociedades hacia el placer; una profunda inclinación hacia los valores del sacrificio y del sufrimiento de raíces religiosas.

Desde un punto de vista estrictamente lógico es injusto, por lo tanto que el consumidor de marihuana vaya a parar a la cárcel y no el consumidor del alcohol o el que practica un deporte de riesgo. El valor de la libertad del individuo queda claramente anulado ante un irracional paternalismo del legislador. Pero esta criminalización gratuita, esta injusticia, con ser la más importante las razones para despenalizar las drogas, no es la única. Como dice Douglas, para algunas personas este argumento no será suficiente porque ni ellas ni sus conocidos consumen drogas ilícitas y por lo tanto, de acuerdo con el criterio de insolidaridad según el cual si a mí no me afecta entonces no me importa, no tienen muchas probabilidades de ser castigados y criminalizados (Husak, 2003: 171). He aquí, para esas personas una batería de ocho argumentos que refuerzan la despenalización. Aunque Husak ofrece datos en general sobre los Estados Unidos, los lectores observarán cómo se trata de argumentos válidos para todo el mundo (*Ibid.*: 172-192):

1) La discriminación racial. En los Estados Unidos, cerca de 10 millones de blancos y de dos millones de negros consumen drogas. Sin embargo, más del 62% de los encarcelados por delitos relativos a las drogas son negros, frente a un 36% de blancos. Otro aspecto interesante: los blancos consumen más cocaína y los negros más *crack*. Pues bien, a una persona sin antecedentes en posesión de cinco gramos de *crack* se le aplicará una condena mínima de 5 años de prisión. Para ir a la cárcel por ese tiempo se necesita estar en

posesión de 500 gramos de cocaína. El 90% de los acusados por delitos relacionados con el *crack* son negros. La discriminación racial también existe en España. Simplemente tenemos que sustituir la raza negra por la raza gitana para ver los mismos efectos.

2) La salud. En la clandestinidad, el cliente corre el riesgo de comprar productos adulterados. Por otro lado, de acuerdo con lo que ha dado en llamarse la *ley de acero de la prohibición*, la criminalización parece que incita a aumentar la potencia de las drogas. Así, durante la época de la ley seca, la cerveza se tendía a sustituir con el licor.

3) La política exterior. La ONU ha llegado a estimar que el negocio internacional de la droga produce cerca de 400.000 millones de dólares al año, casi la misma cantidad que el turismo. En México, la droga mueve más del doble que la exportación del petróleo, la industria más importante del país. Los Estados Unidos han llegado a evaluar los resultados de la política de lucha contra las drogas de los países con los que va a comerciar, llegando a imponer sanciones económicas o retirando ayudas si los considera negativos.

4) La delincuencia. Tiende a creerse que la drogas aumentan la delincuencia. Sin embargo está más comprobado la relación entre la prohibición y la delincuencia. En primer lugar, la violencia sistemática se potencia más en el mercado negro, al no haber protección legal. En segundo lugar, la delincuencia económica es favorecida por la prohibición en el medida en que ésta hace subir los precios haciendo más difícil su adquisición para muchos consumidores e incitándoles por consiguiente en algunos casos al robo. Por otro lado, cada delito tiene sus propias características. No podemos pensar que lo que funciona en la lucha contra el robo puede funcionar para acabar con el tráfico de drogas, por ejemplo. Encarcelar a los traficantes no parece ser la solución porque, en este caso, cada traficante es inmediatamente reemplazado.

5) Las mentiras y la hipocresía. ¿Qué tipo de educación sobre las drogas se ofrece en los colegios? Pues en muchos casos una basada en datos parciales, en una lectura tendenciosa y violentamente anti-drogas. En California, el programa Drug Abuse Resistance Education (DARE), fue adoptado por cerca de 10.000 escuelas y tuvo que ser retirado porque se comprobó que los alumnos que la habían recibido no consumían menos drogas después. Husak

sugiere, con razón, que los adolescentes no son tontos y detectan claramente cuando la información de estos programas está basada en la exageración, intentando más el adoctrinamiento que la información científica y ponderada. Entonces se produce un efecto contraproducente. El consumo de pastillas puede tener secuelas realmente peligrosas en el cerebro, pero como el estudiante oye que el instructor exagera esos efectos también en las drogas más seguras, como la marihuana, al final saca la impresión de que todo es una exageración y por lo tanto mentira.

6) Las libertades civiles. Para perseguir el tráfico y consumo las fuerzas del orden en muchas ocasiones vulneran los derechos de los ciudadanos. Husak se hace pregunta como las siguientes: ¿Debemos permitir que la policía meta perros rastreadores en nuestros coches? ¿Pueden los hospitales analizar en secreto la orina de mujeres embarazadas para saber si han consumido cocaína y entregar luego los resultados a la policía? El autor recuerda otros hechos que ilustran aún más claramente el atropello de las libertades y que jalonan la historia de la persecución de las drogas en las últimas décadas, como el uso en Colombia de los llamados "tribunales sin rostro" que permitían juzgar a los sospechosos por jueces, fiscales y testigos anónimos.

7) La corrupción. En 1998, el Programa de Control de Drogas de la ONU advertía que allí donde existe la industria de la droga es muy probable que surja el peligro de la corrupción. Este peligro es mayor, obviamente, en los países productores, pero existe también en los países ricos consumidores. La mitad de los funcionarios expedientados por el FBI por corrupción entre 1993 y 1997 fueron condenados por delitos relacionados con las drogas. Entre estas actividades se encuentran el robo de dinero o de drogas a los traficantes, la venta de drogas robadas, el encubrimiento en el tráfico, sobornos, perjurio y presentación de atestados falsos.

8) El dinero. Sólo el gobierno federal de los Estados Unidos gasta cerca del 20.000 millones de dólares al año en combatir las drogas ilegales. Súmese a ello que éstas son un auténtico negocio. Es posible que la marihuana sea el mayor cultivo comercial en los Estados Unidos. Si se despenalizara, los impuestos que se obtendrían de esta industria podrían destinarse a muchas actividades, desde tratamientos —menos de la mitad de toxicómanos que necesitan tratamiento lo reciben— hasta educación.

III
¿Existe una subcultura del delito? ¿Podemos hablar de subculturas de la desviación?

A partir de los años sesenta, y especialmente en las dos décadas siguientes, aparecieron una serie de enfoques, muchas veces agrupados bajo el nombre de teorías subculturales de la desviación y de la delincuencia, que tienden a contestar afirmativamente a la cuestión anterior. La idea básica es que podemos dividir la población en grupos que poseen culturas diferentes, es decir, valores, creencias y normas coherentes que organizan la vida de forma diferenciada.

Como en la historia de todo enfoque, al principio de su andadura encontramos las versiones más *duras*. Posteriormente, tras haber recibido las críticas y con el tiempo suficiente para matizar algunos de los postulados, se publican versiones más *blandas* o menos ortodoxas, en algunos casos, mezcladas con componentes de otros enfoques. En este caso, en el primer bloque encontramos las teorías de la tensión (*Strain theories*) y las teorías del conflicto cultural de clases (Downes y Rock, 1998: 148 y 162). La diferencia entre los dos subtipos es que las primeras son *reactivas*, es decir, tienden a considerar que la cultura o subcultura de la delincuencia o de la desviación surgen como reacción ante la cultura dominante, de clase media, por oposición a la misma. Se entiende así que podamos hablar de *subcultura*. Por contra, otros pensarán como W. Miller, que la cultura de clase popular asociada a la delincuencia es autónoma y tiene su propia historia y orígenes. En este caso parece más apropiado hablar de cultura que de subcultura. Por cierto que, al haberse traducido algunos de estos estudios pioneros el concepto de clase popular por clase obrera, llevó a algunos malentendidos. Se criticó que la clase obrera era una categoría más compleja y que no siempre asociada a los valores que se imputaban y mucho menos a la delincuencia. Sin embargo, los primeros estudios norteamericanos se referían solamente a un subsector de la misma, suburbano, empobrecido y compuesto de minorías étnicas (Downes y Rock, 1998: 165).

1. LAS TEORÍAS DE LA TENSIÓN

Las versiones *duras* y *reactivas* más conocidas son la de A. Cohen y la de Cloward y Ohlin. Cohen abrió el camino con su famoso libro, *Delinquent Boys* (1957). Para cohen puede decirse que la delincuencia es cultural en el sentido de que a través de la ruptura de normas se expresan ciertos grupos, es una forma de expresión de sus valores. En principio, por cultura se entiende un conjunto de formas tradicionales de resolver problemas, aprendidas por socialización. Los problemas son creados por la estructura social. Como en el caso de Merton, a veces las demandas o valores culturales no son compatibles con la estructura social. La conformidad a las normas se convierte en un problema más que en un beneficio cuando se trata de grupos de excluidos. Por ejemplo, es difícil para los desempleados desarrollar los valores de la cultura dominante. Es entonces cuando pueden aparecer, como formas de defensa, respuesta subculturales. Para que aparezca una subcultura debe haber un grupo de personas que interactúan frecuentemente y que se encuentran sometidas a la misma presión o tensión estructural, es decir, enfrentadas a los mismos problemas de adaptación a la estructura social.

Normalmente el grupo más claro, dada la condición anteriormente expuesta, es el de jóvenes de clase baja, urbanos, hombres y adolescentes. Para estos jóvenes la banda es una solución ante el problema de adaptación estructural, materializado sobre todo en la escuela, donde sufren un proceso frustración. El fracaso escolar ilustra el fracaso de adaptación social. La cultura escolar es la cultura dominante de clase media mientras que la banda aparece como una solución doble: 1) para reubicarse o conseguir una posición o estatus que no sea marginal y, 2) para vengarse de la sociedad y cultura dominante que les margina.

La teoría explicaría por qué la banda no es una solución para otros grupos o personas. Para los de clase media no es necesaria porque tienen la oportunidad de conseguir más éxito a través de las formas convencionales. Para las chicas tampoco porque utilizan el matrimonio para conseguir un estatus más que a través de una carrera personal. Por último, en las zonas rurales los colegios no discriminan tanto a ciertos grupos porque la cultura allí es más homogénea y porque la educación es menos severa y el énfasis en la importancia de los estudios para lograr una buena posición social es menor. Allí, la escuela no tiene tanto el papel central de dirigir o reubicar a las personas hacia posiciones sociales.

En realidad, la subcultura no inventaría nada, sólo recrearía una nueva combinación de valores que toma prestados —exagerando unos o disminuyendo otros— de la cultura general —dominante—, como por ejemplo, la violencia y el hedonismo.

Cohen define la subcultura de las bandas de delincuentes que operan en los suburbios metropolitanos a través de seis rasgos:

1. Ausencia de lógica utilitarista. Incluso en el caso de robos o hurtos no parece haberla. Parecen hechos, más que para sacar beneficios luego, por otros motivos, como competencia, diversión, etc. De hecho, muchas veces el material robado es destruido.

2. Malicia. Comportamiento destructivo diferente del provocado indirectamente por otros propósitos. Por ejemplo el vandalismo — inexplicable e innecesario— que acompaña ciertos allanamientos.

3. Negativismo. Los valores respetables de la clase media son invertidos. Los valores subculturales serían su opuesto. Frente al refinamiento y buenos modales, cierta grosería.

4. Versatididad. Las actividades infractoras de la banda son muy variadas, van desde los hurtos hasta la agresión, pasando por el vandalismo.

5. Autonomía del grupo. Es un valor fundamental la lealtad a la banda. El resto de las lealtades —por ejemplo familiares— deben quedar subordinadas.

6. Hedonismo a corto plazo. Se valora altamente las gratificaciones en el momento, el placer no pospuesto.

El trabajo de Cloward y Ohlin (1961) va en la misma línea que el de Cohen aunque difiere de él en algunos puntos. Según estos autores, este último habría sobrevalorado el papel de la escuela en el camino hacia la delincuencia y habría infravalorado el grado de especialización de los delincuentes. En clara sintonía con la teoría de la anomia y la Escuela de Chicago, la hipótesis de partida es que el *medio social*, materializado en el barrio o vecindario, condiciona la forma de comportamiento desviado, independientemente de las motivaciones y de las variables de posición social como edad, sexo o posición socioeconómica. Podemos reorganizar los planteamientos de Cloward y Ohlin, para lograr una mayor claridad expositiva, en una cadena de situaciones donde las opciones y las oportunidades son cada vez más restringidas:

1) En el caso de que estemos en un barrio estructurado caben dos opciones de adaptación:

   b) La salida conformista. Utilizando los medios legítimos para lograr una posición social de destino, como la educación o el trabajo.

   c) La subcultura criminal (*The Criminal Subculture*). Se refiere al crimen organizado, fundamentalmente asociado a las mafias. La integración de la estructura de la delincuencia es doble. Por un lado observamos el nivel de integración por edades. En la cúpula, un jefe de la banda de los jóvenes del barrio, que mantiene cierto distanciamiento y cierto aura de misterio y está conectado con la mafia. Por debajo de él, la banda de jóvenes organizados, y en un sustrato más profundo, grupos de adolescentes que aspiran a ingresar y que son puestos a prueba, generalmente por parejas y en robos donde puedan demostrar su habilidad. Pero también encontramos otro nivel de integración entre la estructura ilegal de las bandas y las estructuras legales. Algunos abogados y policías colaboran con la banda. Asimismo, se administran negocios legales y semi-ilegales — por ejemplo de tiendas de segunda mano o negocios de préstamo—.

En este punto, es conveniente subrayar la opinión de Cloward y Ohlin en relación a al expresividad de la subcultura criminal. En su opinión, Cohen la habría exagerado (Cloward y Ohlin, 1961: 167). Lo que parece "expresivo" es en realidad "instrumental". Así, un adolescente que debe entrar a varios almacenes y salir con una gorra nueva en la cabeza sin pagarla, no saca mucha ventaja material de la experiencia pero es que se trata de una prueba, de un entrenamiento para luego conseguir aumentar el beneficio de los robos.

2) En el caso de que estemos en un barrio desestructurado con población flotante, grupos de excluidos, con pocos servicios y viviendas deterioradas, las opciones serán las siguientes:

   a) La subcultura de la violencia (*The Conflict Subculture)*. Ante la falta de oportunidades legales e ilegales estructuradas, queda la salida de la violencia, es decir, del control primitivo del espacio. Los grupos o bandas luchan por el territorio y sus miembros se reparten los estatus en función de su reputación, alcanzada más que por la fuerza bruta, por la capacidad de arriesgarse y de soportar el dolor. Ahora bien, no todos pueden triunfar en esa dura competencia. Los que no logran integrarse tendrán a su vez dos salidas:

b) La subcultura retraída o de las drogas (*The Retreatist Subculture*). El consumo de drogas lleva al alejamiento del grupo, a disminuir el número de relaciones sociales, al retraimiento. A diferencia de Merton, sin embargo, Cloward y Ohlin insisten en la asociación entre el consumo de drogas y las actividades delictivas. Estas últimas proporcionan el medio para comprar droga. Esto significaría que no siempre los consumidores de drogas tienen interiorizados los medios legítimos con tal fuerza que les es imposible romper con ellos —o dicho de otra forma, que romper con la norma supone para ellos un grave problema—.

c) La salida de la acomodación. Conformarse con un trabajo mediocre y mal pagado, emplearse como el chico de los recados (*corner boy*).

¿De qué depende que una persona se incline por droga o se acomode? Pues, según los autores, en buena parte de las razones que le llevaron a enrolarse en la banda. Si era ambicioso y quería medrar, tendrá más probabilidades de buscar la droga, puesto que la frustración originada por el fracaso de prosperar en la subcultura de la violencia será mayor. Pero si únicamente se metió en la banda para estar protegido en el barrio, entonces su salida puede verse más fácilmente canalizada hacia la acomodación.

2. CRÍTICAS. RELATIVIDAD DEL CONCEPTO DE SUBCULTURA

Las teorías de la tensión de Cohen y de Cloward y Ohlin así como la teoría del conflicto cultural de clases de W. Miller recibieron una serie de críticas semejantes. Al pintar la delincuencia como la consecuencia genérica de la cultura de las clases bajas, esta perspectiva ignora las variaciones individuales y la evolución de los actores sociales a lo largo del tiempo. Esta es la opinión de autores que se colocarán, posteriormente en una posición donde se mezclan ingredientes culturales con otros interaccionistas y aún marxistas (Sullivan, 1989: 216). En un artículo publicado por la época en que aparecen los estudios aludidos, Matza objeta que tanto el trato preferencial otorgado por la policía y los juzgados, así como los mayores y más variados medios de que disponen las clases medias para infringir las normas, nos puede haber llevado a infravalorar la delincuencia en lo que podemos llamar con un eufemismo, los "hogares relativamente privilegiados". Porque parece claro, añade, "que la delincuencia se da con frecuencia en las clases medias y altas" (Matza, 1961: 718). Unos años más tarde, este mismo autor hará una lectura más abstracta y al mismo tiempo más general, que recuerda bastante las posiciones tanto funcionalistas como de la criminología radical, en la que culpa al estado de utilizar la "representación colectiva" según la cual el robo y la violencia reside en una clase peligrosa. La demonización de una clase social le sirve para lanzar el mensaje a los ciudadanos de que persigue el *mal*, produciendo la apariencia del bien (Matza, 1969: 196). Este párrafo será citado años después por S. Box desde una posición más radical. Lo que apuntaba Matza, sugiere Box, es que en este tema no existe nada sino pura mistificación (Box, 2003: 281).

3. DELINCUENCIA, TIEMPO LIBRE Y CONSUMO

Es en este contexto crítico donde aparecen otros trabajos empíricos que desdibujan la categoría, como los de Downes en el Este de Londres o el de Bethnal Green en Willmont a comienzos de los 60 (Downes y Rock, 1998: 156). En ellos, los varones adolescentes envueltos en actividades como tirones, robo, vandalismo o luchas callejeras no aparecen como miembros de una banda de delincuentes formal y estructurada, con líder, territorio, jerarquía e identidad. Al contrario, se extraen las siguientes conclusiones:

1. La delincuencia aparece más como un *hecho* que como un *modo* de vida.

2. Educación. Cuando hablan de la escuela se observa que no la ven con resentimiento ni la culpan de todos sus males sino como un ámbito de la vida con cuyos valores discordan.

3. Ocupación. No aspiran a grandes trabajos sino que son realistas con su situación, de acuerdo con sus experiencias de pequeños trabajos que abandonan frecuentemente.

4. Tienen en perspectiva casarse tempranamente y llevar una vida familiar.

Hasta cierto punto, la banda juvenil es un mito, o como prefiere decir Felson, una falacia (1998: 17-18):

1. No siempre es fácil saber si alguien es miembro de ella o no. Una banda es como una cebolla, con muchas capas. La mayoría de los miembros se hallarían en las capas superficiales guardando una relación de relativa pertenencia

2. A veces una banda actúa con personas que no forman parte de la banda

3. Existen relaciones de tensión dentro de la banda y entre las bandas. En ocasiones hay bandas con nombres parecidos lo que sugiere imitación. Hay también casos en los que bandas próximas no tienen contacto entre sí.

La conclusión de todos estos puntos es la relativización de la propia categoría de subcultura a la hora de explicar la delincuencia. Los estudios críticos en la línea de Matza pintan el concepto de subcultura con colores mucho más suaves. Los contornos de la categoría quedan menos claros, y no se refieren a valores o rasgos únicos y opuestos a los de clase media, sino a una combinación de valores compleja (algunos de los cuales son bendecidos y otros no tanto por la propia clase media). La idea de subcultura casi se reduce a la de grupo en acción, un grupo que tampoco hay que ver como muy definido o unido o duradero. El término subcultura es aquí entendido no tanto como "contra-cultura" o como cultura de reacción sino como "cultura subterránea", minoritaria, pero independiente. Y es en su artículo titulado precisamente *"Delinquency and Subterranean values"* que Matza propone un cambio interesante en la atención de los investigadores, a saber: la consideración de la perspectiva del ocio. Lo que verdaderamente está detrás del comportamiento desviado adolescente son sus valores de "clase ociosa" —argumenta refiriéndose al concepto de Veblen—, y ello independientemente de la clase social de los mismos[14]. Esto se debe a que en la adolescencia, los jóvenes se mueven en una especie de limbo al margen de las obligaciones y responsabilidades adultas, del trabajo y la familia (Matza, 1961: 718). Y en efecto, la investigación de la relación entre tiempo libre y delincuencia juvenil parece ser una de las vetas más productivas en los últimos años. Existen varios tipos de relación entre diversión y delincuencia (Downes y Rock, 1998: 158):

---

[14]   Véase de T. Veblen, su *Teoría de la clase ociosa* (1974). La relación de esta obra con la sociología de P. Bourdieu la he analizado en Gil Villa (1998: 154 y ss.)

1. Aquella en que la delincuencia es un *medio* para combatir el aburrimiento. Vendiendo artículos robados se consigue dinero para ir a bares, jugar, etc.

2. Aquella en que la delincuencia es la *materia prima* de la diversión. Se busca la diversión en la emoción que ofrece la ilegalidad de la acción, por ejemplo, a ver quién da un tirón de bolso.

3. Aquella en que la delincuencia es un *sub-producto* o una *consecuencia* de la diversión. Ejemplo: tirar piedras a las botellas de leche que están en las puertas. Nótese que en este caso la acción divertida —tirar piedras para ver quién tiene más puntería— se disocia de la consecuencia. Se busca la diversión, no la consecuencia ilegal. O dicho de otra forma, la diversión no se obtiene del carácter ilegal de la acción, del *morbo* que ocasiona, sino de la acción, que podría no ser ilegal y seguir siendo tan divertida (por ejemplo no reparan que no viva nadie en la casa o se hayan ido de vacaciones los dueños con lo cual nadie los va a perseguir). No buscan divertirse con la consecuencia, con la posible persecución que ocurrirá cuando abran la puerta.

Parece claro que esta línea de trabajo es fructífera. Desde el punto de vista teórico, debe introducirse la variable consumo en el estudio del tiempo libre de los jóvenes infractores, lo que probablemente tienda un puente a las teorías de la anomia de Merton —adaptada al contexto de la globalización, tal y como veremos en el próximo apartado— así como al estudio de la exclusión social, tanto desde el punto de vista general como desde el punto de vista de la criminología radical (Gil Villa, 2002; Jock Young, 1999). Al mismo tiempo, permite incorporar el concepto de la expresividad subcultural —y las ricas sociologías de las que bebe en última instancia, como la bourdieuniana—, que parece haber evolucionado de forma aislada.

Hasta aquí hemos visto la evolución general de las teorías que relacionan la delincuencia con la cultura. En ellas encontramos al menos tres factores concretos que dan lugar a debates independientes.

4. FAMILIA Y DELINCUENCIA

En realidad, la clase social opera en buena parte a través de la familia. Es pues natural que quienes se inclinan a negar la existencia de una cultura de la delincuencia, y su asociación a una clase social, no participen de la idea de que las motivaciones delincuentes se extraen de ciertos contextos familiares. Mantener la hipótesis contraria puede llevar, en algunos casos, a sostener que, de hecho, en las clases más bajas, romper con la familia favorece más el comportamiento conformista que el desviado. Demostrar esto empíricamente no parece tarea fácil. Sin embargo, ciertas pistas teóricas y empíricas indirectas hacen pensar la necesidad de seguir investigando el tema, con muestras estadísticas representativas. Por un lado, este punto conecta claramente con los debates del autocontrol, en los que entraremos en un apartado posterior. Las aportaciones a la sociología del cuerpo que arrancan de consideraciones históricas coinciden en mostrar cómo la tolerancia de la socialización familiar de las clases populares hacia la ruptura de normas es mayor. Esta observación es también compatible con enfoques de psicología social que se centraron en el impacto de los valores ético-religiosos del puritanismo de las clases medias occidentales, basados en la disciplina. Esto no significa que en una familia obrera o gitana se estimule la delincuencia. Significa que el comportamiento infractor, aplicado a ciertas normas basadas en valores de la clase media y bendecidos socialmente, no es condenado o lo es en menor medida —por ejemplo orinar en la calle—. Evidentemente hay un salto cualitativo entre la ruptura de esas normas y el delito. Y sin embargo, *ceteris paribus,* parece más probable, por motivos de socialización familiar, en los sectores sociales más bajos. En este caso, la socialización sólo es un sustrato profundo que *puede* favorecer la delincuencia en el caso de que sea afectada por circunstancias de exclusión social. De ahí que en situaciones de miseria, la familia suela ser un factor más inductor que disuasor de la delincuencia. Tal es el caso de las categorías más bajas de algunas clasificaciones de los *meninos da rua*, en Brasil, donde los padres tienen relación con el alcohol, las drogas y el crimen, y exhiben frecuentemente maltrato a los hijos (Bandeira de Ataíde, 1995: 29-33).

Por otro lado, a partir de los años setenta, la comunicación entre padres e hijos sufre ciertas alteraciones en las clases medias. En estas posiciones, clásicamente privilegiadas, la familia ya no funciona como un seguro anti-exclusión (Gil Villa, 2002: 96). Incluso los recursos puestos a disposición del menor pueden llegar a ser menores en el caso de familias de clase media, puesto que no sólo el tiempo dedicable es menor —al tratarse de hogares con mayor porcentaje de mujeres trabajando fuera del hogar— sino también el dedicado —al tratarse de hogares en los que el ideal de la autorrealización ha arraigado más—. La disminución de recursos puede traducirse como falta de orientación y de control del comportamiento de los no adultos.

Este aspecto avalaría más el punto de vista de autores como Matza que el de ciertos autores circunstanciales como Hirschi, que examinaremos con detenimiento en la segunda parte, puesto que el tiempo libre, en un contexto de segregación de los grupos de edad, se convertiría en un problema *para todos*, y no en ocio —es decir en un tiempo donde se realizan actividades libremente elegidas, tendentes a la autorealización y placenteras—. Con todo, conviene resaltar que la falta de socialización en cuanto que falta de vigilancia de los comportamientos, es un argumento en el que insistirán de forma correcta, en general, los enfoques circunstanciales.

5. ESCUELA Y DELINCUENCIA

Aunque no debe exagerarse el papel de la escuela como factor en la explicación de la delincuencia juvenil, tampoco se puede infravalorar. A partir de los años sesenta, la sociología de la educación de autores como P. Bourdieu y J.C. Passeron (1967, 1977) o B. Bernstein (1985) mostró cómo la escuela tenía un papel importante en la reproducción de las desigualdades de éxito, al recompensar la forma de hablar y las actitudes de los alumnos de clases populares[15]. Dichos estudiantes sufren un choque cultural, según Bernstein, en términos de códigos lingüísticos, al dominar los alumnos de clases medias tanto un *código restringido* como un *código elaborado* —que coincide con el que se usa en la escuela—, frente a los que proceden de clases populares que sólo dominarían el segundo. Esto implicaría una desventaja social para estos últimos que podría traducirse en malos resultados académicos.

Para Bourdieu y Passeron, de acuerdo con su teoría de la reproducción cultural, esos mismos alumnos sufren cierta *violencia simbólica*, al imponérseles el *arbitrario cultural* de las clases medias, que consideran como cultura únicamente la suya. Los propios padres son cómplices de los profesores en este sibilino proceso de exclusión social, al creerse que sus hijos son "trabajadores" más que "brillantes", puesto que necesitan

---

[15]   He comentado detenidamente las obras de estos autores así como la de Willis en mi libro *Teoría sociológica de la educación* (1994).

esforzarse más en aprenderse la lección mientras que los hijos de profesiones liberales, ostentarán una actitud de distanciamiento. Utilizando estrategias como el *bluff* —farol—, estos últimos harán ver al resto y a los profesores que han estudiado poco o nada y sin embargo sacan buenas notas, de donde todos deberán deducir que tienen un don especial lo que Bourdieu denominó *ideología del don*. La conclusión de los autores franceses es clara: las clases medias convierten sus activos económicos en activos culturales para sus hijos de forma que éstos puedan después volver a cambiarlos. Dicho de otro modo, en las sociedades capitalistas, supuestamente meritocráticas, los hijos de los privilegiados ya no heredan directamente la posición social de sus padres, sino indirectamente, al tener la oportunidad de estudiar las mejores carreras y cursos de postgrado en las mejores instituciones educativas, de forma tal que puedan luego optar a los mejores puestos de trabajo.

Por otro lado, estudios etnográficos como el de P. Willis mostraron desde una perspectiva claramente cultural cómo ciertos alumnos de clase obrera se defienden del choque cultural y de la frustración del fracaso escolar (Willis, 1988). Para ello organizan su experiencia a través de tácticas de resistencia que se parecen a las que sus padres utilizan en la fábrica (Willis, 1980). De hecho algunos calificaron los estudios de Willis como teoría de la resistencia. Su objetivo será dignificar el entorno físico frente al intelectual, lo concreto y práctico frente a lo abstracto y teórico.

Aunque durante en los años sesenta, hitos como el llamado Informe Coleman (1966) mostraron que las diferencias en los resultados académicos parecían depender más de las diferencias familiares que de las diferencias de las escuelas, la historia posterior de la sociología de la educación fue consiguiendo equilibrar el balance de los factores del fracaso escolar, de forma que, al final, hoy nadie niega el papel activo de la escuela en la producción o en la eliminación de dicho fracaso y en relación con la posición social de origen y la consiguiente rémora que arrastran los estudiantes de posiciones menos privilegiadas (Gil Villa, 1994: 96).

6. ¿LA DELINCUENCIA ES EXPRESIVA O INSTRUMENTAL?

Aunque en general, desde ciertos enfoques, incluidos los circunstanciales, cuesta reconocer el papel expresivo de las subculturas, lo cierto es que los estudios serios de los movimientos juveniles —como el de Hebidge (2001)— demuestran claramente su existencia. La historia de estos grupos muestra cómo en su mayoría proceden de la clases obreras y urbanas, tras la segunda guerra mundial, y se basan justamente en la ostentación de ciertos estilos de vida. Un estilo consiste en una combinación específica de objetos materiales y simbólicos tales como la indumentaria, los gestos o el lenguaje. En realidad, muchos de esos objetos no son inventados sino sacados de sus contextos originales con la finalidad de que cobren un significado especial. Los *mods* utilizaron las pastillas como un fin en sí mismo, al margen de su uso terapéutico o profiláctico. Un peine de metal punk deja de ser un objeto narcisista y se convierte en un arma arrojadiza. La americana, la corbata y el pelo corto, que habitualmente son signos de competitividad, productividad y ambición, en un contexto pop pueden convertirse en fetiches vacíos, en puros objetos de deseo. Al actuar así, estos grupos utilizan la misma estrategia que Marcel Duchamp utilizó en 1917 cuando expuso en Nueva York como obra de arte su famoso urinario, o más tarde una rueda de bicicleta sobre un taburete, y que he y comentado y considerado en otro lugar como un hito en el proceso de desacralización de la cultura que tiene lugar a lo largo del siglo XX (Gil Villa, 1999: 165). Según este artista vanguardista, uno puede hacer girar la rueda y admirar la belleza y perfección de la técnica. Sacada de contexto, sin ningún sentido práctico, ciertos objetos cotidianos se nos muestran bellos.

El resultado es que los estilos subculturales declaran una especie de guerra subversiva contra la norma muy en la línea de las vanguardias. Hebidge señala por ejemplo la relación entre el surrealismo y el movimiento punk —recordemos que el surrealismo celebraba lo anormal y lo prohibido (Hebidge, 2001: 105)—:

1.- El estilo punk es directamente agresivo y ofensivo, con tacos y juramentos estampados en las camisetas. Igualmente pueden utilizar ropa militar y nombres combativos —*Sex Pistols*—.

2.- El estilo punk, como el surrealismo, intenta expresar lo oculto. Así, si las revistas de moda para mujeres insisten en que el buen maquillaje es aquel que no se nota, los punkis pintan sus rostros de forma exagerada, convirtiéndolos en retratos que materializan la alienación. Los mismo sucede cuando usan ropa donde se vean las costuras y cremalleras.

3.- La forma de bailar rompe con la galantería de los bailes de salón tradicionales por completo, sustituyendo los pasos repetidos y los movimientos de cortejo por saltos y movimientos robóticos e individualizados.

4.- La propia música rompe con la armonía e imita al caos, colocando melodías nerviosas sobre fondos de gritos y ritmos cacofónicos. En cuanto a la letra de las canciones, son claramente provocativas, con títulos como *If you don't want to Fuck Me Fuck off.*

5.- Un concierto punk también invierte las normas de los espectáculos clásicos, al deshacer la barrera tradicional entre audiencia y actores, que para algunos surrealistas simbolizaba la barrera que separa el arte de la realidad y de la vida en la sociedad capitalista.

6.- En fin, el movimiento punk tiene hasta sus propios manifestos, publicados de forma rudimentaria en fancines —en España, por ejemplo *Peter Punk*—.

A estudios como el de Hebidge se les ha achacado a menudo el mismo problema que tendrían en general los enfoques subculturales, a saber, el de la imputación. Según esto, la interpretación que hacen los autores de las acciones y gestos de los actores sociales estudiados —como los punkis— no tiene por qué coincidir con el sentido que tiene para los propios actores. La imputación consiste en atribuir al grupo subcultural características cuya demostración es dudosa. Así por ejemplo, encontramos símbolos utilizados por los punkis, como la *swastica*, que admitirían varias interpretaciones. Sin embargo Hebidge ofrece una explicación bastante convincente de casos ambiguos o contradictorios como éste (*Ibid.:* 116-117). No cabe interpretar el uso de la cruz como apoyo al nazismo si analizamos la historia del movimiento. En los años 70 los grupos punkis se enrolaron en la campaña de rock contra el racismo destinada a combatir la influencia del Frente Nacional en los barrios obreros ingleses. De hecho, su identificación con corrientes musicales jamaicanas les llevó a enfrentarse con los teddy boys, por sus tendencias racistas, cada sábado en King's Road durante el verano del 77 (*Ibid.:* 66-67). Más bien, sugiere Hebidge, la *swastica* parece servir como instrumento al servicio de la autodegradación ("a los punkis nos gusta ser odiados") o como instrumento al servicio de la negación del sentido. La cruz gamada pierde su sentido al colocarla en el escaparate anárquico y viviente que representa el punk. De esta forma, la rebeldía consiste en la subversión de la cultura de la cruz como símbolo de lo sagrado. La ideología nazi es propagada en la actualidad por toda Europa, incluidos los países del Este, por el movimiento skinhead, introduciéndose a través de la música (Salas, 2003: 163). En el caso de España, encontramos bandas tradicionales como Estirpe Imperial, Batallón de Castigo o División 250. Algún cantante de las mismas ha cumplido condenas por homicidio. La jerga específica, el culto al cuerpo y el uso de tatuajes, la vinculación con peñas futbolísticas radicales, los fancines y revistas, las formas de ejercer la violencia —como las "cacerías humanas"—, además de la información sobre las bandas, han sido investigadas por Antonio Salas en su *Diario de un Skin*, cuyo prólogo es además un excelente ejemplo de los riesgos y dificultades, pero también de las extraordinarias posibilidades de la investigación etnográfica en el terreno de las actividades ilegales.

Por lo demás, el propio Hebidge se muestra cauto en sus interpretaciones y reconoce que no podemos entender bien todos los movimientos juveniles, especialmente algunos como el punk debido a que su objetivo es precisamente resistirse, eludir el sentido y la coherencia. Habría que añadir que si bien la imputación es lógicamente un riesgo de todo analista social, también lo es la obsesión por la misma, como sucede en los planteamientos radicales de algunos fenomenólogos, interaccionistas o posestructuralistas. En los tres casos, se corre el riesgo de acabar con el sentido del análisis social así como de la construcción del consenso y la comunicación entre los actores. Pero a su vez, esta postura radical es difícil de comprobar empíricamente y encuentra muchos datos en contra, pudiendo ser criticada precisamente por nutrirse de presunciones subyacentes basadas en el pesimismo filosófico o en el snobismo intelectual. En resumen, tan verdad es que la categoría de cultura o subcultura no es un conjunto fijo, universal y absolutamente coherente de rasgos, como que en ciertas dimensiones de la vida social encontraron los antropólogos y encontramos nosotros grupos de personas relativamente homogéneos que intentan vivir su vida apoyándose en la compañía y en hábitos y normas diferentes de los que sigue la mayoría de la población.

IV
Los debates sobre la anomia

Aunque anomia es una voz griega que significa literalmente falta de normas, debemos esforzarnos por no caer en la lectura vulgar y simplista según la cual, algo, tal situación o tal estado, son anómicos porque son caóticos. Poco tienen que ver con el caos las teorías más conocidas de la anomia, las desarrolladas por E. Durkheim y R.K. Merton. Su conexión con el funcionalismo y con algunas versiones de las teorías subculturales está también clara. En este apartado me centraré en las versiones clásicas para posteriormente mostrar modos de adaptarlas a la situación social actual. En mi opinión la complejidad de tales versiones no suele ser atendida en la literatura destinadas a divulgarlas.

1. EL CONCEPTO DE ANOMIA EN DURKHEIM

En la obra de Durkheim podemos encontrar dos sentidos diferentes al concepto de anomia.

1) El que aparece en su obra *La división del trabajo social* (1985)

La anomia se referiría aquí a un estado patológico de la economía que se daría con el paso de la *solidaridad mecánica* a la *solidaridad orgánica*. En la segunda fase, en las sociedades modernas y urbanas, se supone que se acaban creando instituciones mediadoras que aseguran una cohesión social en un ambiente de alta división social del trabajo y diversidad moral. Sin embargo, el problema estaría en la transición. En ella se daría la crisis económica. Se producen desfases, las partes no evolucionan al mismo ritmo. Las acciones de los agentes en un sector determinado de la división del trabajo no estarían sintonizadas con las que ocurren en los otros sectores. La sociedad mostraría un estado patológico al no venir acompañado el rápido crecimiento económico con reglas de control social. La consecuencia es un estado de confusión, de impredictibilidad de las acciones sociales, de desregulación o de problema de funcionamiento de las normas.

2) El que aparece en *El suicidio* (1982)

El concepto de anomia aquí aparece desde una perspectiva individual más que social. Durkheim lo ilustra a través del *suicidio anómico* el cual vendría dado por una característica esencial de la naturaleza humana, a saber, cierta "enfermedad de las aspiraciones infinitas", según la cual no hay nada que nos detenga a la hora de desear nuevas metas o fines. El hombre y la mujer nunca están contentos con lo que tienen. Nunca por lo tanto serán felices porque siempre sufrirán un cierto grado de frustración. Ahora bien, "puesto que no hay nada en el individuo que pueda fijarle un límite, éste debe venirle necesariamente de alguna fuerza exterior a él" (*Ibid.*: 265). Los frenos, las limitaciones son sociales y son necesarias para contener las pasiones humanas. Durkheim habla de ciertas reglamentaciones morales como las que imponen los techos profesionales. Así, un obrero no aspira a tener un nivel de vida de un cirujano, digamos con un Mercedes, un chalet y unas vacaciones en el Caribe. Un segundo mecanismo sería el funcionamiento de criterios de adscripción de los puestos que fuera claro, objetivo y universal, que distribuyera las posiciones sociales en función no del nacimiento de los individuos sino de sus méritos por ejemplo. En este punto, al margen de las discusiones ideológicas sobre tales criterios —sobre el mérito y el valor por ejemplo— parece que la idea de Durkheim es mostrar cómo la insatisfacción inherente a la naturaleza humana podría aumentar si el individuo vive en una sociedad en la que no hay claridad en los criterios que distribuyan las posiciones, o si dicho criterio se percibe en general como injusto.

Como en el caso de la obra anterior, también Durkheim da a la anomia en *El suicidio* un contenido económico. El suicidio anómico tendrá lugar cuando haya cambios bruscos en la economía del sujeto, cuando este se enriquezca o se empobrezca súbitamente, de manera que las reglamentaciones o limitaciones de las que hablábamos se trastoquen (*Ibid.*: 269-270). En efecto, las costumbres del sujeto, su adaptación a un cierto nivel de vida, se vienen abajo con lo cual la enfermedad de las aspiraciones infinitas se expande ahora libremente.

Ahora bien, debemos observar la relación entre el suicido anómico y el suicidio egoísta[16]. Esta parece darse en el sentido de ser las causas del

---

[16]   Existen dos posiciones, la que enfatiza las diferencias entre egoísmo y anomia y la que sostiene que se refieren a dos aspectos de un mismo estado social. Según esta última, los elementos funcional y normativo se entremezclan en la obra de Durkheim.

segundo un factor que puede amortiguar o aumentar las causas del primero. Porque el egoísmo sería un estado social de cosas en el que el individuo no tiene el apoyo de ciertos grupos sociales que dan sentido a su vida, como la patria, la familia, la religión. "El individualismo excesivo —escribe Durkheim— no tiene tan sólo por resultado favorecer la acción de las causas suicidógenas, es, por sí mismo, una causa de ese género" (*Ibid.:* 265). Una persona que no es patriota, que no está casado y con hijos, o que no es religiosa, tiene más probabilidades de suicidarse, pero no por causas económicas sino porque el proceso de individualización tiene efectos desintegradores (Gil Villa, 2003: 291 y ss.).

Debemos de tener en cuenta, sin embargo, que los factores aludidos no son tan sencillos como parece a simple vista. Así, no basta con casarse para lograr cierta inmunización, hay además que tener hijos, escribía Durkheim, y hay además, tendríamos que decir nosotros en una puesta al día del clásico, que pasar un cierto tiempo con ellos —ya hemos visto que este es un aspecto problemático al hablar en el apartado anterior de la familia—. De la misma forma, no es lo mismo ser protestante que judío, puesto que la primera religión favorece el individualismo mucho más que la segunda, al no poseer de un catálogo de prescripciones éticas —la tora— para la mayor parte de las situaciones de la vida cotidiana y de los problemas y dudas que pueden plantearse en la interpretación de las sagradas escrituras.

Si alguien cae en una situación de exclusión social, por ejemplo se queda sin empleo, y no tiene apoyos familiares ni religiosos, su equilibrio psíquico peligraría más. Por cierto que el tipo de situaciones de las que habla Durkheim no tienen por qué desembocar en el suicidio. Pueden también ocasionar otro tipo de comportamientos desviados, como el delito, el consumo de drogas.

2. EL CONCEPTO DE ANOMIA EN MERTON

Su teoría aparece expresada en el trabajo clásico de 1938: Estructura social y anomia (Merton, 1972). La diferencia de fondo con Durkheim es

---

Esta postura subraya la importancia de la concepción de la naturaleza humana en el clásico, se basa por lo tanto en su filosofía moral y puede decirse que es una perspectiva meta-teóricamente orientada (Orrù, 1987: 136).

que la anomia no se define como un problema con los fines u objetivos culturales poco sanos de las sociedades industriales sino como un desequilibrio entre medios y fines de la acción social. Una posible explicación a esta diferencia fundamental podría estar en la diferencia geográfica de procedencia de ambos autores (Orrù, 1987: 119). Los sociólogos americanos se habrían colocado, en general, en posición muy diferente de los sociólogos europeos. Los primeros, debido al compromiso y apuesta por la creación de una sociedad joven —liberal— en el Nuevo Mundo, se mostrarían más ilusionados y menos críticos con el sentido de la vida social y su evolución, con los fines culturales. Tendrían a ver los problemas sociales como problemas de ajustes que con el tiempo van a volver a equilibrarse y encajar.

Según esta interpretación, para Durkheim, la anomia reflejaría una sociedad enferma, un estado patológico. En el fondo, el autor francés estaría valorizando y criticando la evolución de la sociedad capitalista, en concreto el aspecto de la competitividad que en algunas fases alcanza valores extremos y lleva a la caída de los valores morales. De esta forma, los valores u objetivos de las sociedades industriales son contemplados por Durkheim de una forma negativa. La crítica de fondo a la ética utilitarista por arruinar los valores tradicionales de la comunidad ha hecho que algunos autores, como Horton y Giddens, hayan visto similitudes entre el concepto de anomia de Durkheim y el concepto de alienación de Marx (*Ibid.*: 135). A través de su teoría de la anomia, Durkheim atacaría la organización política y económica de las clases medias de la Europa industrial.

Por contra, Merton, desde una posición tal vez más *americana,* se limitaría a describir los desequilibrios entre los valores culturales —que podríamos definir como cosas por las que merece la pena esforzarse y que se nos han inculcado desde niños, como el éxito— y los medios institucionales necesarios para lograrlos —como la educación—, pero sin criticar los primeros, sin entrar a valorarlos positiva o negativamente. Merton analiza las posibilidades lógicas de ese desequilibrio en dos niveles, general o cultural y de adaptación individual al desfase.

1. A nivel general, social o cultural, habría tres posibilidades:

   a) Énfasis desproporcionado en los objetivos culturales a expensas de los medios institucionales, como en los Estados Unidos. La riqueza y el poder aparecen como fines deseables de la acción, por lo tanto es lógico el peligro de que se utilicen todo tipo de medios, incluso los ilegítimos, para conseguirlos.

b) Situación inversa. Énfasis en medios a costa de los fines. Podría constituir un ejemplo la vida en ciertas tribus aisladas —con el que habría que tener cuidado porque podría ser más bien una visión etnocentrista de las mismas—. En teoría, tales indígenas no buscarían innovación alguna, sino que parecería que se dejan llevar en la repetición de las costumbres y actividades cotidianas, como si llevaran una existencia ritualizada.

c) Situaciones intermedias. Se trataría de sociedades donde se daría una mezcla de los dos componentes anteriores.

La anomia se referiría a la primera de las situaciones (a), ya que los medios usados para alcanzar el fin se elegirían por su puro valor técnico —eficacia— y no por su valor moral o legítimo. En la situación anómica reinaría el lema "el fin justifica los medios", de forma que la integración social se acabaría resintiendo.

2. A nivel individual. Los individuos tienen diversas posibilidades para adaptarse a la tensión entre medios y fines. En concreto, las tres anteriores y dos más (*Ibid.*: 149).

	Metas culturales	Medios institucionalizados
a) Conformidad (antes c)	+	+
b) Innovación (antes el a)	+	-
c) Ritualismo (antes el b)	-	+
d) Retraimiento	-	-
e) Rebelión	+/-	+/-

Nótese que, puesto que la anomia se refiere al desequilibrio entre fines y medios, afectaría, según el cuadro anterior a todas las formas de adaptación excepto a la de conformidad. Sin embargo, la categoría de innovación sería la más significativa, la que explicaría la mayor parte de la conducta desviada.

Debe insistirse en que Merton describe la adaptación innovadora, el ajustamiento ilegítimo de medios a fines como una respuesta esperada, *normal*. Desde este punto de vista, se trata pues de una teoría de claro corte funcionalista. El sistema busca su equilibrio, se ajustará de diversas maneras tanto a nivel individual como colectivo. A diferencia de Durkheim no critica los fines —tales como el éxito o el poder—. El énfasis en el éxito económico o monetario no es criticable por ser malo en sí sino sólo en la medida en que causa disfunciones en el sistema, en cuanto que lleva a una conducta divergente.

Es más, la anomia es vista en el fondo, como una consecuencia no querida, como el precio a pagar por la ideología igualitaria que llevan consigo las sociedades democráticas como la americana. Esta ideología necesita, en efecto, de valores compatibles que la hagan posible. El dinero se caracteriza por ser algo altamente abstracto e impersonal. A diferencia de otros criterios que otorgan prestigio social, el dinero es ciego en relación al estatus, no le importa la posición de la que procede el individuo, con lo cual cumple mejor la función de redistribuir posiciones, permite igualar la sociedad más rápidamente deshaciendo las tradiciones sociales clasistas (Orrù, 1987: 124). Bien entendido que lo lleva a la anomia es la combinación: presión por los fines + igualdad de oportunidades (democracia). Este último factor de la fórmula es indispensable, es el telón de fondo sobre el que ocurre el fenómeno de la anomia.

Podríamos preguntarnos, en un plano puramente hipotético, si una situación de presión sobre fines dirige necesariamente a la anomia. Sin embargo sería una discusión poco realista porque, en nuestras sociedades, esa presión va acompañada, necesariamente de la condición igualitaria. No es el fin social, el valor, lo problemático, sino el efecto que provoca. La única forma de hacer desaparecer ese efecto sería alterando la combinación, los factores de la fórmula anterior, lo que daría lugar a dos posibilidades:

a) – presión sobre fines + sociedad democrática = no anomia

b) + presión de fines en sociedad no igualitaria = no anomia

Nótese, sin embargo, la dificultad de ambas salidas. En la a), podría imaginarse algunas versiones de la sociedad socialista, donde no habría presión por los fines. Sin embargo, debemos recordar que la sociedad democrática implica libertad más igualdad. En el socialismo real, no hay libertad y por tanto no habría democracia.

La solución b) parece improbable desde el punto de vista lógico, pues si la sociedad no es igualitaria eso implicaría grupos sociales diferentes con diferentes derechos y fines —como la sociedad de castas de la India tradicional—. Es decir, medios y fines diferentes para diferentes personas. Los individuos de un grupo saben que no pueden aspirar a las metas de otros ni utilizar ciertos medios para conseguirlos. Pero entonces, la presión hacia los fines no provoca problemas de ajustamiento en el sistema social general, sino en todo caso intragrupal. Es decir, que no habría el tipo de tensión estructural descrita por Merton. Por otro lado, debemos recordar que, según Merton, esto es lo que ha ocurrido durante la mayor parte de la historia (A. Cohen, 1966: 76). Es únicamente en la etapa moderna donde por primera vez, se ofrece a todos los mismos fines y, en teoría los mismos medios —en teoría porque no tienen las mismas oportunidades, de ahí el desajuste—. Aunque aquí debemos hacer una aclaración, coincidiendo con la lectura que hace Marco Orrù de Merton, a saber: "no son las oportunidades de éxito, estructuralmente limitadas, las que originalmente causan la anomia, sino la *presión inducida culturalmente* para tener éxito" (Orrù, 1987: 123).

3. LAS DIRECCIONES DE LA ORIENTACIÓN DESVIADA EN T. PARSONS

Las categorías de adaptación individual a la tensión estructural entre fines y medios de Merton son reclasificadas por Parsons en su obra clásica *El sistema social*. La influencia del interaccionismo simbólico es evidente puesto que Parsons analiza la estructura de la acción social desde la perspectiva subjetivista de la acción de un actor y sus medios, condiciones, fines, etc. (Almaraz, 1981: 269). "El paradigma fundamental de la génesis de la motivación hacia la conducta desviada es el círculo vicioso en la interacción de dos actores" (Parsons, 1984: 243). Al ego le interesa no sólo lograr recompensas y evitar castigos del alter sino gozar de actitudes favorables del mismo, dado que dichas actitudes se hallan integradas en un sistema de necesidades-disposiciones culturalmente integradas. "De ahí que la violación de la norma cause en él un sentimiento de culpabilidad (Almaraz, 1981: 267).

La ruptura de la norma no es otra cosa que la frustración que sufro en mi relación con una persona al dejar de comportarse como esperaba de ella "el alter lleva a una frustración de las expectativas del ego frente al alter" (Parsons: 239). Supongamos que no me saluda por la calle. Esto provocará en mí un malestar, un conflicto emocional. En teoría puedo resolverlo de tres maneras: rompiendo la relación, cambiando mi concepción de la norma que el otro ha roto —lo que Parsons llama la pauta de orientación de valor, por ejemplo, en este caso reviso mis ideas sobre la amistad y el saludo—, o simplemente soportando la nueva situación y reprimiendo mi necesidad de saludo, que ya no se ve gratificada. Ahora

bien, normalmente no es tan fácil optar por las dos primeras posibilidades, en el caso de que la relación venga de lejos y hayamos interiorizado
la pauta de valor o norma de comportamiento en cuestión a través de la
socialización. De manera que acabamos enfocando el conflicto emocional
en términos de una disyuntiva con dos posibles orientaciones, una
positiva y otra negativa.

Algunas personas se centran más en reprimir la frustración y la
consiguiente reacción crítica, el sentimiento negativo, hacia el otro.
Temen que, de hacerlo, la relación sufra aún más, pudiendo el otro
retirar su amistad o provocar una represalia (*Ibid.:* 242). Así que tienden
a "acentuar lo positivo" y a acomodarse de forma compulsiva a las
expectativas del otro. La segunda posibilidad es la contraria. Consiste
en reaccionar subrayando el problema, ahondando en el hecho que
provocó el conflicto, negándose compulsivamente a adecuarse a las
expectativas del otro. Si en el primer caso, a la hora de tomar la decisión
de qué orientación tomar ante el conflicto, pesó más en mí la angustia a
quedarme sin la amistad del otro, siendo capaz de pasar por alto la
frustración que me provocó su ruptura de la norma, en el segundo, pesa
más el sentimiento de sentirme defraudado, ya sea porque la norma rota
es importante para mí, ya porque mi dependencia afectiva sea menor, lo
cual a su vez no está sólo originado en la estructura de mi personalidad,
o si lo está, debe aclararse que dicha estructura depende también de los
valores culturales que imperan en cada época (y en la época moderna en
concreto, de la combinación que guardan los ingredientes de la cultura
del individualismo).

En el primer caso, según Parsons, predomina el componente
conformativo, y en el segundo el alienativo. A partir de aquí, el esquema
explicativo sufre dos complicaciones. La primera consiste en distinguir
entre "pasividad" y "actividad". Uno puede conformarse o desviarse
tanto de forma pasiva como activa, según decida solucionar el problema
haciendo cambios en su comportamiento que afecten conscientemente a
los otros o sólo a sí mismo. Por ejemplo, uno puede obligar al otro a que
le vuelva a saludar utilizando algún tipo de chantaje, material o
emocional. En este caso su orientación sería activa. O podría someterse
simplemente a los comportamientos del otro orientación pasiva. Con las
cuatro categorías expuestas, Parsons obtiene una primera clasificación
que es posible hacer coincidir con la de Merton (*Ibid.:* 244):

1) Predominio conformativo y activo: orientación hacia la realización
   compulsiva (innovación de Merton)

2) Predominio conformativo y pasivo: aquiescencia compulsiva en las expectativas de los status (ritualismo de Merton)

3) Predominio alienativo y activo: rebeldía (rebelión de Merton)

4) Predominio alienativo y pasivo: abandono (retraimiento de Merton).

La "conformidad" de Merton coincidiría con una situación de equilibrio en la relación "sin motivación alienativa ni conflicto por uno u otro lado" (*Ibid.*: 245).

Parsons complica el esquema al especificar que la reacción a la frustración en la expectativas puede ser canalizada hacia las personas —enfoque sobre objetos sociales— como a las normas. Con lo cual, obtenemos una nueva clasificación (*Ibid.*: 246):

	ACTIVIDAD		PASIVIDAD	
	Orientación hacia la Realización compulsiva		Aquiescencia compulsiva	
	Enfoque sobre objetos sociales	Enfoque sobre normas	Enfoque sobre objetos sociales	Enfoque sobre normas
Predominio Conformativo	Predominio	Ejecución Compulsiva	Sometimiento	Observancia perfecconista ("ritualismo" de M.)
	Rebeldía		*Abandono*	
Prodominio Alienativo	Agresividad hacia objetos sociales	Incorregibilidad	Independencia compulsiva	Evasión

Conviene aclarar que un sujeto que se encuentre orientado activamente y se halle más preocupado por conservar las relaciones que por expresar su frustración no necesariamente tiene que canalizar su comportamiento hacia la persona que originó el conflicto. Puede también desviar su energía y diluirla en actos en los que demuestra una tendencia excesiva a la motivación del logro. Aquí, la "ejecución compulsiva" puede entenderse como un afán por hacer cosas de forma reglada y organizada. Su equivalente pasivo consistiría en limitarse a observar de forma ritualista o perfeccionista las normas cuando debe hacerlo, enfatizando por tanto el aspecto de la obediencia pasiva. De la misma manera, colocados en la dimensión alienativa o desviada, donde

la persona decide que su comportamiento gire alrededor de la ofensa —
y no del perdón—, encontramos una forma activa de reaccionar, centrada en las normas que Parsons denominó "incorregibilidad", frente a la
"evasión" que caracterizaría la forma pasiva. El incorregible es quien se
burla constantemente de las normas, utilizándolas en su propio interés,
es el que "hace lo que le da la gana". El otro intenta evitar situaciones en
las que tenga que obedecer normas o esperar algo de los demás para de
esa forma evitar conflictos de frustración.

4. CRÍTICAS

En el caso de Durkheim, se ha señalado la contradicción entre
metodología y teoría, entre filosofía moral y métodos científicos utilizados, entre el método positivista y la ética idealista. Como posititivista se
ve obligado a asumir la irrelevancia de los fines en un estudio objetivo
y científico de la realidad social. Sin embargo, en cuanto anti-individua-
lista —como siempre se define Durkheim—, se ve obligado a señalar la
efectividad de los objetivos sociales como condicionantes de la acción
social, abandonando así el positivismo que había abrazado (Orrù, 1987:
131)

Se le ha criticado que su concepto de anomia es una "construcción
ideal" más que un fenómeno real, que no se puede verificar empíricamente que no sirve, por ejemplo, para predecir la tasa de crímenes.
También se ha señalado que el concepto de solidaridad orgánica es
ambiguo y contradictorio y, como consecuencia, la teoría de la anomia,
pues ésta se basa en parte en aquel. Las formas anormales de división
del trabajo están tan mezcladas con las normales que es imposible
separar lo normal de lo patológico en la práctica (*Ibid.:* 133).

En el caso de Merton, el número de críticas que ha cosechado a lo largo
del tiempo su trabajo sobre la anomia es aun más numeroso (Downes y
Rock, 1998: 137-142). En primer lugar, su funcionalismo. El hecho de no
valorar los fines, de optar por una teoría libre de valoraciones podría
provocar el efecto del conformismo. Indirectamente, la teoría "justifica-
ría" el sistema al no entrar a valorarlo, sería una especie de cómplice
pues el objetivo siempre será el orden y el equilibrio. En segundo lugar,
se le objeta su confianza en las estadísticas, que en este caso compartiría
con Durkheim. Olvida quizás que este tipo de datos reflejan en parte lo

que sus diseñadores quieren que refleje, es decir, que su significado es construido socialmente. Así por ejemplo, Merton insiste en que las clases bajas se hallan mucho más presionadas que las medias hacia el crimen, y para ello se apoya en las estadísticas. Ahora bien, ello lleva a pensar que el crimen existente es el que refleja las estadísticas. Es cierto que éstas reflejan persistentemente que los delincuentes son de clase baja pero hay que pensar en varios factores que sesgan este sentido, como el hecho de que la policía está más predispuesta a vigilar ese sector social. El crimen de cuello blanco existe pero sale menos en las estadísticas precisamente por este motivo.

En tercer lugar, Merton vería al individuo aislado, como un agente social libre que se esfuerza por adaptarse a un mundo social donde imperan unos valores culturales que todos aceptan. Sin embargo, cabe preguntarse si realmente existe un universo de valores coherente y válido para todos. El individuo no está en un único mundo social sino que pertenece a varios mundos o grupos (familia, trabajo, religión, etnia) cada uno de los cuales tiene valores diferentes y demanda en ocasiones lealtades incompatibles. La visión adecuada sería la del individuo moviéndose en un universo complejo sometido a presiones múltiples y contradictorias. En cuarto lugar, Merton haría depender la anomia, en el fondo, de la propiedad privada, pues es ésta, a través de la herencia la que daría más o menos oportunidades a los individuos para satisfacer o lograr los mismo fines el éxito. Sin embargo, los más afortunados no tienen por qué ser menos anómicos, si por ello entendemos falta de apoyo al sistema normativo y moral de una cultura. En quinto lugar, ignoraría el fenómeno de la "anomia del éxito" que también se da en la realidad, es decir, la provocada cuando las expectativas no sólo no se han frustrado sino que se han excedido, se ha conseguido más de lo esperado. La repentina fama del cantante o el medallista de natación serían casos que encajarían aquí. En sexto lugar, recordemos que la anomia se basa en el desajuste entre expectativas o aspiraciones y resultados conseguidos. Ello presupone que las personas tienen aspiraciones o metas claras —conscientes— y a largo plazo, de forma que pueden adaptar las estrategias para conseguirlas. Sin embargo, tal vez sea mucho suponer. Parece, en efecto, que muchos adolescentes, incluso de clase baja, ni son muy conscientes de lo que desean, ni desean una cosa única —o cosas en la misma línea—. Más bien parece que sus objetivos cambian con el paso del tiempo. Esto significaría que la frustración se tolera, no tiene efectos tan trágicos como los sugeridos por la teoría de la anomia. Puede haber grupos de personas cuyas desventajas les dirijan inevitablemente a una frustración importante. Pero no es fácil predecir a quienes ni es probable que afecte a la mayoría de personas de la misma posición social baja.

Debe aclararse, en el capítulo de las críticas, que muchas de ellas no se basan en un diálogo con los autores. No solo es que los autores no responden a buena parte de las críticas sino que es difícil hablar de funcionalismo como teoría sociológica de la ruptura de normas. El funcionalismo es más bien una perspectiva teórica que se centra en la sociedad en general, vista como un todo, a veces como un sistema, y no en una parte solamente que sería la desviación. Tal y como adelantamos al final del apartado del interaccionismo simbólico, en el caso del crimen, se le acusa de forma general de practicar cierto tipo de argumentación teleológica por la cual se toma el efecto de un fenómeno como su causa. Así, la idea de que la delincuencia produce efectos de solidaridad en el grupo es criticada porque no puede decirse que el delincuente busque dicho efecto con sus actos. Más bien habría que distinguir entre un antes y un después. El efecto de solidaridad se provoca después (Downes y Rock, 1998: 107). Ahora bien es claro que el funcionalismo es una de las perspectivas que más insiste en las funciones latentes u ocultas de los fenómenos sociales. En este sentido esta perspectiva parece ser congruente con la evolución cultural de nuestra época. Parece, en efecto, que, cada época tiene ciertos rasgos culturales que sintonizan mejor o peor con los de algunas de las corrientes teóricas. La sociología actual parece ser más consciente que nunca de que muchas de las acciones de los individuos y de las organizaciones tienen consecuencias no buscadas. Precisamente esa es una de las fuentes de la tan cacareada reflexividad. La desacralización de la ciencia y la incertidumbre que afecta a los paradigmas científicos es responsable de la misma. De la misma forma, debemos tener en cuenta el postulado según el cual, "si los individuos definen las situaciones como reales, son reales en sus consecuencias" — acuñado por Merton como principio de W.I. Thomas, decano de los sociólogos norteamericanos— (Merton, 1972: 419). Precisamente, la obra de Thomas de donde surge este teorema, *The Unadjusted Girl* (1923) ha sido una de las más criticadas por las corrientes feministas de la criminología y sirve para ilustrar cómo muchas veces las críticas vienen dadas por lecturas previamente dirigidas a buscar la crítica, lo cual las pone en compromiso si pueden hacerse interpretaciones contrarias. Tal puede ser aquí el caso. Desde el feminismo se objeta que la obra de Thomas es una triste demostración de su propio teorema porque este autor "define como real" la fuente sexual de la delincuencia femenina, con lo cual caería en los estereotipos al uso, que además reproduciría

(Downes y Rock, 1998: 307)[17]. Ahora bien, resulta que el teorema puede utilizarse para demostrar la discriminación de la mujer a lo largo de la historia, por ejemplo como complemento a la obra de Delemeau (1989), en la que registra la demonización y criminalización de las mujeres en la Edad Media. Las mujeres no eran, evidentemente, agentes de Satán, ni brujas —en el sentido que le daban a la palabra los prelados— y sin embargo, esa ideología produjo consecuencias reales, es decir, dio vida a una realidad.

Igualmente, la idea de que la delincuencia refuerza los lazos de solidaridad grupal a un nivel emocional, en la que insisten Mead y Parsons parece defendible. No parece lógico que ni Mead ni Parsons quisieran decir que lo que los delincuentes buscan es reforzar la solidaridad del grupo, es decir, la reacción del grupo contra ellos, porque eso sería tanto como poner en duda la racionalidad del sujeto infractor —además de la de los propios autores—. Parece entonces claro que aquí estamos hablando de consecuencias o efectos que se provocan con la ruptura independientemente o por encima de la voluntad de sus prota-gonistas. Incluso podríamos decir que en la medida en que la justicia "dramatiza", como sostiene Mead, reforzando el aspecto vengativo y polarizador, parece claro que este fenómeno alcanza hoy menos fuerza que hace un siglo y probablemente más que en el futuro, es decir, que debe ser visto históricamente[18]. Por tanto, incluso en los análisis de Mead, el efecto de solidaridad reactiva creada por el crimen debe ser visto como una etapa histórica en la larga evolución hacia la racionalización del tratamiento de la ruptura de normas.

En cuanto a la crítica por la cual en algunos trabajos funcionalistas los autores parecen sufrir cierto síndrome de Estocolmo, como vimos cuando repasamos los debates sobre la prostitución y las drogas en el apartado del interaccionismo, debemos aclarar lo siguiente. El que un autor llegue a unos resultados que le incite a realizar propuestas que coincidan con las reivindicaciones de ciertos grupos, no resta, en princi-pio, un ápice a su validez científica. En segundo lugar, todos los ejemplos donde se da este fenómeno explícitamente se refieren a aspectos de comportamiento desviado que rebasan la dimensión del crimen como delito grave —el que Merton ponga el ejemplo de Al Capone para

---

[17]   Véase Smart (1999: 20).
[18]   El artículo de Mead, "Psicología de la justicia punitiva" se comenta en la segunda parte, en el apartado de la racionalidad del sujeto delincuente.

observar que la ambición es la misma fuente del empresario legal que del ilegal en la sociedad norteamericana no puede ser interpretado como un alegato a favor de las conductas ilícitas—. Y en este punto la distinción es esencial. No es lo mismo hablar de drogas y de prostitución que hablar de homicidios. No se conocen trabajos de funcionalistas donde los autores reivindiquen el "derecho" a matar. Debe quedar claro que en el amplio terreno de conductas no penalizadas pero con división de opiniones, el análisis social tiene todo el derecho del mundo a poner orden en los debates precisamente utilizando la lógica y limpiándolos de aspectos irracionales. Y no debe olvidarse que al hacerlo el analista social está justamente aplicando los mismos valores que el juez que condena un homicidio probado, los valores que garantizan los derechos y las libertades civiles cuando el comportamiento del individuo no perjudica a los demás.

5. GLOBALIZACIÓN, CONSUMO Y ANOMIA

Pese a las críticas, las ideas de Durkheim y de Merton se han mostrado fructíferas y han dado lugar a debates que no pueden darse por concluidos. De hecho, es posible adaptar aquellas ideas al nuevo contexto social de la globalización y de la sociedad de consumo.

En el caso de Durkheim, puede ser interesante pensar la relación existente entre los dos conceptos de anomia que propone. Situaciones de alta inestabilidad económica pueden llevar a que la población de un país pueda empobrecerse súbitamente, mientras que una minoría pueda enriquecerse con la misma rapidez. Este parece haber sido el caso de Argentina en los últimos años. La globalización puede aumentar la situación de anomia en las dos direcciones. Por un lado, la velocidad de los flujos de capital aumentan la inestabilidad y la interdependencia económica de las poblaciones. La división social del trabajo al hacerse internacional llega a puntos probablemente no sospechados por Durkheim. El salto es cualitativo, de manera que la sociedad moderna se enfrenta hoy a una nueva etapa de transición, la que conduce de la solidaridad orgánica clásica, urbana o nacional, a otra de índole global y virtual. Si por definición toda etapa de transición es potencialmente anómica, entonces hoy nos encontramos en una de ellas.

Por otro lado, a nivel individual, los procesos de cambio social y cultural parecen empujar claramente en el sentido de debilitar los límites que mantienen a raya la "enfermedad de las aspiraciones infinitas". Eso se debe sobre todo a que, en la sociedad de consumo actual, nos es cada vez más difícil encajar a las personas en categorías de consumo, en términos bourdieunianos. Es decir, decir de tal persona, sabiendo la posición social que ocupa, en lo que trabaja y los estudios que tiene, que probablemente y normalmente, comerá tales platos, practicará tales deportes, irá de vacaciones a tales sitios, asistirá a tales o cuales espectáculos, se vestirá de tal o cual manera, etc.

Así, hoy no nos causaría tanta sorpresa si vemos a un vecino, que trabaja en una fábrica de cables, con un Mercedes. Además, las condiciones para que se den este hecho —por ejemplo con un préstamo que le exige hipotecar casi todo el sueldo y con el aval de los padres—, hoy son más probables, y lo que es tal vez más importante, la voluntad de la persona es hoy también más probable, denotando, precisamente, que las reglamentaciones morales profesionales de las que hablaba el sociólogo clásico funcionan hoy menos que nunca. Si nuestra sorpresa por el Mercedes del vecino es hoy menor se debe a que vivimos en un mundo en el que la probabilidad tanto de ascender socialmente como de caer en situaciones de exclusión social, es mayor que nunca. La globalización hace que muchos trabajos dependan de factores que no se controlan, al haberse hecho de dependientes de una gran cantidad de variables, algunas de ellas no económicas. ¿Puede saber un trabajador de la General Motors de qué depende que su puesto no desaparezca a medio plazo? ¿Pueden incluso saberlo sus jefes? Probablemente no.

En las circunstancias sociales que nos rodean, parecemos asistir a un doble fenómeno: el aumento de la visibilidad de los contrastes entre estilos de vida y el aumento de la invisibilidad de los factores de poder, que en teoría sirven para explicar el reparto de las posiciones. La frustración de los excluidos de hoy es mayor si consideramos que en muchos casos no comprenden por qué les ha ocurrido a ellos, o creen que han sido víctimas de la mala suerte. Al mismo tiempo, al acceder a los medios de comunicación, pueden comparar sus estilos de vida con los de los más privilegiados, lo que aumenta el malestar

En cuanto a Merton, es probable que en una sociedad global e informacional la tensión estructural entre el fin del éxito y los medios legítimos aumente, y ello tanto desde un punto de vista colectivo como individual.

Para ver cómo es esto posible debemos observar, para empezar, las características del consumo en la sociedad actual. Consumir se ha consumido siempre y en todo lugar. Lo que hace al consumo algo tan especial en nuestro tiempo, lo que lo convierte en un problema general e importante, lo que hace que podamos hablar de *sociedad de consumo*, es la desaparición de los límites tanto materiales como morales que normalmente lo frenan. Por un lado, tenemos a nuestra disposición el mercado mejor surtido de la historia. Ningún puerto, ninguna Génova o Nueva York pueden compararse con Internet. Por otro lado, los tabúes acerca del consumo desaparecen. Todo puede ser comprado o consumido. No rigen ya los preceptos éticos o temores tradicionales a los perjuicios que causará consumir cierto tipo de productos. Por supuesto que hay todavía muchas personas para las cuales sí existen dichos límites, ya provengan de valores laicos o religiosos. Sin embargo, la cuestión es cuánta gente se rige menos que antes por los mismos. Por ejemplo, la tradición católica prohíbe comer carne durante la cuaresma. Sin embargo, podríamos comparar el número de personas que obedecen este precepto hoy con el que la obedecían hace 50 años. Probablemente observaríamos una gran diferencia. Al mismo tiempo, los escrúpulos a la hora de comer extraños platos tienden a desaparecer y se comercia hasta con órganos del cuerpo humano.

El consumo tiende a dejar de ser un medio para la satisfacción de una necesidad, convirtiéndose en un fin en si mismo. La presión de los media y la variedad y mezcla de estilos de vida aumentan el deseo de consumir, sobre todo entre los más jóvenes. Estos encuentran en el consumo un medio de fabricar identidades a medio camino entre lo grupal y lo individual, lo que podríamos llamar el paradigma de la *Harley Davison*. Quienes tienen una de estas motocicletas comparten rasgos subculturales pero al mismo tiempo, no hay dos máquinas iguales. De esta forma, los procesos de individualización se han infiltrado en las pautas de consumo grupales en los últimos tiempos haciendo difícil hablar de sociedades de neotribus, al menos en el sentido antropológico tradicional.

Los motores del deseo son en las circunstancias de nuestra época más fuertes que nunca. El contraste entre los valores de occidente y oriente, curiosamente, es más evidente que nunca, justo en un momento en el que los primeros están ya "contaminando" a los segundos. Basta releer el Tao-Te-King para advertirlo. Ahora bien, una vez puesto en marcha, el deseo circula a una velocidad inusitada hasta hoy en el espacio virtual, el cual lo enciende o lo mantiene encendido. En efecto, las nuevas tecnologías aumentan las comparaciones, muestran novedades infinitas supuestamente al alcance de todos. Existen además mercados especializados en la vulgarización de los productos más deseados. La existencia de estos submercados de réplicas estimula todavía más el deseo al crear en las personas menos privilegiadas la ficción de poder consumirlo todo. Intentemos ahora pensar en qué sectores de la población estas reflexiones causarían más impacto negativo, aumentando la frustración. ¿No miraremos entonces a los miles de jóvenes que viven en hogares con problemas o en situación de falta de oportunidades, especialmente en zonas urbanas? Es claro que no podemos generalizar. Que, por ejemplo, no serán siempre minorías étnicas, ni inmigrantes, ni hijos de padres desempleados o divorciados. Es claro que debemos tener cuidado con nuestras interpretaciones para no acabar estimulando más que eliminando ciertas categorías. Es claro que debemos vigilar la criminalización de ciertas poblaciones. Y sin embargo, desviar la mirada de las mismas por miedo a hacerlo —como sostienen algunos teóricos radicales—, para fijarnos, por ejemplo, en los delitos de cuello blanco, es ignorar una verdad evidente: que hay sectores de la población que sufren más que otros, o si se quiere, que hay que clasificar los grados de exclusión y delincuencia y establecer prioridades de acción —por ejemplo a través de la prevención— en función del criterio de la cantidad y cualidad de sufrimiento encontrado acorde con la lesión de los derechos fundamentales[19].

---

[19] He intentado una clasificación de las exclusiones en ese sentido en otro lugar (Gil Villa, 2002: 24).

V
Los debates sobre el autocontrol

1. LA TESIS DE LA PACIFICACIÓN DE ELIAS

Tal vez la obra más citada a favor del aumento general del autocontrol, apoyada en materiales históricos, sea la de N. Elias (1993). Podemos situar el gran cambio hacia un mayor autocontrol a la altura de los siglos XVII y XVIII, con la aparición de la sociedad cortesana. En la Edad Media los comportamientos violentos estaban a la orden del día. La agresividad, y en general, los instintos, se hacían evidentes en los espacios públicos —pensemos, por ejemplo, en costumbres como escupir u orinar en la calle—. Pero a partir del Renacimiento la fuerza deja paso al ingenio como criterio para lograr ascender socialmente. En la Corte, es necesario dominar los códigos de etiqueta para lograr favores, lo que significa el dominio del lenguaje verbal y de la comunicación no verbal, el saber interpretar los rituales, el funcionamiento simbólico de los actos sociales, el saber conseguir la información antes que otros con las artes de la diplomacia. Es así como el cuerpo se civiliza, lo que significa que acaba sufriendo procesos de socialización, racionalización e individualización (Shilling, 1997: 97). El cuerpo deja de expresarse a sí mismo para pasar a ser un instrumento de expresión de la posición social que ocupa el individuo. Para ello, será fundamental aprender a diferir o posponer las satisfacciones o placeres, lo que conlleva una clara represión de las pulsiones. El movimiento civilizatorio se orienta hacia una privatización cada vez más completa de todas las funciones corporales (Elias, 1993: 228). La vida civilizada será entonces menos peligrosa, pero también menos excitante.

Entre los factores responsables de esta tendencia destacan la división social del trabajo y la monopolización de la violencia por parte del Estado. La primera hace que la personas dependan más unas de las otras, una buena razón para dejar de atacarse. La segunda hace que salgamos a la calle tranquilos porque sabemos que la policía, el ejército y los jueces disuadirán a aquellos que piensan en usar la violencia contra nosotros.

Pero si nos hemos vuelto más pacíficos al haber interiorizado los códigos de autocontrol, esta tendencia no es absoluta ni perfecta.

Existen lagunas, tales como las guerras, el carnaval. Al mismo tiempo hay sectores donde esta tendencia se ha extendido menos, como en el caso de la población rural, clases populares o minorías étnicas. Sin embargo, si observamos con detenimiento, veremos que dichas objeciones no lo son tanto. Así, las nuevas guerras parecen dar la razón a Elias, al haberse vuelto mucho más *pacíficas*, si se me permite usar esta expresión. En efecto, se trata de operaciones que duran pocas semanas o incluso días, selectivas —dirigidas hacia objetivos estratégicos—, profesionales —no implican una movilización masiva de la población civil—, restauradoras —al tiempo que se ataca se montan campamentos de ayuda humanitaria—. El número de víctimas, y esto es lo fundamental, es mucho menor al que se producían en las guerras de siglos anteriores. En cuanto al carnaval, si bien es cierto que su sentido es la liberación de las rutinas, deberes cotidianos e incluso de la identidad, si bien es cierto que puede suponer la inversión del orden y que la ruptura de normas es casi el objetivo, puede hacerse aquí una interpretación típicamente funcionalista que reforzaría la tesis de Elias. Según la misma, el carnaval tendría por función permitir a la gente que se desahogue durante unos días para luego volver con fuerza a trabajar y a la ocupar los espacios sociales más ingratos. El sistema social sería como una olla a presión. El carnaval sería una válvula de escape. Los que ejercen las posiciones de poder lo permiten como un mal menor, sabiendo que, si no lo hacen, un día la situación podría estallar definitivamente, como en los episodios revolucionarios.

En cuanto a las zonas rurales, parece que en ellas los crímenes violentos —por ejemplo los pasionales— son más frecuentes mientras que en las ciudades, la delincuencia se habría sofisticado, especializado en los delitos contra la propiedad, que implican más habilidad o que requieren uso de la fuerza pero no aplicada contra las personas sino contra cosas por ejemplo en el robo de una caja fuerte. Tal vez el esfuerzo más ambicioso en términos de comprobar esta hipótesis de forma empírica ha sido el de David Schichor, al contrastar datos de la INTERPOL relativos a delitos cometidos en 44 países con indicadores de modernización de los mismos, desde 1967 a 1978. Los delitos elegidos son el homicidio y el robo en la calle sin violencia (uno de los tipos de *larceny*) (Schichor, 1990: 68). Los indicadores, agrupados en cuatro bloques —desarrollo económico, demografía, salud pública y comunicación y desarrollo— son: tamaño de la población, media anual de cambio demográfico —tasa de crecimiento—, mortalidad infantil, proporción de médicos por habitantes, proporción de camas de hospital por habitantes, periódicos por cada 1000 habitantes y gastos en educación. Las conclusiones de Schichor son claras:

1) A mayor desarrollo económico, mayor número de delitos en general.

2) Existe una correlación negativa entre tasas de homicidios e indicadores de modernización.

3) Las tasas de delitos en general y del hurto en particular se correlacionan positivamente.

4) La correlación positiva señalada en 3) es más fuerte que la negativa señalada en 2), por lo cual debe matizarse que el delito contra la propiedad es un indicador más fuerte de modernización que la evolución de la tasa de homicidios.

¿Corroboran estos resultados las ideas de Elias? En principio parece que sí, sobre todo si los enmarcamos en la tendencia a la urbanización que supone la modernización. En las últimas décadas dicha tendencia sigue viva, es decir, cada vez viven más personas en núcleos urbanos mayores —zonas metropolitanas y megaciudades—, por lo cual cada vez quedarían menos zonas "especializadas" en delitos violentos. Sin embargo, las tasas de homicidios —cada 100.000 habitantes— son visiblemente mayores en las capitales de la mayoría de los países (Entorf y Spengler, 2002: 8). Y es que no es fácil hacer una valoración general de la tesis de la pacificación, la cual posee un carácter teórico y abstracto al basarse en la comparación de épocas históricas bien diferenciadas. La demostración de que los modernos somos menos violentos que nuestros antepasados en la Edad Media precisa de un esfuerzo de investigación mayor que el que hace falta para demostrar que somos menos salvajes que los hombres prehistóricos. Y sin embargo, como en este último caso, la utilidad de esa tesis para el criminólogo es muy relativa. Si aplicamos la lente teórica sobre coyunturas concretas, sobre los años que nos toca vivir, sobre nuestra circunstancia, la visión pierde nitidez y acabamos por llegar a la conclusión de que no podemos afirmar de forma general que la violencia ha aumentado o disminuido en la sociedad actual. Observemos, por ejemplo, la evolución de los delitos cometidos en núcleos urbanos desde 1992 hasta el 2001, clasificándolos en tres grandes grupos en función del grado de violencia que implican[20]:

---

[20] Los datos que se ofrecen han sido reelaborados partiendo de los de los anuarios estadísticos de la Dirección General de la Policía. Recogen por tanto los delitos

Tabla I. ¿Proporción y variación de varios tipos de delitos en España entre 1992 y 2001

	%	% variación 1992-01
Delitos violentos	16,28%	–10,02%
Delitos contra la propiedad	70,37%	–6,9%
Delitos cualificados	13,34%	+14,41%

Los delitos violentos disminuyen así como los delitos contra la propiedad mediante el uso de la fuerza. Sin embargo, los delitos menos violentos que requieren el uso de la habilidad parecen aumentar. La sustracción por tirón, un delito típicamente violento y que exige poca pericia, disminuye un 30%, mientras que la categoría que más crece —más de un 44%— dentro de los delitos cualificados es la de estafas varias —excluida la bancaria—, entre las que se encuentran los timos.

Ahora bien, este comentario general, congruente con la idea de la pacificación, es superficial. Si ahondamos un poco más encontramos argumentos para matizarlo. En primer lugar por la naturaleza de los datos utilizados. Estos son frágiles. No sólo por la limitación de la fuente —urbana, hechos delictivos consumados, etc.— sino porque las tendencias no son homogéneas ni fuertes a lo largo de la década. En el caso de los delitos violentos, encontramos aumentos en 1996 y en el 2000. Además, en estudios realizados en regiones como Málaga, los autores concluyen que el robo con violencia o intimidación presenta una alta tasa de victimización (Díez Ripollés y otros, 1996: 172).

Por su parte, los delitos contra la propiedad mediante el uso de fuerza aumentan en 1996, 1997 y en el 2001. Por otro lado, es difícil confiar en una sola fuente de datos cuando ha habido precedentes de errores de interpretación importantes. Entre 1973 y 1999 el FBI registró en los

---

registrados en poblaciones de más de 20.000 habitantes. Los delitos informados por la policía constituyen alrededor del 70% de todos los delitos conocidos. Sólo recogen los delitos consumados omitiendo por tanto faltas y hechos delictivos calificados en grado de tentativa. Como delitos violentos contemplamos el homicidio y asesinato, las lesiones, el robo con violencia e intimidación. Como delitos contra la propiedad mediante el uso de la fuerza recogemos el robo con fuerza en las cosas, la sustracción de vehículos, la sustracción en vehículos, los daños intencionados y los incendios intencionados. Por último, los delitos contra la propiedad mediante habilidad son el hurto, las estafas bancarias, otras estafas, apropiación indebida y receptación y conductas afines.

Estados Unidos un aumento de los delitos violentos —en este caso, homicidio, violación, asalto y robo— en un 58%. Sin embargo, la encuesta sobre victimización realizada por el NCVS —*National Crime Victimization Survey*— detectó una disminución de la delincuencia violenta en un 30% (Entorf y Spengler, 2002: 7). Recordemos una vez más que las encuestas de victimización son una fuente importante de información dado que mucha gente, normalmente más de la mitad, no denuncia el delito del que ha sido víctima[21].

En segundo lugar, si enmarcamos nuestros datos con las estadísticas internacionales las conclusiones se hacen más confusas[22].

Tabla II. % de variación de varios delitos entre los años 1990 y 1995[23].

País	Homicidio*	Violación	Hurto c. violencia	Robo fuerza	Robo e	drogas
Alemania	−0.3	22%	−19%	−4%	−28%	42%
Austria	−0.2	3%	0%	26%	−12%	39%
Dinamarca	−0.1	6%	−	34%	−7%	−16%
Finlandia	0.0	14%	−5%	3%	−8%	28%

---

[21] Un ejemplo. En la encuesta realizada en Málaga por Díez Ripollés, Girón, Stangeland y Cerezo Domínguez en 1993-94, sólo el 43% admitió haber denunciado (1996: 173).

[22] Las dificultades para las comparaciones internacionales son también múltiples. Las categorías que definen los delitos pueden no coincidir, o sencillamente no existir, a parte de las diferentes tradiciones en las denuncias y en las técnicas y rutinas utilizadas por la policía. En casos como el aborto o diferente tipo de drogas, las legislaciones admiten importantes variaciones en el tiempo y en el espacio (Entorf y Spengler, 2002: 5-6). Para el caso de estadísticas oficiales, las fuentes son: The International Police Organization (Interpol), the World Health Organization (WHO), the United Nations Crime and Justice Survey (UNCIS) y el Council of Europe/ British Home Office. En el caso de las encuestas sobre víctimas destaca el International Crime Victims Surveys (ICVS) (*Ibid.*: 6). En el caso de España, los primeros estudios los realizó el CIS a finales de los ochenta. Después se han sumado a la lista diversas universidades e instituciones públicas. Una lista de las encuestas de victimización puede verse en Díez Ripollés y otros (*Ibid.*: 23).

[23] Datos tomados de Entorf y Spengler (2002: 8-16). He resumido las tablas publicadas por estos autores en una, acortando el número de países, delitos y periodos de tiempo. La finalidad es ofrecer una información general sobre el debate analizado de la violencia en los términos que se han establecido con los datos anteriores sobre España. Las categorías originales son, por orden: *murder, rape, theft, robbery and violent theft, breaking and entering, drug offences.*

(*) En el caso de los homicidios, la tasa se calcula sobre 100.000.

**Tabla III. % de variación de varios delitos entre los años 1990 y 1995
(continuación)**

País	Homicidio*	Violación	Hurto c. violencia	Robo fuerza	Robo e	drogas
Francia	−0.3	7%	−7%	26%	−15%	28%
Grecia	0.0	2%	−4%	28%	−13%	128%
Holanda	−0.2	13%	−9%	−10%	1%	117%
Ingla./Gales**	0.0	119%	−9%	78%	−8%	1206%
Irlanda	−0.1	11%	−44%	−27%	−46%	55%
Italia	−0.2	−	9%	30%	−	11%
Luxemburgo	0.5	−40%	−10%	45%	45%	18%
Portugal	0.1	−14%	−27%	−12%	−28%	−52%
España	0.1	−38%	2%	12%	−1%	115%

Los datos recogidos por la INTERPOL entre los años 1990 y 1995 muestran que:

1) El robo con violencia aumenta en general en los países de nuestro entorno.

2) El robo con fuerza tiende a disminuir en general —con la clara excepción de los países de la Europa del Este—.

3) El hurto —la categoría más significativa de los delitos recogidos antes como cualificados— disminuye en general, excepto en una minoría de países, como Italia y España[24].

En tercer lugar, si tomamos la comparación internacional por el lado de las encuestas sobre víctimas nos encontramos con fuertes diferencias entre países del mismo grado de desarrollo. En el caso de delitos que

---

(**) Los datos para Inglaterra y Gales se refieren al periodo 1990-99, a diferencia del resto, que se cierne a los años 1990-95. Esto se debe a que en las tablas, los autores no consignan datos para estas regiones en esos años. De esta forma, al menos los lectores pueden tener una referencia.

[24]   Aunque parece haber aquí una contradicción en las dos fuentes debe advertirse que el incremento en la categoría *theft* a la que se refiere la INTERPOL para España en esos cinco años es del 2%. Por otro lado, si bien la categoría genérica de delitos cualificados aumentaba en los anuarios de la policía, hay que advertir que el número de hurtos en el año 2000 en España fue prácticamente el mismo que en el año 1992 (63.580 y 63.731)

conllevan contacto con la víctima, Cataluña exhibe una tasa del 42%, frente al 4,5% de Portugal o el 15,2% de Finlandia. Y en los delitos contra la propiedad, ante el 17,5% de Irlanda del Norte o el 18,9% de Finlandia tenemos el 38,5% de Holanda, el 36,7% de Inglaterra y Gales o el 34,5% de Suecia (*Ibid.*: 19-20).

Los debates sobre la violencia necesitan pues apoyarse en datos concretos y procedentes de fuentes diversas relativos a determinados países y regiones en un momento determinado. Las circunstancias de tiempo y espacio limitan necesariamente las afirmaciones. En ellas se mezclarán factores de diversa índole, globales y locales. El aumento de la violencia parece más probable en aquellos países donde la desigualdad social y la corrupción sea mayor y más visible. Al menos en la forma de la violencia física que toman los brotes. Sin embargo, habría que investigar de forma independiente la violencia escolar o la violencia simbólica, tal y como acontece en la forma de acoso moral en el trabajo o de diversas formas de violencia doméstica, en especial la que sufren las mujeres, niños, discapacitados, enfermos y mayores. Existe, sin embargo, poca información sobre las mismas.

2. P. FREUND: EL CUERPO CIVILIZADO

Un aspecto que merece la pena analizar por separado, dentro de los debates sobre el autocontrol, es de la definición que toma este concepto cuando se analiza la posición social. En principio, parece lógico que la tendencia al autocontrol, basada en el dominio y civilización del cuerpo, la encontremos más en las clases medias que en las clases populares o en minorías étnicas como la gitana. Por un lado, la educación en el autocontrol hunde sus raíces en los valores del puritanismo centroeuropeo, especialmente del luteranismo. En principio se trata de una educación pensada por y para la burguesía. No es extraño pues que trabajos como el de Khon señalen que la socialización de las clases medias se basa en los valores del autocontrol, la autodirección, la motivación y la atención a los deseos, mientras que en las clases populares se pone más énfasis en la compostura, la limpieza y la disciplina, es decir, en el orden como algo impuesto desde fuera, y no interiorizado (Kohn, 1963). Esto podría estar relacionado con el tipo de trabajo de los padres, puesto que los de clase obrera están acostumbrados a obedecer órdenes más que a discutir y consensuar las tareas. Además, y a diferencia de los profesionales de clase media, estarían menos acostumbrados a trabajar con ideas y símbolos que con cosas y sus logros dependerían más de acciones colectivas que individuales.

Ahora bien, desde ciertos enfoques de la llamada *sociología del cuerpo*, se insistiría en la tendencia a la homogeneización de los estilos socializadores. El fetichismo de la motivación del logro y del autocontrol serían ciertamente un rasgo de identidad burguesa —que conlleva la responsabilización individual de los éxitos y los fracasos, la asertividad en la forma de ser y la organización disciplinada— pero que tiende a extenderse también a las clases populares. Este planteamiento lo encontramos en Peter Freund para quien la domesticación del cuerpo tiene que ver más con causas económicas que políticas. Es decir, más que a la necesidad del Estado de controlar el orden se debería al interés del capital en controlar los trabajadores. Así se entiende cómo el tiempo del reloj, el tiempo del trabajo, acaba por conquistar terrenos tan ajenos como los ritmos del juego y de la sexualidad (Freund, 1982: 72-73). Hay un tiempo para el juego y para el sexo, que no deben extenderse más allá de ciertos límites. Desde el punto de vista de Freund, el autocontrol no es algo precisamente positivo. Se trataría de una forma de control social "masculina", agresiva y dominante. Bajo una fachada de invulnerabilidad, el autocontrol perfecto encubriría en el fondo un sentimiento básico de inseguridad existencial. La persona es incapaz de dejarse ir. Cualquier amenaza a la pérdida de control le crea ansiedad. Este tipo de *control interno* o interiorizado sería la expresión del *individualismo burgués* que niega la necesidad de contextos sociales de apoyo y estigmatiza a aquellos que, ya sea temporal o permanentemente, muestran alguna discapacidad para funcionar, como en el caso de los pacientes mentales o los alcohólicos (*Ibid.*: 61).

El trabajo, no sólo acaba dominando la vida cotidiana al imponer sus ritmos sino también al modelar el carácter del trabajador. Muchos trabajadores tienen que aprender a modelar sus emociones. Así, en el caso del sector servicios, en las ocupaciones de cara al público, se observa en los empleados una triple exigencia:

1) El saber crear artificialmente un trabajo emocional concreto —por ejemplo el entusiasmo, la confianza en el producto o la predisposición a ayudar—.

2) El saber reprimir las emociones contrarias: la prisa, la ansiedad, la rabia o la irritación.

3) El inducir en el cliente estados emocionales como la calma en el caso de las azafatas de vuelos.

Las emociones estimuladas pueden ser muy diferentes en función de los trabajos. Para una azafata el cliente siempre tiene razón, y debe ser mimado como un niño. Lo contrario que para el cobrador de un transporte público, quien se entrena en la desconfianza y las formas en las que el cliente puede haber cometido un fraude. Ahora bien, este *trabajo emocional* exige su precio y en ocasiones puede afectar a la salud. Pero incluso al margen del trabajo, los estilos de socialización tienen costes emocionales. Parece que el asma está relacionado en algunos pacientes con sus antecedentes de enfrentamientos con madres dominantes, o en otros casos con la baja autoestima. El eccema lo estaría con una lucha similar con la figura controladora del padre, y la artritis reumatoide con problemas con la autoridad y el control (Freund, 1982: 63).

3. FREUD Y FOUCAULT EN LA ERA DE LA GLOBALIZACIÓN

La tendencia histórica al aumento del autocontrol la encontramos también en Freud y Foucault. Según Freud, para que la agresividad no se canalice de forma antisocial, se vuelve contra la propia persona a través del superyo o la conciencia moral (Freud, 1969: 65). Es el miedo a la pérdida de amor, que se manifiesta en la posibilidad material de sanciones, lo que nos lleva a obedecer la norma en última instancia (*Ibid.:* 61). Freud distingue entre "ser culpable" y "sentirse culpable". La primera situación implica un cierto miedo a la autoridad y se soluciona renunciando a la satisfacción de los instintos. Ser culpable solo se es, en realidad, si se descubre la infracción que has cometido. Pero uno puede sentirse culpable sin haber cometido una infracción, al haberla cometido sólo incluso de pensamiento. Y es justamente la interiorización de las normas, el conflicto entre el superyo y el yo, el que origina el sentimiento de culpabilidad, básico en los esquemas de Freud para explicar la ruptura de normas.

Focault habla de *micropenalidad* para referirse al proceso por el cual, en la época moderna, las distintas dimensiones de la vida cotidiana se organizan de forma tal que se dividen en pequeñas unidades capaces de ser sometidas a una constante evaluación por parte de todos. Así se establece una micropenalidad del tiempo, sancionándose los atrasos y las ausencias; de las actividades se sanciona la distracción o la negligencia; de la manera de ser, la desobediencia; del discurso, la insolencia o la charlatanería; del cuerpo la suciedad; de la sexualidad la indecencia (Foucault, 1982: 183).

Ahora bien, en el debate del autocontrol debemos considerar algunos argumentos que matizan todas estas exposiciones. Alguno de ellos se deduce de esos mismos autores. Tal vez el más claro de ellos sea el coste de la represión de la dimensión impulsiva o instintual. La cuestión aquí es si los humanos pueden vivir una vida donde la violencia ha sido controlada en grados casi absolutos o si, de lo contrario, estallará. En el caso de autores como Freud, es difícil llegar a una conclusión definitiva, porque si bien el propio autor parece inclinarse por una visión pesimista de la naturaleza humana, al considerar al hombre y la mujer contemporáneos como los descendientes de una larga cadena de asesinos (Freud, 1991)[25], sin embargo, si hacemos una lectura adaptada a nuestra época de su obra *El malestar de la cultura*, podemos llegar a resultados menos dramáticos. Porque dicho malestar venía dado por el sentimiento de culpa, el cual a su vez venía inducido por un determinado tipo de relación, estrecha y basada en la subordinación, que establece el individuo tanto con su familia como con sus posteriores parejas, colegas o jefes o representantes políticos. Pero los cambios sociales actuales tienden a impedir que cuaje el sentimiento de culpa tanto como en el pasado. En primer lugar, las relaciones de autoridad en todas esas relaciones tiende a nivelarse.

En segundo lugar, en la sociedad globalizada el número de relaciones que mantienen una persona media es muy superior al que mantenía una persona hace 50 años. De hecho, podríamos decir que su abuelo mantenía solo relaciones con personas visibles y conocidas. Pero hoy mantenemos relaciones con cuatro categorías de personas: conocidas y visibles, desconocidas y visibles (empleados de un supermercado por ejemplo), conocidas invisibles (a través del teléfono) y desconocidas e invisibles (a través de internet). Si para Freud el conjunto de relaciones significa una

---

[25] En una carta escrita en Viena en diciembre de 1914 a Fr. Van Eeden, escribe: "Bajo la influencia de esta guerra, me atrevo a recordarle dos postulados que el psicoanálisis ha establecido y que seguramente han contribuido a hacerlo odioso al público. El —el psicoanálisis— ha deducido de los sueños y los actos fallidos de los sanos, lo mismo que de los síntomas de los nerviosos, que los impulsos primitivos, salvajes y malos de la humanidad no han desaparecido en ninguno de nosotros sino que siguen existiendo, aunque de manera reprimida, en el inconsciente, como decimos en nuestro lenguaje especializado, y que sólo esperan las ocasiones adecuadas para volver a entrar en acción..." (Freud, 1991: 10). Y en el escrito "Nosotros y la muerte", puede leerse: "... aún somos los mismos asesinos que fueron nuestros antepasados en tiempos primitivos" (*Ibid.:* 19).

dispersión de la energías sexuales originales, el aumento de relaciones referido bien puede significar una pérdida de fuerza del conflicto, que se atomizaría o tendría menos probabilidades de ser focalizado y concentrado. En tercer lugar, los aspectos de idealización del objeto amoroso, que comienzan ya a dibujarse con los padre y pueden volver a aparecer con la pareja o en la relación con un líder político demagogo, y que aumentan los procesos de culpabilización y de malestar, tienden a disminuir en nuestra época.

El individualismo actual incluye componentes racionales y críticos que se acaban empleando en dimensiones hasta entonces exclusivas de las emociones, como el amor (Gil Villa, 2002: 139). Según esto, el miedo a la retirada del afecto, en el que se basa en última el conflicto entre el superyo y el yo, que origina la culpa y el malestar, no sólo depende de la familia en particular que a uno le toque en suerte, que también, sino que hasta cierto punto forma parte de la cultura de la época que a uno le toca vivir. Es posible que la nuestra camine hacia un futuro en el que aquel miedo tiende a disminuir como consecuencia de los procesos de individualización y de los mecanismos de complejidad, fragmentación y compensación de las relaciones sociales. Por decirlo de una manera mucho más gráfica pero al mismo tiempo mucho más simplista, y por lo tanto tomando el ejemplo con mucha precaución, la racionalización de territorios como la familia o el amor supone que la amenaza de la pérdida de los afectos deja de usarse como fuente de obediencia de las normas al considerarse tanto poco racional como poco *ética* —casi como un chantaje emocional—.

Sin embargo, la razón por la cual no está tan claro que el autocontrol aumente y la sociedad marche hacia la pacificación, o dicho de otra forma, los argumentos que permiten hablar de tendencias contradictorias, los encontramos no sólo en las dificultades internas para la modelación del propio autocontrol —dificultades que a pesar de ser internas, como hemos visto, provienen del contexto social— sino también en el aflojamiento del control externo. En otras palabras, no es sólo que el autocontrol se fabrique de forma distinta en cada época en función de las circunstancias sociales. No es sólo que entonces podamos decir que en nuestro tiempo dichas condiciones parecen tender a fabricarlo menos estricto que en pasado moderno. Es que, además, debemos poner en relación el autocontrol con el control social externo. De hecho, ya sabemos que el primero es simplemente una variante interiorizada del segundo. Pues bien, en nuestros días, hay algunos factores que hacen pensar en una debilidad del control social tanto formal como informal, es decir, tanto por parte de los aparatos que están especializados en imponerlo, como por parte de los *vigilantes* no especializados. Nótese que este comentario es de signo contrario al señalado por algunos criminólogos radicales y que repasaremos en el próximo debate, y que insisten en que vivimos en una sociedad cada vez más controlada y excluyente. Sin embargo, debemos prestar atención a las dificultades que tiene el control social para imponerse hoy en día. Entre ellas podemos destacar las siguientes.

En primer lugar, las dificultades de los Estados nacionales para hacer valer la ley en sus territorios en un contexto global que elimina fronteras y donde se da una importante complejidad de normas internacionales al formar parte de Estados transnacionales. En segundo lugar, el Estado deja de tener la ayuda de los aliados tradicionales que ejercían el control a nivel informal, tales como los propios vecinos o los empleados de los pequeños comercios. Esto es debido al aumento del anonimato en los procesos de urbanismo actuales. En tercer lugar, y relacionado con el anterior, aumentan los espacios donde las personas se relacionan con desconocidos y donde la vigilancia del comportamiento no existe. En cuarto lugar, los códigos éticos, tradicionalmente asociados a las religiones, dejan de funcionar porque disminuye la práctica religiosa. ¿Cuántos españoles hacen, al final del día, examen de conciencia y repasan por ejemplo los diez mandamientos de forma que les remuerde la conciencia en el caso de que los hayan desafiado a través no sólo de la acción, sino también del pensamiento?

La consideración de estos factores hace que nos replanteemos tesis como la de Foucault en los siguientes términos: ¿hasta qué punto hemos interiorizado el control en nuestra vidas? Si el poder se ha vuelto invisible, ¿ello se debe a que el control *se ha infiltrado* en nosotros —como pensaba Foucault— o, a que *se ha evaporado y flota* en los contextos complejos reales y virtuales de nuestra vida social? ¿Cómo interpretar sino los episodios de violencia en las ciudades, episodios que no sólo se deben a los excluidos que reclaman sus derechos —*revueltas de ciudadanía o de inclusión*— de los que hablan algunos autores[26], sino también jóvenes de clase media que agreden a inmigrantes o sin techo? ¿Cómo interpretar sino el aumento de delitos violentos sin móviles, como la categoría de los asesinos en serie?

---

[26] Tales revueltas presentarían en el primer mundo cuando se dan dos condiciones: 1) un sector de la población es marginada económicamente, y 2) la policía vulnera sus derechos al tratarlos como sospechosos y acosarlos (J. Young, 1999: 21).

VI
¿Quiénes son los delincuentes? Criminologíá crítica

1. INTRODUCCIÓN

La década de los sesenta ha sido objeto de atención especial por los historiadores del pensamiento social. Una serie de acontecimientos políticos originaron protestas sociales de gran impacto, al trascender en muchos casos el acontecimiento que las disparaba. Así, las manifestaciones en contra de la guerra del Vietnam no tenían el mismo sentido que las que se hicieron contra la guerra de Irak del 2002. Puede que fueran los mismos sentimientos humanitarios ofendidos los que se expresaran en ambos momentos, pero en el primer caso, tales sentimientos se encontraron arropados por uno de esos raros climas donde la sociedad toma conciencia crítica del funcionamiento de sus instituciones, del desfase entre el mismo y los valores que se supone debían informarlo. Se trata de momentos históricos especiales donde la máquina social deja de funcionar para reflexionar y evaluar su andadura. Los movimientos sociales tomaron un gran impulso. La defensa de los derechos de grupos minoritarios expresó en voz alta el peligro de que la democracia se interpretara simplemente como el gobierno de la mayoría. La legitimidad de los gobiernos se puso a prueba además, al reforzar esos argumentos con teorías coherentes que venían de la universidad. Ciertos ingredientes del psicoanálisis y del marxismo se combinaron de forma interesante dando lugar a diversos cócteles en los que podía, no obstante, degustarse un sabor de fondo inconfundible: la idea de que para entender la sociedad había que revolver debajo de las apariencias los hilos del poder. Los gobernantes pueden manipular la información, sobre todo si controlan ciertos medios de comunicación.

El poder utiliza mecanismos que escapan a nuestra percepción habitual, tanto en el caso de un hombre machista con respecto a su familia como en el caso de un gobierno que establece que, constituyen delito o falta, robar u ocupar una casa pero no que el empresario pague más al hombre que a la mujer, que se contamine la atmósfera o que se receten medicamentos inadecuados, o que se venda tabaco y alcohol legalmente y no marihuana. Ningún espíritu benévolo dicta las leyes a gobernantes, diputados y senadores. Sino intereses de los grupos que les apoyan y que se confrontan en la batalla política de cada día a través de negociaciones, las cuales dejan de lado, en la mayoría de los casos, los principios ideológicos en los que supuestamente se inspiran. En realidad, en los años sesenta todavía no se hacía énfasis en este último punto. En aquellos momentos, el potencial crítico que se disparó contó con la ilusión de las ideologías de izquierdas, sobre todo las socialistas. De ahí que el marxismo fuera una de sus piezas fundamentales. La ideología ha demostrado históricamente que es uno de los motores más potentes para canalizar las energías colectivas. De ahí que la conciencia crítica social tuviera un aspecto vistoso, al acompañar la crítica con modelos alternativos que permitían ilusionar a la gente. Los movimientos contraculturales pusieron la guinda del cóctel al acompañar con algunas vanguardias artísticas el escenario social. Empujaron en el mismo sentido que algunos de los movimientos musicales más famosos de la historia moderna, como el del rock. Si bien siempre han existido los conflictos intergeneracionales, por primera vez en la historia los medios de comunicación de masas propiciaron símbolos que podían ser instantáneamente compartidos por millones de jóvenes. Símbolos que podían ser consumidos como bienes gracias a la mercantilización —como los vaqueros u objetos grupales más específicos, como la gomina—. También era posible interpretar desde la universidad esos movimientos no simplemente como estéticas juveniles intrascendentes sino como expresiones de las contradicciones materiales que vivían dentro de sus familias. Una vida donde el confort urbano adormecía el sentido crítico, "aburguesaba", adocenaba las conciencias. Este era el telón de fondo en el que se desarrollaron los movimientos contraculturales a finales de los años sesenta.

En él cobraron vida cierto grupo de criminológos ingleses. Su historia tiene al menos tres hitos fundamentales: la National Deviance Conference de 1968, y la publicación, por Taylor, Walton y Young, de la "nueva criminología" y la "criminología crítica" —en 1973 y en 1975 respectivamente—. Si nos atenemos a los trabajos monográficos sobre estos enfoques con los que excepcional y afortunadamente contamos en este caso en España —como el de Elena Larrauri— y algunas de las obras críticas más influyentes en los últimos años, es posible dividir la evolución, a efectos analíticos, en tres fases. Una primera, en la que se gestan los principios del enfoque teórico hasta la publicación de la *criminología crítica* y caracterizada por cierta ambigüedad y heterogeneidad. Una segunda, en la que se intenta dotar al movimiento de mayor coherencia tanto científica como ideológica, a través del marxismo, y una tercera, a partir de los años noventa, en la que los enfoques radicales vuelven a fragmentarse, renuncian a ciertos contenidos de ambición teórica e ideológica, y procuran adaptarse, aunque no en todos los casos por igual, a la evolución sufrida por el paradigma científico moderno con la irrupción en las últimas décadas del postmodernismo y el posestructuralismo. No se trata de etapas históricas cerradas. La criminología crítica nace con un interés especial en debatir el papel del derecho penal, debate que continua en los años ochenta y en la actualidad. Respecto al papel teórico o práctico del criminólogo, su discusión surgirá con una fuerza especial tras la reflexión crítica de la segunda etapa, pero es igualmente evidente su vigencia hoy en día.

2. LOS PRIMEROS AÑOS. EL DEBATE SOBRE LAS CÁRCELES

Los pioneros de la criminología radical inglesa, en el contexto ideológico sucintamente expuesto, marcado por el impacto de la contracultura y las versiones del marxismo de la Escuela de Frankfurt, hicieron una lectura política de la teoría del etiquetado (*Labelling Approach*). El decálogo del grupo de autores ingleses durante estos podría expresarse como sigue (Larrauri, 2000: 67):

1. "Escuchemos la versión que nos da el desviado de cuáles son los motivos por los que actúa en la forma en que lo hace. Apreciemos sus razones. ¡Simpaticemos con el desviado!

2. No hay nada ilógico en su actuación, sólo son diversos. No pensemos que sus actos son irracionales por el solo hecho de ser distintos, observémoslo y veremos lo organizados que están de acuerdo a sus reglas, lo racionales que son de acuerdo con sus criterios. ¡El acto desviado es racional!

3. El hombre es libre. El desviado también. Su desviación es un acto voluntario contra esta sociedad. ¡El desviado es político!

4. Nadie es diferente. El mundo convencional tiene tradiciones desviadas, los desviados aceptan valores convencionales, los sujetos convencionales realizan actos desviados, los sujetos desviados realizan actividades cotidianas. ¡Todos somos desviados!

5. Toda intervención penal es negativa ya que etiqueta al individuo como delincuente y por consiguiente lo afianza en su carrera delictiva. ¡El control crea desviación!

6. No intervengamos etiquetándoles o estigmatizándoles. No les añadamos adjetivos peyorativos de desviados o delincuentes. Seamos tolerantes, ¡dejarlos solos, manos fuera!

7. Los "empresarios morales" definen como criminal aquello que atenta contra los intereses económicos de los grupos sociales poderosos. ¡El Derecho Penal es un instrumento al servicio de las clases dominantes!

8. Se percibe como delincuente no a quien vulnera una norma penal, sino a los individuos que encajan en la imagen de delincuente. ¡La policía actúa en base a estereotipos!

9. El Derecho Penal es selectivo, se aplica sólo a unos pocos para reafirmarla solidaridad y cohesión social. ¡Se crean chivos expiatorios!

10. Las estadísticas no reflejan la realidad, sólo plasman lo definido e interpretado como delito, sólo registran los sujetos aprehendidos. ¡Las estadísticas son una construcción social!"

Las coletillas de los postulados, con sus exclamaciones, reflejan la alianza de los investigadores con movimientos sociales que luchaban por el reconocimiento de los derechos de grupos de muy distinta índole, desde los gays o las feministas hasta los parados, los encarcelados o los trabajadores sociales. Se formó así una plataforma compleja que desde el punto de vista académico se mantenía al margen de las corrientes oficiales, tanto de la criminología (*Home Office*) como de la sociología (*British Sociological Association*), creando la alternativa *National deviance Conference* (NDC). Se propugnaba un cambio de enfoque en la criminología. A la hora de estudiar las causas de la delincuencia no había que concentrarse, como se había hecho hasta entonces, en los individuos infractores y toda la constelación de factores psicobiológicos que gira entorno a ellos, con la finalidad de corregir su comportamiento. Más bien había que observar los factores macro-sociales, externos al individuo, abrir una "conexión sociológica", examinar la responsabilidad del Estado y sus agentes por ejemplo. Se proponía rebasar el estudio de la infracción de las normas recogidas en el código penal, que el objeto de estudio fuera la "desviación", es decir, todos aquellos comportamientos susceptibles de reacciones sociales —informales y formales— negativas

(*Ibid.*: 73). De acuerdo con este nuevo planteamiento, la NDC se planteó tratar temas hasta entonces marginados por la criminología, como el control social, el mundo de los desviados o el carácter político de los temas de la desviación.

En 1973 se publicó *La nueva criminología*. El título indica ya el carácter de manifiesto del grupo de criminólogos. En esta obra, Taylor, Walton y Young comienzan por desmarcarse de las teorías criminológicas y de la desviación anteriores. Aparte de los "positivistas clásicos" que "no pueden brindar ni siquiera una explicación satisfactoriamente social de la relación entre el hombre y la sociedad", acusan a los "enfoques positivistas" "de no poder explicar ni la *economía política* del delito (el marco de la acción delictiva) ni lo que hemos denominado la *economía política*, la *psicología social* y la *dinámica social* de la reacción social ante la desviación", y a la teoría de la reacción —la cual supone el rechazo más elaborado, según los mismos autores, de las formas más simplistas del positivismo— de "ser unilateralmente determinista, es decir, por considerar que los problemas y la conciencia del desviado son simplemente una respuesta a su apresamiento y a la aplicación del control social" (Taylor, Walton y Young, 1977: 292-293).

Al autoproclamarse "nueva criminología" y criticar a toda la literatura anterior de la materia, quedaban claras las ambiciones teóricas de este enfoque así como uno de las rasgos que iban a marcar para siempre su carácter: la tendencia a la exageración. Algunos después han creído que realmente la irrupción de los criminólogos radicales ha supuesto un punto de inflexión en la historia de la criminología. Sin embargo, no siempre que un enfoque se declara "nuevo" resulta serlo. Podemos encontrar ejemplos en la historia de otras disciplinas, como en el de la "nueva sociología de la educación", también inglesa (Gil Villa, 1994). Dos argumentos me gustaría destacar aquí al respecto. En primer lugar, algunos de los propios autores que suelen citarse dentro de estos enfoque, como Baratta —de gran influencia en el mundo latino— basan parte de su crítica al derecho penal precisamente en la aportación de las diversas teorías criminológicas anteriores. Así, por ejemplo, las teorías subculturales cuestionarían el *principio de culpabilidad*, al observar la existencia de diferentes constelaciones de valores culturales por los que se guían las personas, diferentes de los que proclama el derecho; o los enfoques del etiquetado atacarían igualmente tanto el *principio de la prevención* como el de la *igualdad*, ya que la etiqueta de desviado en vez de prevenir y rehabilitar lo que hace es reforzar la identidad de la persona como infractora, mientras que la probabilidad de ser vigilado, detenido, juzgado y penado no se distribuye por igual entre las posiciones sociales (Cid y Larrauri, 2001: 238).

En segundo lugar cabría alegar otra contradicción básica, la señalada por algunas autoras de la corriente feminista, tales como Smart —y que recojo en el apartado dedicado a dicha corriente—: los radicales critican a los criminológicos tradicionales por "positivistas" pero en realidad ellos también lo son. La actitud positivista no tiene que ver tanto con la ideología política como con la posición epistemológica. Se puede ser socialista y al mismo tiempo positivista, si se tiene una fe ciega en los presupuestos del paradigma científico moderno según los cuales es posible llegar a una verdad última en la explicación de la delincuencia, a una relación causal estable cuyo conocimiento nos mostrará la forma de controlar la realidad y de "solucionar" el problema.

Al margen de las críticas a las corrientes anteriores, la nueva criminología objeta sobre todo el que se trate la conducta infractora como un fenómeno individual, intentando por consiguiente corregir a la persona sin cuestionar el orden social (Cid y Larrauri, 2001: 237). Se llega así a cuestionar radicalmente el derecho penal, el cual se entiende concebido para defender los intereses de los capitalistas en perjuicio de los trabajadores. En realidad, la estructura peculiar del sistema de clases del capitalismo puede explicar casi todas las situaciones delictivas ya sea a su favor o en su contra. Así, los delitos políticos pueden ser considerados como resistencia al sistema, pero otros pueden ser considerados como lo contrario, como la consecuencia de la acomodación a los valores del mismo sistema. Los delitos contra la libertad sexual serían un ejemplo del embrutecimiento que provoca dicho sistema y los delitos contra la propiedad cumplirían con la función de su reproducción. Los delitos de cuello blanco, en fin, serían un reflejo de la lucha de los sectores capitalistas por conseguir mayores cuotas de poder (*Ibid.*: 239).

La alternativa sería una nueva definición de delito, como todo comportamiento que vulnere los derechos humanos, para así poder considerar delincuentes no sólo a los sujetos individuales sino también a los sujetos colectivos, como los gobiernos y clases políticas y sociales que favorecen situaciones de exclusión social (*Ibid.* 237). En definitiva, la criminología sólo tiene dos posibilidades: o se consagra a la "abolición de las desigualdades de riqueza y de poder" o se dedica al correccionalismo, estando éste "indisolublemente ligado a la identificación de la desviación con la patología" (Taylor, Walton y Young, 1977: 297).

En su nacimiento, la criminología crítica parece exhibir un doble carácter y una doble función. Por un lado, se centra directamente en el aspecto excluyente de la organización del orden social: ¿cuántos y quienes son excluidos de la sociedad? ¿Por qué? Es decir, ¿quienes son privados de sus derechos, y en primer lugar de su libertad o de su vida, al ser condenados a la pena de muerte o de prisión? Por otro lado, intenta construir, ofrecer alternativas en la organización social. El paso del tiempo limita la potencia de esta segunda tarea debido a la crisis de las ideologías occidentales alternativas al capitalismo —anarquista, socialista y comunista—. Sin embargo, la crítica al derecho penal constituye una importante aportación que no ha dejado de evolucionar. Buena parte de las intuiciones de los primeros escritos y de la posterior polémica en los años ochenta sobre el sentido de las cárceles siguen vivas. Las altas tasas de reincidencia en la mayor parte de los países — que llegan a superar el 80%— sirven de primer y contundente argumento en contra de la pretendida función resocializadora de la prisión. Algo que también ha sido detectado en el caso específico de los menores (Cea, 1992: 82)[27]. Paralelo a este debate corre el de la violencia: ésta no parece disminuir por el hecho de que aumente el grosor del código penal. Como hemos visto al repasar la tesis de la pacificación de Elias en el apartado del autocontrol, no es posible llegar a conclusiones globales acerca del aumento o disminución de la violencia pero sí que podemos decir que

---

[27] De una muestra con 715 sujetos la autora española observó, contrastando con datos de la Dirección General de la Policía relativos a detenciones posteriores, la reincidencia afectaba al 58% de aquellos a los que se les había aplicado la medida de libertad vigilada, al 68% de aquellos a los que se les había aplicado el internamiento y al 71% de los que habían sido objeto de ambas medidas. Examinando las reclamaciones policiales o de instancias judiciales, la proporción de reincidentes bajaba algo pero seguía superando el 50% (*Ibid.:* 80-81). La autora concluye: "En ambos tratamientos la proporción de "reincidentes" es inquietante... Esto nos lleva a cuestionar la eficacia de los *tratamientos* de libertad vigilada e internamiento en la reeducación y reinserción social del menor" (*Ibid.:* 82). Y más adelante: "Lamentablemente, el *tratamiento* suele depender más de circunstancias materiales (dotación de centros especializados, de plazas vacantes en otros centros,...), personales (delegados y demás personal encargado de la *reeducación*), de la aceptación de la medida por parte del menor y/o de la familia, e incluso del parecer exclusivo del juez; y no de las necesidades educativas y formativas del individuo. Ambos *tratamientos* coinciden en el propósito de mejorar la formación educativa y laboral del menor, alejarlo de amistades no convenientes y potenciar las relaciones familiares. Pero ninguno de los *tratamientos* mencionados cumple sus objetivos plenamente" (*Ibid.:* 104).

cuando disminuye, y en el tiempo, espacio y región de la vida cotidiana en los que disminuye, no parece deberse a la inflación legislativa sino a causas independientes y más profundas. Por otra parte, son tal vez incluso más claros los ejemplos de países —sobre todo los que ofrecen mayores diferencias en la desigualdad social— en los que aquella inflación aumenta al mismo tiempo que la violencia.

Pero aun en el supuesto caso de que la prisión lograra su propósito de resocializar habría que preguntarse si es posible y si es legítimo. En el primer caso, debido a la pluralidad de valores sociales, nos planteamos la discusión de la existencia de un único modelo social consensuado en el que educar a las personas. En el segundo caso, surge el debate clásico de filosofía política acerca del conflicto entre la voluntad del ente social y la voluntad del individuo. ¿Puede obligarse a un individuo a someterse a un orden y leyes sobre las que personalmente no ha sido consultado y aun en contra de su voluntad?

En la actualidad, las posturas en estos debates se han polarizado. El sistema penitenciario refleja así un rasgo de nuestra época: la coexistencia de situaciones opuestas y contradictorias. Las tendencias a la despenalización y al punitivismo se observan ya sea en la comparación de sistemas penitenciarios nacionales, dentro de los mismos o como división entre las posiciones académicas y las políticas. De un lado, el número de presos alcanza récords históricos, muchas reformas orientan la política penitenciaria hacia los objetivos de la eficacia y el control —prisiones de máxima seguridad—, el trabajo dentro de los centros tiene una presencia meramente simbólica y los equipos de técnicos —psicólogos, sociólogos, educadores, etc.— vuelven a reducirse. De otro, se observan mejorías en algunas prestaciones sociales —tales como la sanidad, la educación, el deporte y la cultura—, mejorando la comunicación con el exterior de los internos (Ruidiaz García, 2000: 224-225). En España, la reforma del 95, en contra de la corriente doctrinal mayoritaria —favorable a la supresión de las penas cortas y la restricción de la duración de la duración máxima—, permite directa o indirectamente que en ciertos casos los condenados cumplan condenas efectivas de hasta treinta años, siendo que con el código anterior no se superaban los veinte (*Ibid.:* 226-227). Una de las pocas puertas abiertas al optimismo sería el futuro desarrollo de penas alternativas como los trabajos en beneficio de la comunidad (*Ibid.:* 228-229).

Uno de los debates actuales que mejor ilustra la divergencia de planteamientos es el relativo a la mayoría de edad penal. Las estadísticas de la ONU reflejan que son una minoría las legislaciones que definen la mayoría de edad por debajo de los 18 años. Al constituir, en general, con la excepción de Estados Unidos y Gran Bretaña, países pobres o con altas tasas de desigualdad, la crítica principal que se puede hacer desde la criminología radical es clara: es sumamente problemática la punición de jóvenes que se encuentran en situaciones de exclusión social.

3. SEGUNDA FASE. EL PAPEL DEL CRIMINÓLOGO

Retomemos ahora el hilo de la evolución de la criminología crítica. En la década de los setenta el clima político cambió y la complejidad asociativa de la plataforma fue derivando hacia la crisis. La euforia y la ilusión revolucionaria de Mayo del 68 cesaron, en el horizonte apareció la crisis económica, los gobiernos conservadores y nuevas formas de terrorismo. Las divisiones internas de la NDC se agrandaron: los liberales —representados por Downes y Rock— continuaron las ense-ñanzas del interaccionsimo simbólico; los anarquistas —representados por Cohen, Taylor, L., Pearson y Bailey— eran partidarios de profundi-zar "el enfoque escéptico"; los marxistas —Young, Taylor, I., Walton, McIntosh, Pearce— estaban decididos a trasladar las enseñanzas de Marx al campo de la desviación" (Larrauri, 2000: 145). Estos últimos publicaron en 1975 *La criminología crítica* que marcaría un hito y un punto de inflexión en la historia de estos enfoques. Las tendencias no marxistas se sentirían molestas con las críticas publicadas, la crisis estaba servida.

En efecto, estos autores reconocen que en el pasado los principios que les unían a través de la NDC del 68 eran demasiado laxos, más bien basados "en antipatías respecto de las formulaciones criminológicas ortodoxas que en ninguna formulación sustitutiva precisa" (Taylor, Walton y Young, 1981: 23). La criminología radical debe ser menos abstracta, menos negativista —debe además de crítica proponer alter-nativas concretas— y más coherente. En esta segunda fase, debe hacerse un esfuerzo por reconducir las tendencias fragmentadas de los criminólogos radicales por un mismo camino. Un mismo camino signi-fica dotar a todos los análisis críticos de un mismo método y ponerlos al servicio de un mismo objetivo. Por ejemplo, no es suficiente con recoger estadísticas del crimen que muestren cómo la mayoría de los detenidos lo son por delitos contra la propiedad mostrando la naturaleza injusta de la distribución del riqueza. Ni tampoco hay que caer en el empirismo vacío, en el empeño por poner en relación variables desde el punto de vista estadístico. Pues está de sobra demostrado que las relaciones entre las variables, en el campo de la delincuencia, no indican una única relación causal sino que admiten lecturas contradictorias. "La criminología radical debe ir más allá de la mera recolección de nuevos datos empíricos", debe lograr análisis que "señalen la vía de salida de la desigualdad hacia una sociedad genuinamente justa y humana" (*Ibid.:* 72).

Ese camino y ese método —que por otra parte estaba ya implícito en *La nueva criminología* (*Ibid.:* 39)— los proporcionará el materialismo histórico de Marx: "el método marxista consiste, entonces, en que debemos entender las relaciones jurídicas como originadas en la producción material de la sociedad... pero esto no significa —matizan a renglón seguido— que el marxismo procure reducir los conflictos jurídicos a conflictos económicos. La posición que se formula es la de que las relaciones legales y criminales se vinculan con las transformaciones materiales de la sociedad, y dependen de ellas" (*Ibid.:* 77). Materialismo significa asumir que "la actividad humana —la creación del trabajo— es el punto de partida de todo proceso social" (*Ibid.:* 79). Pero para los autores, a diferencia de otros analistas como Althusser, Marx nos prescribe el estudio específico de las relaciones jurídicas y de las instituciones de control social "precisamente porque por fuerza el sistema jurídico sirve de modo vital para legitimar e imponer un modo de vida particular". Y añaden: "Para Marx, entonces, como para nosotros, resultaría que un objetivo central de la criminología materialista debería consistir en establecer el papel del derecho en cuanto afecta a la producción, y a través de la producción, el conjunto del estilo de vida y de la cultura de una sociedad dada" (*Ibid.:* 82).

Pero además de la fuerza que toma el componente marxista en esta segunda etapa, encontramos algunas otras novedades. Tal vez la más importante sea, como señala Larrauri, el rechazo de la visión romántica del delincuente como indicador de cierta sensación de arrepentimiento por los "excesos típicos de la juventud" de la década anterior (*Ibid.:* 190). La crítica criminológica pierde fuerza y parecen abandonarse la agenda de temas a investigar que habían sido propuestos. La autora española esquematiza así la nueva posición a finales de los setenta (*Ibid.:* 189):

1.- Orden social:
    – Existe frente a valores nucleares.
    – Responde a unas necesidades de toda sociedad.
    – La coerción no es decisiva.

2.- Acción desviada:
 – Analizarla en su contexto.
 – Distinguir los diferentes actos delictivos.

3.- Estatus de acto desviado:
 – Exacerbación de los valores del sistema.

4.- Reacción:
 – Es reacción a comportamientos que hoy y aquí son desviados.
 – Recuperación del interés en la desviación primaria.
 – Todo "control social" no es dirigido por el Estado, no es funcional.

5.- Estadísticas:
 – Reflejan la realidad: más delitos y mayor vulnerabilidad a la detención.

6.- Delito común:
 – Es numeroso, es grave y sus víctimas son trabajadores.

7.- Desviado:
 – Ejerce su libertad pero en circunstancias no elegidas por él.

8.- Carácter:
 – No es "Robin Hood".

9.- Política Criminal:
 – Necesidad de intervenir, crítica al "olvido benigno" (*Benign neglect*)- se refiere a la propuesta radical de no intervenir para evitar la estigmatización.
 – Toda sociedad debe criminalizar determinados actos.

10.-Criminólogo:
 – La apreciación no sustituye la condena del acto.
 – Es posible hacer reformas en la sociedad actual."

En fin, la crisis de la criminología crítica parece concluir, en la interpretación de Larrauri, en el viejo dilema entre teoría y práctica, con dos posturas distintas que admiten a su vez posiciones intermedias. Para unos, el criminólogo —como cualquier científico social— no debe intervenir en la realidad, no debe aspirar a transformarla desde posiciones de poder. Porque el poder siempre corrompe, es decir, porque no se pueden evitar los efectos controladores y represores de la libertad individual de las medidas políticas. La misión del criminólogo es la de criticar y la misión de la crítica es la de mantener a raya las tentaciones y los efectos represores de los políticos. También la de hacer conscientes los mecanismos del poder y los efectos a menudo invisibles de discriminación de los sujetos y grupos que simplemente ejercen su derecho a ser diferentes. Para otros, sin embargo, el criminólogo tiene la responsabilidad de arrimar el hombro al cambio social ejercido por la gestión. Es más fácil escribir libros críticos desde la universidad que manejar los problemas prácticos en el sillón de una concejalía, consejería o alto cargo que tenga que ver con la gestión de la política criminal. Los actos delictivos exigen respuesta por parte de la población. Esta reclama seguridad por encima de los debates de la sociología de la desviación. Los planteamientos de esta última son correctos en general, y puede asumirse que la población debe ser educada y concienciada, también a través de estrategias administrativas, de los efectos perversos del etiquetado o del funcionamiento de estereotipos y prejuicios en temas como el consumo de ciertas drogas. Sin embargo, hay que distinguir entre este tipo de intervenciones a largo plazo y los conflictos diarios con que se enfrentan los gestores. Estos últimos, por su inmediatez, deben enfrentarse a la reacción negativa del público. Puede que éste se equivoque —por ejemplo sancionando negativa e informalmente a la prostituta, al expresidiario o al fumador de marihuana y pidiendo que se les sancione además formalmente—, pero también es el que votó y otorgó la posibilidad de cambio y mejora social. El político o el gestor se encuentra así cogido entre dos fuegos, posición esta, por definición, más incómoda y difícil, más dramática que la del teórico.

Tomar partido por una de estas dos posiciones no es fácil. Existen argumentos a favor y en contra de cada una de ellas. Que se trate de un dilema clásico significa no sólo que desborda el campo de la criminología sino que no admite una solución única sino varias, al menos tres, siendo la tercera una mezcla de las dos vistas. La posición que se tome dependerá de los valores asumidos. En la introducción he avanzado cuál es la mía. Siendo coherente con mi anterior obra, me inclino por el valor de la responsabilidad ejercido sobre la base realista del contexto relativista postmoderno. Esto significa, como se verá en el capítulo de la prevención, que asumir las dificultades del paso de la teoría a la práctica no elimina nuestra responsabilidad moral para disminuir el sufrimiento del otro. Lo cortés no quita lo valiente, reza el refrán castellano. La parálisis reflexiva del paradigma de ciencia postmoderno y la asunción —y si se quiere incluso celebración— de la caída de las éticas de pretensiones universalistas, no impide se que ejerzan acciones ni medidas políticas. Lo que hace es que éstas sean tal vez menos numerosas y desde luego mucho más meditadas desde el punto de vista de las consecuencias no queridas. Hace que nuestra actitud sea mucho menos eufórica, más escéptica. Pero la responsabilidad es un valor más fuerte que el escepticismo y permite, debe permitir superarlo. De esta forma, a diferencia de lo que parece opinar Larrauri (*Ibid.*: 240)[28], y aunque tal vez no sea adecuado llamar a los estudiosos de la delincuencia y la desviación "técnicos en la materia", creo que su conocimiento puede servir de ayuda a la gestión política desde el punto de vista del sentido común. Si alguien se topa en una excursión con una serpiente cuya combinación de colores yo sé que es venenosa, mi conocimiento será útil al grupo de excursionistas, independientemente de que sea un zoólogo especialista en reptiles o lo haya aprendido en un documental de *National Geographic*. Pero además de útil, mi conocimiento es responsable moralmente. Puede que haya aprendido también que cierta planta, al frotarse sobre la piel, funciona como repelente de la serpiente, pues bien, en este caso, ¿debo o no debo emitir la "receta" incluso aun cuando no estoy seguro de que funcione o tenga otros efectos que desconozco?

De cualquier forma, es claro que no hay consenso a la hora de responder a la cuestión acerca del papel crítico o reformista del criminólogo. En principio, cada autor valorará los pros y contras de cada postura y podrá tomar una decisión. Ni siquiera interpretando la evolución del enfoque a la luz de las influencias del pensamiento crítico de la modernidad puede hacerse una recomendación clara en uno u otro sentido. Porque si bien el pensamiento postmodernista es escéptico acerca de las armas ideológicas con las que abordar de forma ilusionada la reforma política —y en este sentido exige apartarse de los planteamientos marxistas más puros de la criminología crítica—, por otro lado no descarta el trabajo de gestión de las políticas acerca de la inseguridad, la delincuencia o cualquier tipo de asociación de grupos de excluidos "desviados" al compartir su defensa. Otra cosa es que esa defensa no se exhiba con las grandes promesas modernas del cambio total social o la

---

[28] A la hora de señalar las limitaciones que tendría una criminología que se dedicara a diseñar políticas criminales, "sean del signo que sean", Larrauri escribe: "En primer lugar, admitir que el delito es un problema comporta automáticamente que sea función de la criminología el combatirlo. Ello supone reducir a los criminológos a "emisores de recetas" contra la delincuencia... Adicionalmente presupone que nuestros conocimientos serán de gran ayuda en la elaboración de dicho recetario, asume que "somos técnicos en la materia". *No puedo entender de dónde surgen estas pretensiones*. (*Ibid.*: 240) (La cursiva es mía).

creencia de un horizonte utópico sino que trabaje de forma silenciosa apoyada en los valores mínimos de la responsabilidad moral individual.

En los años ochenta, en plena época de transición y de crisis de la criminología radical, comienzan a aparecer autores que mezclan ingredientes de varias corrientes teóricas. El hilo conductor se centra en la deconstrucción del delito como mito ideológico. Se presenta al crimen como un proceso mistificador y opresivo puesto en marcha a través de la legislación y la estereotipia ideológica con la finalidad de preservar las relaciones desiguales entre las clases sociales (Rock 1997: 251). Una de las versiones más citadas de esta lectura en esa década procede de S. Box —autor que algunos citan dentro de los enfoques del control social y que aquí denominamos circunstanciales—.

Para Box, las definiciones de los delitos graves son esencialmente constructos ideológicos, potenciados por el Estado, con la ayuda y refuerzo de las agencias de control social, medios de comunicación de masas y los criminólogos (Box, 2003: 281). Porque dichas definiciones no se refieren a los comportamientos que objetivamente causan la mayor parte del daño y sufrimiento, y que podrían evitarse. Antes al contrario, se refieren sólo a un subsector de delitos, el cual es más fácil de achacar a los jóvenes, varones, sin estudios, a menudo desempleados, que viven en barrios empobrecidos de clases trabajadoras y que suelen pertenecer a alguna minoría étnica. De forma que el crimen y la criminalización son "estrategias de control social" destinadas a:

1) que los que tienen menos privilegios y poder tengan más probabilidad de ser arrestados, juzgados y sentenciados a prisión a pesar de que el daño que hayan causado sea menor que la causa de los más privilegiados y poderosos.

2) crear la ilusión de que la clase "peligrosa" se localiza al fondo de las jerarquías por las cuales todos nos medimos, como el prestigio ocupacional, el nivel salarial, el tipo de vivienda, el logro educacional o los atributos raciales.

3) hacer invisible la gran cantidad de daño y privaciones evitables impuestas a la población por el estado y las corporaciones transnacionales y de otro tipo, de forma que desaparezca el nexo entre causas y efectos en la explicación de los "delitos convencionales" cometidos por la gente normal.

4) elevar la justicia criminal al grado de "servicio a la comunidad", y

5) aumentar la dependencia de la gente respecto del estado en materia de protección ante la "falta de ley" y la peligrosa situación de

aumento de la inseguridad ciudadana en los últimas décadas incluso cuando es el propio estado el que directa o indirectamente convierte a la gente en víctimas (*Ibid.:* 180-181).

4. Z. BAUMAN Y J. YOUNG: ENTRE LA GLOBALIZACIÓN Y LA EXCLUSIÓN SOCIAL.

Tal vez la objeción más general y repetida a la criminología crítica en las primeras etapas de su desarrollo puede resumirse en la siguiente cuestión: ¿cómo demostrar que la ley está hecha por una clase social homogénea y para su exclusivo beneficio? (O'Donnell, 1997: 355). No debe pensarse, sin embargo, que dicho problema afecta a la totalidad de las aportaciones de este enfoque. Como ya ha quedado dicho, buena parte de los argumentos críticos esgrimidos en los debates acerca del derecho penal, las cifras de excluidos por el control formal así como las sospechas acerca del sesgo en su funcionamiento, continúan siendo válidos en las circunstancias actuales, sobre todo si se les quita una parte de la retórica marxista. De hecho, los nuevos planteamientos de la criminología radical no giran en torno al marxismo ortodoxo. Las obras que repasaremos a continuación como paradigmáticas no poseen ya la ambición teórica de los años setenta. En general, la nueva criminología radical se limita, de forma más modesta pero por lo mismo más efectiva, a exponer de la forma más clara posible los aspectos más sorprendentes del delito y de la criminología y sus contradicciones. ¿Por qué los negros o los gitanos están sobre-representados en las cárceles? ¿Cuánta gente muere envenenada por negligencias empresariales, médicas o políticas? ¿Por qué no se recogen estas muertes en las estadísticas de delincuencia? No se trata sólo de cuestiones llamativas como estas. También abordan problemas de fondo que son imprescindibles para estudiar las causas del delito y que sin embargo han sido pasados por alto por la criminología tradicional. De hecho, si algo queda claro en las nuevas direcciones que debe tomar la investigación en criminología y en sociología de la desviación es que éstas deben pasar, ineludiblemente por la complejidad —entendida doblemente tanto como interdisciplinariedad como por el uso de marcos eclécticos que aprovechen partes de todas las teorías— y que, al mismo tiempo, deben esforzarse por poner en relación el estudio del delito y la infracción con los procesos de cambio social y cultural actuales. Sobre ambos aspectos se irá insistiendo a lo largo de esta obra. Es en el último de ellos donde también observamos interesantes aportaciones de la llamada criminología radical. Es en este sentido que aparecen cuestiones como las siguientes: ¿cómo afecta la globalización a la delincuencia?, ¿cómo inciden las nuevas formas de exclusión social en el comportamiento infractor?, ¿hasta qué punto podemos decir que el nivel de conflictos en nuestro época —tanto cuantitativa como cualitativamente— es mayor que en épocas anteriores?

Zygmunt Bauman y la inmovilidad como criterio de control social

Es evidente que la globalización tiene repercusiones en estructura y alcance de la delincuencia. El razonamiento de Bauman se inicia con una pregunta: ¿por qué el número de presos aumenta de forma alarmante en las últimas décadas cuando las investigaciones han demostrado que el encarcelamiento es incompatible con la rehabilitación? La respuesta es que el endurecimiento de las leyes penales contrarresta la incertidumbre del mundo social que nos rodea así como las dificultades que tienen los gobiernos nacionales para mantener el orden social. Sin embargo, son esos mismos gobiernos los que *contribuyen* a generar la inseguridad, por ejemplo al flexibilizar el mercado laboral (Bauman, 1998b: 119). Un mundo global es un mundo altamente móvil e inestable, de ahí que nuevos sectores de la población son vistos como amenaza del orden social (*ibid.*: 116).

Y también es la globalización la que inspira al sistema penitenciario, en especial al proponer el modelo de la prisión californiana *Pelican Bay*, donde los reclusos están prácticamente aislados sin tener que hacer nada ni comunicarse con nadie. Lejos quedan las *Hauses of correction* donde el trabajo se utilizaba para disciplinar a los presos. La técnica aplicada en la era de la globalización, que suena como una consigna, sería la inmovilidad: "la marca de los excluidos en la era de la comprensión del tiempo y del espacio es la inmovilidad" (*Ibid.:* 113).

Existe otro efecto importante de la globalización para la delincuencia, que se extraería directamente de las nuevas formas de la estructura social. Según Bauman, el nuevo criterio de reparto de estatus en la sociedad global sería la movilidad. Los nuevos privilegiados, la nueva élite, se compone de *globaltrotters*, los cuales poseen un estilo de vida que unifica el mundo usando signos que le son familiares, como cadenas de restaurantes o de hoteles. Pues bien, la nueva movilidad de dicha élite les capacita más que nunca para cometer delitos de cuello blanco, para evadirse —ellos y/o sus dineros— (Bauman, 1999).

Jock Young: la criminología realista de izquierdas y la sociedad de la exclusión

En la edición del *Oxford Handbook of Criminology* de 1997, J. Young se encargará de ilustrarnos sobre el programa de cierta perspectiva criminológica que bautiza como *Left Realist Criminology* —así se titula el capítulo—. El objetivo de este enfoque sería el de estudiar el crimen desde una perspectiva compleja, es decir, teniendo en cuenta, al mismo tiempo, todas las partes del proceso de la delincuencia. Según Young, el problema de la criminología anterior es que era parcial, o se fijaba en el infractor, o en la víctima o en la reacción social hacia el crimen o en el comportamiento criminal, pero no en todos estos aspectos a la vez (Young, 1997: 285).

Young propone interpretar la delincuencia a través de un esquema con forma de figura geométrica cuadrada. *El cuadrado del crimen* se compondría de cuatro variables fundamentales: a la derecha el infractor y la víctima, y en el lado izquierdo la policía y el público. Deberían analizarse las "relaciones sociales" entre estas variables. Así, la relación entre la policía y el público determina la eficacia de la primera; la relación entre la víctima y el delincuente determina el impacto del delito, la relación entre el Estado y el infractor es clave para explicar la reincidencia; el público robado que crea la economía informal es el que sustenta el robo, o la policía la que, a través de las ilegalidades que comete, crea un clima moral que incita a los delincuentes al crimen (*Ibid.*: 485).

Además de analizar las relaciones entre estas variables, la criminología realista de izquierdas propone las siguientes tareas:

- Observar la relación entre cada uno de esos elementos con la estructura social general.

- Fijarse en la dimensión temporal del delito, lo que implica atender tanto a los antecedentes de cada uno de los elementos aludidos como a la repercusión que tiene cada uno de ellos en el resto de cara al futuro.

- Fijarse en la dimensión espacial del crimen. Puesto que cada delito tiene su propia geografía.

Seguidamente, Young habla de las causas del crimen, y comienza diciendo que la perspectiva defendida se fija sobre todo en una de ellas, la pobreza o el déficit relativos (*relative deprivation*). Aunque reconoce que la delincuencia se da en todos los puntos de la estructura social, y avisa para no caer en la "monocausalidad", insiste en que es entre los pobres y particularmente entre los sectores inferiores de las clases trabajadoras y entre ciertas minorías étnicas, donde la presión hacia la delincuencia es mayor (*Ibid.: 408*).

Desde el punto de vista programático, y aparentemente, parece que el enfoque propuesto por Young discurre dentro de ciertos parámetros de equilibrio y de sincretismo conceptual, lo que lo haría compatible con la evolución epistemológica de las ciencias sociales y de la criminología. Sin embargo, su obra posterior, *La sociedad de la exclusión* no parece guardar mucha relación con el programa citado.

El punto de partida de Young en esta obra es el mismo que de Box y Bauman, la cuestión del fuerte aumento de las tasas de delincuencia en la última parte del siglo XX. La razón que da también coincide con la que dieron siempre los criminólogos radicales: es el Estado y sus aparatos de control social los que provocan aquella subida, con sus políticas de exclusión, si bien la presentan como algo que surge espontáneamente, algo que escapa a su control.

Tres son los efectos que provoca el aumento del crimen en las actitudes de la gente, según Young (Young, 1999: 37-38).

1) Aumento de la exclusión penal. El número de los reclusos aumenta de forma alarmante sobre todo en algunos países como en Estados Unidos. Allí, hay alrededor de 1, 6 millones de personas privadas de libertad. Además, añade Young, hay más de 5 millones de adultos pendientes de causas judiciales, es decir, casi uno de cada 37.

2) Disminuye la libertad de movimiento. Sobre todo en el caso de las mujeres urbanas, por miedo a la inseguridad. Estas acaban incluyendo en sus agendas una lista de lugares prohibidos, como aparcamientos, metros, etc.

3) Privatización del espacio público. Pensemos en los centros comerciales, estaciones de tren y aeropuertos, aparcamientos privados, etc. A eso hay que sumar la tendencia de las propiedades residenciales privadas a sobreprotegerse por miedo a la delincuencia. De esta forma, la ciudad se va llenando de sistemas de seguridad, cámaras, guardias, muros. Es decir, la ciudad se convierte en una ciudad de barreras, que excluye y filtra (*sic.*). Es cierto que en algunos casos, la exclusión por sobreprotección también parte de

los desposeídos, pero en este caso podríamos hablar, sugiere Young de *exclusión defensiva*. Y pone como ejemplo el área de Londres donde él vive, Stoke Newington. Allí, debido al antisemitismo, algunas comunidades étnicas han rodeado sus colegios con fuertes medidas de seguridad, o han creado centros de ocio solo para mujeres.

Según Young, el mundo en que vivimos camina hacia la exclusión, abandonando la tierra de la inclusión por la que luchó, aunque fuera como una utopía, en los años 50. He ahí, resumido, el fresco de la *sociedad de la exclusión* pintado por el autor (*Ibid.*: 19-20)[29]:

1. Hay un núcleo central. Son los privilegiados, viven en el centro del sistema, la minoría de la población que tiene un trabajo a tiempo completo, carreras estructuradas y biografías seguras y centradas.

2. Hay un *cordón sanitario* que separa la minoría privilegiada de la periferia donde viven los sectores excluidos de la población. Este cordón es visible e invisible. Puede verse si pensamos en medidas de planificación urbana o en los shoppings, que separan claramente barrios y poblaciones. Pero sobre todo es invisible en cuanto que viene marcado fundamentalmente por el dinero. Aquellos que no pueden pagárselo, no pueden simplemente acceder a ciertos espacios privilegiados, como transportes públicos hacia el centro —carísimos—, un café en ciertas zonas, y no digamos nada hacer compras. Estas áreas se protegen con medidas de seguridad. El objetivo es "eliminar incertidumbres, limpiar las calles de alcohólicos, vagabundos y enfermos mentales" (*Ibidem.*).

3. Hay un grupo periférico (*Outgruop*). Está formado por los excluidos, que son los desprotegidos. Para Young, constituye, literalmente, el chivo expiatorio de los problemas sociales y está compuesto, entre otros, por grupos como madres solteras sin hogar, traficantes, personas dedicadas a la prostitución. Young insiste en que ya no hablamos de marginados sino de excluidos. Este último término es más apropiado, en su opinión, porque refleja justo el

---

[29] La expresión "sociedad de la exclusión" se completaría con otras como la de "estado penitencia" o "penal" desarrolladas por autores como Loïc Wacquant (2000), y afectadas por los mismos errores: simplismo, parcialismo, catastrofismo, conspiracionismo y maniqueísmo —este último en la forma de tendencia irresistible a concluir en las tesis de la polarización—.

sentido de la evolución social, es decir: un movimiento, a partir de 1980 en el cual ya no se aspira a integrar a los desfavorecidos sino a aislarlos y abandonarlos a su suerte. De hecho, la sociedad civil estaría en claro retroceso.

Una vez pintado este fresco, Young se pregunta si tenemos algún motivo para ser optimistas en el futuro. La respuesta que nos da es que no, y la apoya en dos argumentos. En primer lugar porque en el Primer Mundo, los trabajadores poco cualificados serán pasto de la exclusión ya que las empresas prefieren mano de obra más barata, la que se encuentra en el Tercer Mundo, y sobre todo la que espera, aún por explotar, en China. Esto hará que los pobres de Europa y Norte América se queden aislados en "guettos, estados orbitales y ciudades fantasmas" (*sic.*). En segundo lugar porque las clases medias del Primer Mundo están amenazadas debido a que el cada vez más sofisticado software hará que desaparezcan muchas de las ocupaciones profesionales (*Ibid.*: 21).

Las interpretaciones de Bauman y de Joung ilustran, en mi opinión, la tendencia más radical de los enfoques críticos actuales. Se trata de obras dotadas de un gran poder intuitivo y crítico. Tal vez por eso mismo, en ocasiones corren el peligro de caer en el pesimismo gratuito —poco probado— y en la exageración retórica. Por ejemplo, tal y como he comentado en otro lugar, parece que Bauman exagera los efectos de la movilidad. No se ve claro qué añade de nuevo la globalización a la tesis de la distinción cultural entre clases sociales magistralmente expuesta por Bourdieu en *La distinción* (Gil Villa, 60-61). En cuanto a Pelican Bay, existen prisiones como Angola, en el estado de Luisiana que representan el modelo opuesto, basado en el trabajo intenso[30]. En España, no parece que los reclusos sean sometidos a la inmovilidad a la

---

[30] Ha sido una de las prisiones más grandes de máxima seguridad en los Estados Unidos, llegando a contar con más de 5000 presos. El nombre le viene de una antigua plantación en la que trabajaban esclavos de ese país africano. En realidad, ambos tipos de prisión remiten a sus modelos históricos modernos: el sistema celular pensilvánico o filadélfico, basado en el aislamiento absoluto día y noche, y en la ociosidad, y el conocido como sistema de Auburn, con aislamiento celular nocturno y vida asociativa organizada alrededor del trabajo productivo, en agricultura, talleres u obras públicas. En Europa, y durante el siglo XIX, tuvo más éxito el primero de ellos, hasta que se implantó un sistema mixto o progresivo, con varias etapas, en las que se pasaba de la reclusión absoluta al modelo de Auburn, después a prisiones especiales con trabajo al aire libre y por último a la libertad condicional (Ruidiaz García, 2000: 205-208).

que alude Bauman. La mayoría afirma tener posibilidades de realizar algún tipo de actividad —un 80%—, lo cual no quita para que haya mucho que mejorar en este sentido, en especial en el apartado de actividades de formación y laborales (Ríos Martín y Cabrera Cabrera, 1998: p. 71)[31].

En el caso de Young, no queda lo suficientemente explicada la distinción que hace entre modernidad y modernidad tardía. Resulta que la primera se caracterizaría, según el, por ser "inclusiva", "consensual", "permeable" y "tolerante". Mientras que la segunda sería, respectivamente, "exclusiva", "pluralista", "restrictiva" e "intolerante" (*Ibid.:* 16). Pero esta configuración contradice los análisis críticos más citados sobre la modernidad por autores que han defendido el concepto de postmodernidad como el propio Bauman. No hace falta, por otra parte, reflexionar mucho para observar que la modernidad es la época de la desigualdades sociales. En ella casi todas las dimensiones de la vida social están traspasadas por un reparto asimétrico de la autoridad entre los roles. Así entre el patrón y el trabajador, entre el hombre y la mujer, entre el adulto y los infantes y jóvenes, entre el político y los ciudadanos. Por otro lado, creo que tan defendible es la tesis de que la postmodernidad se basa en la intolerancia como la contraria, tal y como razonaba en la introducción y como he defendido en algunos ensayos (Gil Villa, 1999 y 2001). Los procesos de secularización, de desacralización del sujeto, de la ciencia y de la cultura, de reflexividad y de nihilismo, nos colocan ante el desafío de asumir limitaciones y pueden iniciar procesos de tolerancia a partir del trabajo previo de la auto-tolerancia como reacción a los excesos de ilusión de la época moderna.

Además Young parece dar un peligroso salto cualitativo al reducir las pruebas argumentales en favor de su apocalíptica tesis de la sociedad de la exclusión al plano estrictamente laboral. Porque la exclusión social tiene más dimensiones que la basada en el desempleo. Pero aún en este caso, emplea argumentos que, si bien encierran parte de verdad, son discutibles, lo que hace que no podamos esgrimirlos con la contundencia que hace el autor. Los trabajos de revisión sobre el impacto de la microelectrónica en el empleo son contradictorios. Desde luego la rela-

---

[31]   Porque efectivamente, la mayor parte de esa actividad reconocida se centra en la "escuela", mientras que sólo el 22% dice haber tenido o tener algún "destino" (trabajo remunerado, aunque mal, de albañilería, fontanería, auxiliar administrativo, etc.) (*Ibid.:* 78-79).

ción no está tan clara en su lectura negativa como afirma Young
(Castells, 1997: 286 y ss.). Por otro lado, si bien es cierto que la sociedad
civil ha sufrido importantes modificaciones, no está tan claro que se
encuentre inmersa en un proceso de retroceso irreversible (Giner, 2003:
461). Es evidente que Young no utiliza lo que he denominado un enfoque
complejo de la exclusión social (Gil Villa, 2002: 11). Los riesgos que
asume son pues evidentes. Algunas de sus sugerencias parecen claramente exageradas cuando no provocativas, como cuando afirma que el
verdadero trabajo de la industria de la seguridad es la exclusión (Young,
1999: 18). De la misma forma, parece que está justificado que uno se
proteja y por lo tanto —según Young— sea exclusivo, siempre que sea
para defenderse de ataques no provocados de otros —como el ejemplo del
antisemitismo—. ¿Está aplicando Young aquí un doble rasero moral?
Parece deducirse aquí que es justo protegerse si se es objeto de ataques
discriminatorios, por ejemplo por formar parte de una minoría religiosa,
pero, ¿se está sugiriendo que la autodefensa no está justificada en otros
casos, sobre todo en los basados en la simple protección de la propiedad
privada? ¿Significa eso que el médico que vive en un chalet en un barrio
de clase media no puede protegerse, o si se protege entonces podemos
acusarlo de practicar la *exclusión no defensiva*? ¿No es retórico el
concepto de *exclusión defensiva*?

No obstante, podemos encontrar ejemplos de obras que se han hecho
famosas en los últimos años y que no parecen arriesgarse tanto en los
juicios sobre la realidad social. Siguen, eso sí, insistiendo en la idea de
que las desigualdades en el reparto del poder no han disminuido sino en
todo caso aumentado. Aunque ya no sea el trabajo el criterio único para
explicar dicha desigualdad, el caso es que ésta persiste y da lugar a una
inestabilidad de las posiciones sociales como nunca antes en la historia.

5. J. REIMAN: LOS RICOS SE HACEN MÁS RICOS MIENTRAS QUE LOS POBRES VAN A LA CÁRCEL.

Jeffrey Reiman es moderado a la hora de pronunciarse sobre cuestiones peliagudas aunque eso no significa no que insista en la defensa de
los excluidos como desviados. Utiliza además la lógica para contrarres-
tar el peligro del retoricismo. Así, reconoce que ni la pobreza, ni el
desempleo ni la raza explican monocausalmente la delincuencia, sin
embargo, si los pobres, los desempleados y los negros están en los

Estados Unidos sobre-representados en la prisión, ese hecho apunta a una discriminación que debe ser investigada. Además, se trata de variables que multiplican los efectos cuando se mezclan.

Casi todo el mundo sabe que en las cárceles hay muchos pobres y desempleados. Tal vez sea menos conocido el hecho de que posiblemente, el elemento que más influye en la pobreza es el desempleo (Giddens, 2002: 404). Aproximadamente un quinto de los niños ingleses —unos dos millones— vive en hogares donde los adultos no tienen un trabajo remunerado. Más de dos tercios de los cabeza de familia que viven en viviendas sociales en Gran Bretaña están igualmente desempleados. En cuanto a la tendencia en el tiempo, la situación parece haber empeorado: si en 1979 un 10% de los niños ingleses vivían en hogares con una renta inferior a la media nacional, este porcentaje había ascendido al 31% en 1991 (*Ibid.*: 402).

En cuanto a la raza, los negros norteamericanos constituyen un 12,36% de la población según el censo del 2000 pero un 43,9% de los encarcelados. Reiman esgrime los siguientes argumentos para conectar esta variable con la pobreza (Reiman, 2002: 107-108):

1) Los negros americanos son desproporcionadamente pobres. En 1999 alrededor del 10% de los blancos tenían ingresos por debajo del umbral de pobreza, frente al 20% de los negros.

2) Los negros tienen más probabilidades de vivir en suburbios con menos servicios e infraestructura, es decir, en barrios considerados peligrosos donde se concentra la vigilancia policial. Vivir allí marca al individuo y le hace más sospechoso de las infracciones que si viviera en barrios acomodados. Por ejemplo, los arrestos a negros por posesión de droga son mucho más numerosos que los arrestos a blancos, sin embargo, no se ha demostrado que los negros consuman más droga que los blancos.

3) Algunos estudios que juegan con los datos estadísticos demuestran que si eres negro además de desempleado tendrás más probabilidad de ser encarcelado que si eres sólo una de las dos cosas.

Así que la cuestión fundamental es: ¿por qué la práctica totalidad de los que están en las cárceles son pobres?

Reiman utiliza un ejemplo tomado de los diarios para responderla. En cierto momento alguien mató a cinco personas y salió en las noticias calificado como "asesino de masas". Por la misma época murieron diez mineros en una explosión. En este último caso se demostró que el capataz había ocultado niveles preocupantes de gas metano y fue condenado a seis meses de prisión. ¿Por qué no fue dicho individuo tratado como un "asesino de masas"? La diferencia está en que sólo ciertas infracciones son consideradas como delitos, pero no por su poder de hacer daño a los demás. Otras conductas matan más a la gente y son catalogadas de forma inocua, se las llama "tragedia" o "accidente", como en caso de los mineros, haciendo que se diluya la responsabilidad, haciendo que parezca que no hay responsables humanos que deban pagar por la misma. Para reforzar su argumento, Reiman ofrece datos elocuentes en materia de trabajo, medicina y química y los compara luego con las estadísticas federales de delitos.

Debemos entonces hacer un esfuerzo, para responder a la pregunta anterior, por desvelar los mecanismos ocultos que rigen el funcionamiento de la justicia criminal. Reiman propone reflexionar sobre dos ideas claves al respecto.

1) La justicia criminal apoya al orden institucional y lo perpetua a través de dos constructos ideológicos (*Ibid.*: 164 y ss.):

a) Individualizando la culpa del delito. Por ejemplo, si alguien roba no se tendrá en cuenta su situación —por ejemplo si está desempleado o es drogodependiente—. Con este mecanismo se consigue:

a') Desviar la atención de las instituciones sociales de forma que no se nos pueda ocurrir la idea de que funcionan injustamente.

b') Se considera sólo la mitad del problema aunque se trata como si fuera todo el problema. Es decir, se le pregunta al individuo si ha fallado en sus obligaciones con sus conciudadanos pero no nos preguntamos hasta qué punto esos mismos conciudadanos han fallado en su responsabilidad solidaria con él.

b) Se nos presentan las leyes penales como si fueran la cantidad mínima de reglas neutrales que son necesarias para mantener el orden social. Sin ellas, se supone que no podríamos vivir porque la sociedad entraría en una situación caótica. Con esta explicación se transforma el statu quo en la encarnación de la justicia de forma que la cualquier violación de una regla se magnifica como una amenaza a todo el orden social. Es así como entendemos que si alguien comete un robo no violento el sistema parece actuar de forma desproporcionada en las sanciones, al considerar que la acción constituye una amenaza "para todos".

2) El segundo aspecto ideológico que debe desenmascararse de la justicia criminal, y que refuerza el primero, es su sesgo contra los pobres (*Ibid.:* 170). A través de la popular identificación entre pobreza y crimen se nos ofrece una falsa fotografía de la realidad, a saber: que la principal amenaza para la seguridad de las clases medias proviene de abajo y no de arriba. En realidad, sugiere Reiman, al sistema no le interesa resolver en el fondo el problema de la delincuencia, y por eso no se resuelve. Porque perpetuándose la delincuencia se perpetúa la amenaza y obrando ésta como una espada de Damocles se evita la sospecha y la investigación de la fuente de donde emana realmente el peligro, la clase de los poderosos. El autor pretende reforzar esta idea con el argumento de la hostilidad creciente hacia el pobre en nuestra época. En efecto, hoy los pobres no nos causan mucha simpatía. Sólo simpatizamos con los delincuentes ricos y educados, con ciertos gánsters por ejemplo, pero no con rateros de poca monta que además son alcohólicos o drogodependientes. Es más, apura Reiman, la pobreza no sólo no es un atenuante de la delincuencia sino un agravante, un estigma que reflejaría la debilidad de la persona que la padece. En una sociedad capitalista, la pobreza funciona como una señal que delata la falta de éxito, la pertenencia al grupo de los fracasados.

Este tipo de observaciones sin embargo, son discutibles. El riesgo de la exageración retórica que vimos en Bauman o sobre todo en Young, toma aquí un nuevo aspecto, más profundo y oculto pero igualmente problemático, al situarse en caminos herederos de la Escuela de Frankfurt y en general de las teorías de la conspiración. Así, parece claro que la evolución social ha llevado, a partir de los años sesenta, a un cambio en los valores culturales que rodean a la pobreza. Sin duda hemos cambiado nuestra actitud hacia la misma, y así, la hemos despojado de su aura de "solemnidad" —ya no existen pobres de solemnidad— (Gil Villa, 2002: 54) Sin embargo, este fenómeno no puede considerarse de forma aislada, con lo cual probablemente exageraríamos su peso. Porque, de un lado, existen aspectos en la misma evolución cultural que lo contrarrestan, como la presencia de los valores postmaterialistas entre las generaciones jóvenes o la regeneración moral impulsada por el valor higiénico y mínimo de la sinceridad ante la crítica, deconstrucción y desilusión de las relaciones sociales clásicas —basadas en los códigos inaugurados por la sociedad cortesana y que desembocan en los problemas de la moral cínica burguesa estudiados por Elias, Sloterdijk o Sennett—. Por otro lado, independientemente de la ponderación de los cambios sufridos por la pobreza como valor cultural, parece en extremos simplificador hacerlos depender del capitalismo. De esta forma, esta parte de los análisis ideológicos de Reiman se encuentra la crítica clásica a las teorías de base franckfurtiana, a saber: la indemostrabilidad, pesimismo y simplificación de las tesis conspiracionistas. En otras palabras: es difícil creer que los poderosos constituyen un grupo social compacto con conciencia del mismo y con acciones y estrategias planeadas entre las que se encuentra nada menos que el mantenimiento de la delincuencia para mantener su posición privilegiada. Sin duda que quienes se encuentran en una posición de poder se benefician en el caso de que se provoque un conflicto que haya que dirimir. Ahora bien, como se insistirá varias veces, sobre todo al estudiar algunos enfoques tanto radicales como feministas, dichas posiciones no se articulan de forma coherente dando lugar a grupos con conciencia de clase. Al mismo tiempo, podemos encontrarlas como situaciones contradictorias, formando parte de personas que en las relaciones sociales de producción se encuentran ocupando una posición subordinada —así un obrero en una familia patriarcal o un profesor sádico—. Por otra parte, es difícil valorar de forma tan tajante las amenazas que sufren las posiciones de las capas sociales medias. Podríamos sin duda encontrar ejemplos en la historia política reciente de medidas políticas de gobiernos tanto conservadores como socialdemócratas que han perjudicado tanto como beneficiado los intereses de las mismas. No obstante, la idea de Reiman parece desafiar la interpretación más simple de la realidad política: se supone que los gobiernos conservadores se caracterizan precisamente por favorecer a las clases medias, por ejemplo a través de políticas de reducción de impuestos directos. Desde este punto de vista, el poder no es una amenaza para las clases medias sino todo lo contrario. El poder es una amenaza para las clases populares, las cuales, contarían con el beneplácito, o si se quiere con la connivencia insolidaria vía indiferencia, de las clases medias. Pero es que incluso podría proponerse la hipótesis de que dicha connivencia también la encontramos entre las clases populares. Es decir, que la criminología radical también debería investigar en qué medida la falta de solidaridad ha aumentado *entre* los pobres, siendo entonces también éstos en parte responsables si no de su situación, sí de parte de su sufrimiento. Es este un aspecto en el que tal vez deberían ahondar más los enfoques críticos, un aspecto a incorporar de los enfoques posestructurales y postmodernos, la idea de que la crítica no puede teledirigirse previamente a un blanco único, es decir, establecer culpables absolutos previamente.

6. POSIBILIDADES FUTURAS PARA UNA CRIMINOLOGÍA DE IZQUIERDAS

A finales de los noventa, los autores de las obras que marcaron las primeras fases de la criminología crítica, evalúan el recorrido durante esas décadas. Como ocurre en la historia de otras disciplinas, parece que los autores pioneros no pueden evitar el atribuirse la salvaguardia de la pureza del enfoque, como si se sintieran responsables personales del destino del mismo, como si se vieran obligados a dar cuentas de la evolución sufrida por las ideas originales. Esta especie de paternalismo parece ser un fenómeno común en la ciencia y en la literatura, si se explica por el apego que el autor siente por sus ideas, afecto que sólo es visible, de todas formas y en general, si las ideas tuvieron éxito. Sin embargo, las ideas no son como los hijos, y una vez alumbradas, siguen su curso, un curso independiente de sus fundadores, enriquecido por otros autores, en ocasiones alejándose mucho del lugar donde nacieron. Hay pues, probablemente, como sugería Foucault, algo de erróneo y de perverso en la búsqueda obsesiva de los orígenes, y es posible que haya algo de perverso en ese sentido en el empeño por parte de los pioneros de darle vueltas, pasadas las décadas, a la cuestión de hasta qué punto son todavía válidos los postulados de la nueva criminología. Se acaba la reevaluación diciendo que, pese a que ha llovido mucho desde la edición de *La nueva criminología*, y pese a que ahora se encuentran sus defensores inmersos en el diálogo difícil con las nuevas corrientes de realistas, feministas y postmodernos, pese a todo ello, el viaje ha sido fructífero. Sin embargo, si se analiza la reflexión, puede concluirse que la misma muestra más las limitaciones que las posibilidades, de manera que tal vez hubiese sido mejor no publicarla, dejando abiertas las puertas que han abierto críticos y defensores a lo largo de todos estos años.

Se nos recuerda varias veces que el objetivo general de la nueva criminología era el compromiso en la lucha contra la abolición de la riqueza y el poder. Se reconocen ciertas "omisiones" como el debate sobre los media, las nuevas tecnologías o el ascenso de la teoría cultural (Walton, 1998). Pero pese a estas ausencias, se añade, "el carácter deconstructivo del proyecto sigue intacto" (*Ibidem.*) Demasiado generales, como se ve, son los méritos que se quieren rescatar. Luchar por la desigualdad puede hacerse desde muy variadas posiciones y es curioso que se adopte el término deconstrucción cuando no se oculta la antipatía por los enfoques postmodernos. Fuera de estas proclamas demasiado ambiguas, cuando se defiende de las críticas principales, los argumentos no son lo suficientemente convincentes y reaparecen, si leemos entre líneas, los viejos fantasmas, que no son otra cosa que importantes contradicciones.

Respecto al calificativo de marxista, Walton recuerda que no, que la obra no podía considerarse un tratado marxista en absoluto y que la prueba está en que fue rechazada por muchos marxista precisamente por hacer del crimen una categoría social central (*Ibid.:* 7). Sin embargo, los autores que han analizado el caso en profundidad, como Larrauri entre nosotros, califican a esa etapa de "nueva criminología marxista" a pesar de que fuera entendida por algunos como poco marxista (Larrauri, 2000: 226). El propio esfuerzo de Young por citar directamente a Marx y por anclar el proyecto en el materialismo histórico, tal y como hemos visto antes, sirve para fundar esa posición. ¿No sería más lógico reconocer la clara inspiración marxista de la obra y por lo tanto del proyecto en aquel momento que renegar del mismo cuando muchos analistas han dejado clara la influencia en la revisión histórica de los enfoques?

En cuanto a las críticas del feminismo, que recogemos en el próximo apartado, Walton no sólo no ofrece argumentos para defenderse sino que acaba dando la razón a las mismas indirectamente. Por la insistencia en centrar la criminología en la etiología de la delincuencia —que autoras como Smart considerarán un síntoma de positivismo en el plano metodológico—, y por considerarse en el mismo barco que las feministas pero sin dar razones para ello, por lo cual, podrían ser acusados de hacerlo, como sugiere Naffine, simplemente porque queda bien, como una especie de postura *progre*. Pero parece incluso que la cosa es más grave, porque se sugiere que el barco salió del puerto de la criminología radical, con lo cual las feministas, sin quitarles mérito, se habrían apuntado a la misma causa y *a posteriori*. ¿Cómo si no entender lo que leemos literalmente, que los enfoques feministas, a partir de los años 80 sobre todo, se han fragmentado en un complejo y diverso elenco de posiciones y discursos "que pueden ser vistos como parte del discurso iniciado por *La nueva criminología* en particular y por la criminología crítica en general". (Walton, 1998: 8)?

Pero tal vez el aspecto más recalcitrante en la reflexión sobre la actualidad de aquel proyecto lo encontramos en la continuidad de la lectura maniqueísta acerca de la naturaleza del crimen. Como sabemos, dicha lectura consiste en atribuir la culpa del delito al individuo o a la sociedad. Desde siempre se ha asociado la ideología liberal a la primera inclinación y la socialdemócrata a la segunda. Pues bien, una prueba de la radicalidad de estos autores, que confunde a los lectores, es que Walton coloca en el mismo saco a los "empiricistas del Cambridge" y a los "socialdemócratas del London School of Economics —los cuales todavía apoyan una versión de la teoría del etiquetado—" (*Ibid.:* 3) El saco es el de la criminología "correccionalista", aquella que piensa que es el individuo el que debe ser cambiado y no la sociedad. Según esto, hay dos criminologías, la oficial y la crítica, la primera busca corregir el comportamiento humano para reducir el crimen, se centra en la "cura", mientras que la segunda busca cambiar la sociedad y se centra en las "causas" del crimen. Como es de esperar, la primera está afectada por el cáncer del "individualismo posesivo". Semejante esquema adolece de los vicios clásicos del estructuralismo más simplista. Son las estructuras sociales que distribuyen el poder y la riqueza las culpables de la delincuencia visible; pero ese tipo de delincuente visible queda disculpado por la injusticia social. El *robinhoodismo* sigue latente cuando Walton menciona la figura de Hermes, la deidad griega ambigua, padre de las artes y al mismo tiempo dios de los ladrones y criminales. "Aquellos que sólo buscan las corregir uno de los polos —añade— están simplemente ayudando a la criminología oficial y olvidando a Hermes" (*Ibid.:* 2). Aunque citar a Hermes es sin duda más elegante académicamente que a Robin Hood, el valor del símbolo es el mismo: el delito tiene un aura positiva, hay que defender la desviación.

El otro punto de vista es el que usa figuras que hablan del *mal* como una fuerza o instinto freudiano horrible que alberga la naturaleza humana, tales como el *demonio de la perversidad* a la que alude Poe y que citaré en la segunda parte. En el primer caso hay un aspecto de justificación del delito, de idealización romántica del delincuente. En el segundo, al contrario, se reconoce el carácter problemático y negativo del delito porque éste refleja un impulso destructor del ser humano. Obviamente, las dos interpretaciones tienen algo de razón. Así, en el caso de la criminología radical, como hemos visto, existen casos en los que las circunstancias de cierto tipo de robos deberían ser consideradas como atenuantes y no lo son.

El peligro está en la tendencia a generalizar este comentario a toda la delincuencia, obviando el principio de la responsabilidad individual. Es cierto que este término debe ser tomado con precaución porque puede ser utilizado por corrientes ideológicas conservadoras o ultraliberales que utilizan la criminología para mantener una estructura social injusta. Sin embargo, dicho término tiene fundamentos y usos muy diferentes que reclaman nuestra atención. Si no queremos ver la sociedad como una estructura que nos maneja como marionetas, si estamos dispuestos a reconocer el papel del actor social a la hora de recrear papeles y situaciones, entonces tendremos que aceptar el peso de la responsabilidad individual. Por otra parte, dicha responsabilidad tiene una justificación moral: sólo en situaciones extremas la circunstancia anula la disyuntiva que se la plantea al individuo en general y al delincuente en particular, de hacer sufrir o no al otro con su acción. El papel de la circunstancia, como veremos, no es incompatible con la responsabilidad individual, del mismo modo que la libertad no es incompatible con la moral en el sentido kantiano o cristiano. Si se quiere se puede plantear de otro modo: la moral —como voz de la conciencia— al margen o además de la concurrencia de limitaciones éticas específicas —profesionales o religiosas por ejemplo— puede ser considerada perfectamente como un factor más a la hora de establecer el balance de la compleja circunstancia que rodea al individuo a la hora de cometer un delito. En la medida en que el individuo puede supeditar su contemplación al resto de las circunstancias, cabe considerarlo a él mismo como circunstancial. Pero en realidad su naturaleza es poco circunstancial si asumimos, como aquí se hace, que el ser humano posee la capacidad de reflexión y por tanto de anticipación del daño que su acción causará al otro.

Este enfoque, basado en última instancia en las versiones modernas de la idea retomadas por filósofos como Levinas o sociólogos como Bauman, se hace en términos individuales desde la fenomenología. El individualismo, en este sentido no es nada posesivo sino todo lo contrario, el único instrumento que podemos utilizar para analizar si queremos humanizar la justicia. Si la justicia es ciega y lo es en el peor sentido al estar al servicio de los ricos y de los poderosos, deberá reconocerse que este defecto le viene del principio jurídico de la aplicación igual de la misma ley a individuos en circunstancias muy diferentes. Pero entonces, una alternativa estructuralista simple sólo invierte la jerarquía para crear, como en los peores momentos del socialismo real, la misma injusticia. El refrán "quien roba a un ladrón tiene cien años de perdón", que refleja esta posición para justificarse éticamente, debería proceder con un cuidado exquisito al estudio del caso en cuestión, para no caer en el peligro del que avisa otro refrán: "pagar justos por pecadores". Sea cual sea nuestra idea de la justicia, el rostro del otro concreto —por utilizar la jerga de Levinas— acaba plantándose ante nosotros, aunque no se haga visible en el momento de la acción, y su presencia exige que se le tenga en cuenta.

Por lo demás, no sólo es el enfoque analítico el que justifica el individualismo. El enfoque está además arropado, como se insistirá en la segunda parte, por el contexto cultural de nuestra época. Nuestra época es y todavía lo será más, individualista, de forma que los enfoques que critiquen de forma radical el individualismo probablemente tendrán poco éxito. Más bien, en mi opinión, el individualismo debe ser contemplado como un gran universo cultural, del cual pueden hacerse usos y lecturas diversas y opuestos, del cual pueden crecer valores, tendencias y comportamientos muy distintos. Es la responsabilidad no sólo de los educadores sino de todos los científicos sociales el potenciar aquellos caminos que sean compatibles con los valores últimos de libertad y de igualdad, y de los derechos humanos. Cierto individualismo por tanto, y desde luego el principio de la responsabilidad individual, son no sólo compatibles con el objetivo general de la criminología crítica de luchar por la igualdad de riqueza y de poder, sino que, dados los condicionantes de retroceso de las ilusión en la acción colectiva, constituyen el único camino para lograrlo desde una postura de izquierdas realista.

En términos foucaultianos, la mitología que suscita todo origen, la fascinación y la atracción, es peligrosa (Foucault, 1988). La criminología crítica no puede estar hipotecada por sus raíces ni los debates de los autores —o sobre los autores— que la constituyeron pueden monopolizar su futuro. Más bien debería concebirse como un enfoque que, siendo consciente de su evolución histórica, admite diversas posibilidades y aperturas a otros enfoques, conservando algunas preocupaciones fundamentales. Tal vez la primera de ellas es el aumento, en las últimas décadas, del número de delitos registrados. Puede que parte de ese fenómeno se exagere por los medios de comunicación de masas. Puede también que ciertos sectores de la clase política estén interesados en "echar leña al fuego" para ganar votos. Sin embargo, sea cual sea la proporción creada de la delincuencia o inflada de forma pretendida o no pretendida por los actores sociales, el hecho es que tanto las estadísticas oficiales como las encuestas reflejan una tendencia clara: cada vez rompemos más con la norma. Porque sabemos además que los datos sólo reflejan una pequeña parte de las infracciones cometidas. Y que los climas sociales son reales, aunque sean ficticios, si provocan consecuencias reales. Esta es sin duda, la gran cuestión que debe captar la atención de los analistas sociales. ¿Qué significa esta tendencia? ¿Cuál es el peligro que acarrea? ¿Es posible detenerla? El dramatismo de la cuestión es obvia. Un aumento no sólo cuantitativo sino también cualitativo de la ruptura de normas —no sólo de la que constituye delito— es un desafío para las estructuras y del orden social. Es obvio que los órdenes sociales siempre se han enfrentado a amenazas. La responsabilidad de los analistas sociales es calibrar la naturaleza de dicha amenaza en comparación con otras épocas.

Esta es la primera idea, el punto de partida. A partir de aquí, las explicaciones y formas de proceder ante este problema son diferentes. Creo que pueden resumirse en dos. Algunos de los autores críticos, como hemos visto, insisten en que la delincuencia aumenta por la presión que ejerce sobre la población la clase dominante, a través tanto del poder político —el Estado y sus aparatos de control social, incluyendo los criminólogos oficiales— como de la clase capitalista, los ricos. Desde esta perspectiva, incluso se llega a sugerir en algunos casos que el aumento de la delincuencia es una creación interesada y arbitraria de la clase dominante para mantener su posición privilegiada.

Sin embargo, existe, en mi opinión, otra perspectiva desde la que enfocar la investigación crítica o radical. Consiste, en primer lugar, en aumentar el alcance del punto de partida. No es sólo la delincuencia la que aumenta sino la ruptura de normas en general, el conflicto. En segundo lugar, dichos aumentos no pueden ser únicamente atribuidos a actores como los Estados nacionales porque ellos mismos son los prime- ros desafiados. Más bien, la tendencia se debe a un contexto social y cultural de desafío a la autoridad en *todos* los ámbitos de la vida social y política que estamos viviendo en las últimas décadas. Es la figura de autoridad la que se ve amenazada y desobedecida, ya sea en la familia, en la política o en la escuela.

Adviértase cómo ambas perspectivas son opuestas. Mientras autores como Young nos dan la impresión en sus análisis de que estamos cada vez más controlados, desde el segundo punto de vista la sensación es la contraria: el individuo está cada vez menos controlado. Si según el punto de vista tradicional de la criminología radical, cada vez tenemos en el fondo menos libertad, según el segundo punto de vista el "problema" es precisamente que tenemos demasiada "libertad". Esta última afirma- ción debe entenderse, obviamente en su justo término. Utilizando una metáfora, podemos pensar en el individuo actual —¿postmoderno?— como un conductor que dirige un coche más potente que el de su homólogo moderno —de hace más de 30 o 40 años—, pero sin cinturón de seguridad. Ello le proporciona una sensación de mayor "libertad" pero también el riesgo y la inseguridad son mucho mayores. El "cinturón de seguridad" simboliza todos los lazos que mantenían al individuo dentro de nichos de protección social, como la familia, la ciudadanía o el trabajo. Todos ellos le proporcionaban seguridad pero esa seguridad tenía un precio: mantener las relaciones sociales de dominación, el statu quo de instituciones basadas en el reparto asimétrico de la autoridad. A partir, sobre todo, de la segunda mitad del siglo XX, tras la Declaración Universal de los Derechos Humanos de 1948, se pone en marcha una especie de lenta y constante ofensiva para acabar con esas estructuras. Al mismo tiempo, los históricos pilares sobre los que se había asentado la legitimidad de la autoridad política —el derecho divino, el nacionalismo, el contrato social y la doctrina de la mayoría— se erosionan. La sociedad moderna funcionaba hasta entonces a través de grandes entidades, dotadas de un alto grado de conformidad y homogeneidad, como los Estados nacionales. A partir de ahora, ese orden estalla y se fragmenta en un "sinfín de federaciones, estados, naciones, unidades o comunidades hechas de poblaciones diversas", diversas desde el punto de vista racial, étnico, lingüístico, religioso o sexual. (Kittrie, 1995: 3). Así definido, el pluralismo emergente señala, para autores como Kittrie, el declive del viejo orden.

Si Young enfatiza la fuerza del poder, Kittrie enfatiza en el planteamiento de su análisis la fuerza de la resistencia: las "voces marginalizadas" de Foucault, en su opinión, eclosionan (*Ibid.:* 10). El terremoto político afecta a toda clase de países. En los países socialistas, a los dogmas marxistas y de la propia superestructura del Comunismo totalitario: la idea de que hay un método o sistema de gobierno "correcto" o "verdadero", el orden social establecido a través de un partido único y un sistema político monolítico (*Ibid.:* 11). De esta forma asistimos al vacío de legitimidad creado no sólo en las seis naciones del bloque del Este sino también en los tres estados liberados del mar Báltico. En cuanto a los países pobres, muchos de ellos no agrupan poblaciones con una misma identidad cultural sino agregados dentro de fronteras creadas por los intereses de los países colonizadores. Dentro, podemos encontrar sectas, tribus, castas y clanes que viven en conflicto. (*Ibid.:* 12). Por último, dentro de las sociedades con más larga tradición democrática, el estallido pluralista también se evidencia, en las críticas al corazón mismo del sistema, a la legitimidad constitucional. Doscientos años después de la aparición de las doctrinas del nacionalismo y de la soberanía nacional, escribe Kittrie, cada vez son menos los que creen en la idea del Estado-nación.

La idea del contrato social o constitución exige para sobrevivir el apoyo de la gente a lo largo del tiempo. Las críticas se dirigen precisamente a ese apoyo, basadas en el argumento del tiempo. Si la constitución es una ley hecha por los hombres de una generación, no puede comprometer a las personas de generaciones posteriores, porque sus necesidades son distintas y sobre todo porque no han manifestado explícitamente su apoyo. En este sentido es ilegítima. Aunque este tipo de argumento crítico es antiguo —Kittrie cita el tratado de 1870 de un abogado norteamericano— es lógico pensar que tiene probabilidades de prosperar en una época que ha sido definida sociológicamente como una época de cambio. El carácter efímero de las relaciones, las actividades y las costumbres parecen más compatibles con la idea de continua renovación del pacto social que con la idea opuesta sostenida en la historia de las ideas políticas por autores como Burke, quien en la línea de Hume, completa la crítica al derecho natural como base de legitimación principal de las instituciones sociales. "Nuestra constitución —escribió Burke— es una constitución prescriptiva; es una constitución cuya única autoridad consiste en que ha existido desde tiempo inmemorial" (Citado por Sabine, 1981: 447). Pero en nuestra época es difícil considerar la tradición política con ese sentido de reverencia religiosa. Precisamente, la modernidad tardía se caracteriza, como sostiene Giddens, por una erosión continua de las tradiciones que, a diferencia de hace un siglo, afecta a todas las dimensiones de la vida social —no sólo a la religiosa o la pública— (Giddens, 1999: 49 y ss.). Un reflejo concreto de este fenómeno, a parte de los argumentos recogidos por Kittrie en su obra, se observa en la opinión pública española y vasca a raíz de la Propuesta de Estatuto Político de la Comunidad de Euskadi. En el artículo 13 podemos ver un ejemplo directo del argumento señalado usado por los gobernantes vascos: "Cuando en el ejercicio de su libre decisión, los ciudadanos y ciudadanas vascas manifestaran, en consulta planteada al efecto, su voluntad clara e inequívoca, de alterar íntegra o sustancialmente el modelo y régimen de relación política con el Estado español (…) que se regulan en el presente Estatuto, las Instituciones vascas y las del Estado se entenderán comprometidas a garantizar un proceso de negociación para establecer las nuevas condiciones políticas que permitan materializar, de común acuerdo, la voluntad democrática de la sociedad vasca" (El País, 8-11-2003, pág. 18). La propuesta ha sido objeto de un recurso del gobierno central en el que se señalan 103 vulneraciones de la Constitución.

La obra de Kittrie, titulada *La guerra contra autoridad* analiza el aumento del conflicto insistiendo en su lado político. A este análisis debería añadirse otro, para completar el marco que permite la reflexión sobre la tendencia a la ruptura de normas, que se fije en la erosión de los papeles sociales y en los cambios de los valores culturales ocurridos en el mismo período en la línea sugerida más arriba. De esta forma, la criminología crítica daría un nuevo sentido a una de sus fuentes básicas, las teorías del conflicto. La clásica y general tesis de las mismas, que asocia poder a tasas de delincuencia, podría verse corregida en dos aspectos fundamentales:

1) En primer lugar al concebir las relaciones de dominación no en términos simples ni unidireccionales, sino como de forma compleja, con efectos contradictorios. Es esta una revisión fundamental del concepto de poder que los autores "críticos" deberían copiar de las feministas. El concepto de resistencia supone el contrapunto del de poder y, observado bajo el mismo prisma, permite investigar una historia de la desviación desde la otra cara de dicho poder que cumpliría ya, en términos derridianos, una función subversiva.

2) En segundo lugar, el término "conflicto" se revaloriza en la actualidad si recupera sus acepciones filosóficas tradicionales. El análisis social admite hoy un enfoque heraclitiano mejor que nunca (como muestra el exitoso caso de Kittrie). Parece lógico, en efecto, que el conflicto tenga un papel central en una época de transición, como la nuestra. Los problemas del Estado para mantener el control social constituyen probablemente el mejor indicador al respecto. Dichos problemas no vienen sólo de fuentes externas, vía globalización, sino también internas, de erosión de las fuentes de legitimidad políticas y de los papeles sociales tradicionales que vertebraban la sociedad moderna. En suma, en un "mundo inestable" o en una "sociedad en cambio" el conflicto se convierte en un criterio que ayuda al criminólogo crítico a estructurar sus análisis.

Tenemos así, un punto de partida —la cuestión sobre la tendencia al aumento de la ruptura de normas— y una perspectiva o punto de vista analítico basada en el conflicto. Sobre esas bases, ¿cuáles podrían ser los vectores que podrían orientar una criminología crítica en el futuro? En estos momentos es difícil responder a esta pregunta si consideramos que en la historia de toda teoría debemos prestar atención a las fases anteriores porque en parte una época se explica como reacción a las anteriores. En este caso, la criminología radical, a partir de los noventa, vuelve a exhibir el panorama disgregado de los sesenta. Se trata de obras que denuncian las cuestiones recogidas en el párrafo anterior pero que están lejos, en la mayoría de los casos, de pretender elaborar de forma sistemática una ambiciosa teoría. Por eso, sólo haciendo un ejercicio de imaginación para hacer explícitos los supuestos que ahora permanecen latentes podemos entrever el camino futuro de estos enfoques.

En mi opinión, las condiciones —o si se quiere las características metateóricas— de las que se debería partir son las siguientes:

1) La difuminación (que no abandono completo) del marxismo,

2) El eclecticismo teórico (las conexiones con otras corrientes),

3) La incorporación a las explicaciones de los debates macrosociológicos (como el de la globalización, el consumo o la exclusión social),

4) La corrección del énfasis en la estructura con un mayor protagonismo del actor social individual.

En cuanto al marco teórico, podría partir de las siguientes premisas:

1) La presión por la meta cultural del éxito ha aumentado en las últimas décadas a través de las nuevas pautas del consumo. Con la globalización se dan las condiciones históricas idóneas materiales y morales para el consumo —el mercado se hace infinito y desaparecen los tabúes que prohíben consumir ciertos objetos o actividades—. A ello hay que añadir los incentivos comerciales estimulados tanto por las entidades financieras como por los medios de comunicación del tipo "lléveselo ahora y pague dentro de tres meses" o "pague sin intereses en 10 cuotas".

2) Al mismo tiempo, el énfasis en la importancia que tiene obedecer las normas disminuye durante la socialización. Sobre todo el famoso "principio de posposición de las gratificaciones" comienza a erosionarse en las clases medias, su feudo tradicional. Influye en ello la disminución del capital social de aquéllas, observable en la disminución del tiempo que pasan los adultos con los no adultos. Este fenómeno es compatible con comentarios como el de los problemas para el establecimiento de la autonomía moral o para el autocontrol.

3) No siendo el hombre y la mujer ni buenos ni malos por naturaleza, habrá que situar la mezcla de ambas actitudes no sólo en las situaciones individuales y cotidianas —como decisiones ante dilemas morales— sino también en el peculiar panorama de valores culturales de cada época. En la actual, las nuevas generaciones parecen estar siendo socializadas en cierto nihilismo. Ni la religión, ni las ideologías políticas son lugares que permitan depositar y canalizar las energías de solidaridad colectiva hoy. De ahí que no podamos hablar de una sociedad socialista ni tampoco de una criminología socialista. A ello hay que añadir que ni la familia ni la ciencia pueden observarse como el seguro social que marcaba límites a la "enfermedad de las aspiraciones infinitas" de Durkheim.

En el primer caso por las probabilidades de ruptura y la irrupción del valor egoísta de la autorrealización, además de la desaparición de funciones clásicas como las de producción. En el segundo, por la crisis del paradigma newtoniano.

4) Las desigualdades sociales siguen siendo fuertes, incluso en las sociedades avanzadas. La probabilidad de descender en la escala social es hoy mayor que nunca. La exclusión social no es, como sucedía con la marginación, algo que nunca puede afectar a ciertos grupos sociales. Por otro lado se filtra en la población la conciencia científica de que los criterios de adscripción de estatus son muy variados y difíciles de controlar. Desde luego el trabajo no explica por sí solo el complicado panorama de la desigualdad social. Aumenta también la sensación de que el azar rige nuestras vidas. La criminología crítica debe adoptar un enfoque complejo de la exclusión social, alejado de explicaciones simplistas, efectos retóricos y maniqueísmos. Encontramos procesos de exclusión en todos los ámbitos de la vida social y en ellos colaboran todo tipo de actores y personas, de forma más o menos consciente. Además, muchos de los fenómenos sociales así como medidas políticas suelen tener efectos contradictorios, excluyentes e incluyentes. Ahora bien, adoptar un enfoque complejo debe significar sólo un especial tacto epistemológico a la hora de investigar, pero no caer en la tentación de inhibirse en las medidas sociales. Dicho de otro modo, el hecho de que la volatilidad de la estructura social aumente, o de que muchas personas y familias suban y bajen en la escala social más que nunca, esa inestabilidad no debe ser utilizada para frivolizar sobre la desigualdad social en la actualidad ni mucho menos para disminuir las políticas de ayuda a los sectores menos favorecidos —lo que algunos han llamado "modelo tipo lotería"—[32]. Antes al contrario, la investigación tiene la responsa-

---

[32] De hecho, la volatilidad parece que tiene que ver con el grado de superficialidad del nivel de renta en el que nos encontramos. Cuanto más bajo es este último, más les cuesta a las personas subir. Así, del quinto de población que posee un nivel de renta inferior en Gran Bretaña, el 65% seguía en el mismo al año siguiente y el 85% se mantenía en los dos quintos inferiores (Giddens, 2002: 411). En España, según el informe Foessa/Cáritas, los índices de desigualdad parecen disminuir en los años ochenta pero aumentar en los noventa: "El 10% de las rentas más bajas experimentó durante la primera mitad de la década —1990/95— un retroceso significativo en su participación en la renta total, mientras que el 20% más rico vio cómo mejoraban sus

bilidad de deshacer los efectos retóricos de las asociaciones estadísticas utilizadas como críticas por los sectores conservadores
mostrando cómo la pobreza, el desempleo, la raza y el género, son
variables fundamentales a la hora de debatir las políticas criminales y la ruptura de normas, al margen de su poder explicativo
causal de forma uniforme y grosera.

5) La preocupación por la delincuencia y la inseguridad es compatible
con los programas de partidos políticos de izquierdas. Tal y como
se concluye en las últimas reuniones internacionales, se asume
también el "principio de responsabilidad compartida": las subvenciones deben ser bien utilizadas y vigiladas. En la evolución del
Estado nacional observamos la tendencia al abandono de rasgos
paternalistas modernos. Además de la crisis fiscal, el Estado como
actor, y en particular la clase política de la izquierda se ve obligada
a revisar el viejo supuesto implícito de la bondad connatural de la
ciudadanía. Los casos de corrupción y de fraude, tanto en gestores
como en ciudadanos es, en el fondo, un factor que empuja hacia las
políticas privatizadoras. Esto significa que, al igual que ya comienzan a hacer los partidos de izquierdas, las criminologías y políticas
criminales progresistas deben buscar fórmulas que incorporen
aspectos de la cultura del individualismo. La repercusión histórica
de este hecho, en caso de darse, sería fundamental, porque obliga-
ría a revisar el clásico esquema maniqueísta que hace culpable del
delito al individuo en las ideologías liberales y a la sociedad en las
socialdemócratas. Es verdad que en muchos casos los políticos y los
criminólogos se colocan en posiciones que mezclan ambos aspectos. Lo remarcable es que los criminólogos críticos, los cuales han
estado inclinados hacia el segundo de los polos de forma clara,
puedan comenzar ahora a buscar posiciones centrales de la mano
de la evolución, sobre todo, del socialismo, a su vez marcada por los
avatares del Estado del Bienestar.

---

porcentajes" (Informe Foessa/Cáritas, 1998: 154). Recordemos que alrededor de una
quinta parte de los hogares españoles vivían en los años noventa con unos ingresos
inferiores al 50% de la Renta Disponible Neta —umbral de pobreza—. De ellos, un
1,37 (alrededor de 528.000 personas) se situarían en el nivel de "pobreza extrema"
– por debajo del 15% de la RDN), 1,2 millones en el de "pobreza grave" – entre el 16
y el 25% de la RDN) y alrededor de 3,5 millones en el de "pobreza moderada" – entre
el 25 y el 35% de la RDN) (Ibid.: 178-180).

6) Una criminología de izquierdas debe distinguirse, sobre todo, no en hacer o no hacer de la lucha contra la delincuencia uno de sus objetivos, ni en explicar dicha delincuencia con grandes narrativas, como si fuera un fenómeno anexo de una problemática única, coherente y general —como hace el marxismo ortodoxo y la criminología crítica de las primeras fases—. Tampoco se distingue por anular la parte de responsabilidad individual, ni de medidas de prevención[33]. Una criminología de izquierdas, debe distinguirse, en la parte de implicaciones políticas, por la sensibilidad hacia la exclusión social, por el uso controlado de políticas reformistas hacia los excluidos y en general, por la apuesta por lo público. La inseguridad tiene que ver con los estilos de vida en los nuevos espacios urbanos. Debe buscar fórmulas imaginativas que recuperen el uso compartido de espacios. La convivencia comunitaria es el mejor medio para aumentar la solidaridad. En este sentido, deben aprovecharse los resultados de los enfoques del espacio que hacen hincapié en esta variable. Entre las estrategias debería insistirse en la elaboración de módulos de educación para la pobreza y el consumo que conciencien a los más jóvenes de la importancia de la solidaridad pública controlada.

7) En el contexto anterior, es sensato partir de la base simple de que un individuo cometerá un delito si ello le permite conseguir algún beneficio que le ayuda en sus aspiraciones culturales —éxito, consumo— con el mínimo riesgo.

8) Está claro que la condición anterior se cumple sobre todo en las posiciones sociales de dominación, ya sean profesionales, políticas o personales. El criminólogo debe priorizar la investigación de dichas posiciones puesto que el daño causado a terceros es en general mayor.

9) No se trata sólo de estudiar los delitos de cuello blanco. La violencia contra la mujer, el acoso moral en el trabajo o la criminalización y la discriminación de inmigrantes y minorías étnicas constituyen otras tantas situaciones de dominación basadas en los mismos supuestos.

---

[33] En la cumbre de la izquierda celebrada en Londres en julio del 2003, Blair afirmó que la lucha contra la delincuencia debe ser una causa progresista. También se defendió el "principio de la responsabilidad compartida" en el uso de los servicios públicos (El País, 14-07-2003).

Aspectos de la teoría de la anomia, del etiquetado, subculturales, espaciales, circunstanciales y feministas se contemplan en los supuestos anteriores —con una especial presencia de los dos últimos—. De ellos debe destacarse el punto cuarto, donde se observa la relevancia de los enfoques circunstanciales, a los que dedico la segunda parte de esta obra. Nótese que dicho supuesto es fundamental al permitir compensar el aspecto estructural y social con el actor individual y su voluntad. Y es éste, como veremos en su momento, uno de los olvidos —tal vez el más importante junto con el de la mujer destacado por los enfoques feministas— más graves de las teorías criminológicas. Esta apertura puede ser una puerta que ayude a la criminología a ponerse al día en materia epistemológica, al equilibrar el papel de la estructura con el de la circunstancia. Esta última ha sido la cenicienta no sólo en los análisis criminológicos tradicionales sino también en todos los análisis sociales. Su reivindicación tanto en términos filosóficos como sociológicos ha ido tomando cuerpo poco a poco durante todo el siglo XX. Ni el Sujeto —el individuo con mayúsculas— ni la estructura pueden hoy ser idealizados. Las limitaciones del primero, o en términos foucaultianos, su fragmentación, no significa la inutilidad del individualismo como enfoque sino del individuo prepotente moderno. Como veremos en la segunda parte, el hecho de que el papel del individuo sea más modesto, debido a la circunstancia, no significa que podamos prescindir de los valores de libertad y responsabilidad como criterios que guían la voluntad. Si se quiere, puede pensarse que el individuo *es* el protagonista pero un protagonista que no tiene el control *absoluto* de los acontecimientos y sí un sentido acentuado de sus limitaciones y del papel de la circunstancia.

Bien entendido que todos estos esbozos responden a una posibilidad imaginada y no se encuentran así explícitos en ninguno de los autores cuya obra se ha comentado anteriormente. Me parece, eso sí, que sus propuestas no son estrictamente incompatibles con el marco teórico que acabo de dibujar, sobre todo si se corrige la tendencia al retoricismo y la exageración, así como al conspiracionismo y al simplismo maniqueísta en la concepción del poder y de las relaciones sociales.

VII

¿Por qué hay tan pocas mujeres en prisión? Los debates sobre género y delito

1. INTRODUCCIÓN

La criminología y la delincuencia no son *cosa de hombres*. Y sin embargo lo parecen. Los esfuerzos de las corrientes feministas desde los años setenta por introducir el género como variable fundamental en los debates ha dado sus frutos. La literatura sobre el tema se ha multiplicado[34], la agenda de aspectos a tratar se ha agrandado[35] y los encuentros internacionales han contribuido a consolidar redes de investigación[36]. En la mayoría de los manuales extranjeros de sociología, de sociología de la desviación y de criminología, se dedica un apartado o capítulo a las

---

[34]   Francés Heidensohn habla de "dramática expansión" del área desde 1984. Junto con Maria Silvestri, reconoce haber encontrado en las bases de datos alrededor de 200 artículos académicos publicados en inglés entre 1986 y 1993, muchos más que los aparecidos antes de la primera fecha (Heidensohn, 1995: xiv)

[35]   Encontramos varias clasificaciones al respecto. Gelsthorpe divide los intereses del feminismo en dos grandes proyectos, el político y el epistemológico (Gelsthorpe, 1997: 510). Heidensohn distingue entre los debates sobre las diferencias del género y el problema de la generalidad (*The Gender Gap and Generalizability*), las explicaciones de la delincuencia femenina —que abarcarían los estudios del patriarcado, la marginalización económica y social y el control— y el estudio de los retos epistemológicos (Heidensohn, 1997: 784-785).

[36]   Los temas de violencia doméstica, abuso sexual o violación son estudiados por doquier. Véase, como ilustración de esta "internacionalización del interés de la mujer en la justicia y el crimen" la compilación de Rafter y Heidensohn. Con la globalización, las feministas y sus aliados han desarrollado un importante trabajo en los campos de la criminología y la justicia criminal, "creando una masa crítica capaz de vehicular los intereses de las mujeres. Por todo el mundo encontramos cruzadas contra la violencia doméstica y otras formas de victimización de la mujer" (Rafter y Heidenshon, 1995: 9). A ello han contribuido los encuentros internacionales como el de Quebec en 1991, Wales en 1993 o Miami en 1994.

teorías feministas de la delincuencia, lo que indica la lenta pero constante *generización* de la disciplina. Desgraciadamente, hay que decir que en España no sucede lo mismo, constituyendo hoy uno de los enfoques menos conocido y divulgado.

Las corrientes feministas han realizado dos aportaciones fundamentales a la criminología: por un lado han puesto de manifiesto la necesidad de estudiar la relación entre el género y la ruptura de normas —sobre todo a través de los estudios sobre la mujer—, han limpiado el debate sobre la delincuencia femenina de prejuicios y estereotipos, han impulsado el estudio de la mujer como víctima —contribuyendo a la conciencia de la mujer como víctima como primer paso para su erradicación—. Pero por otro lado, han realizado una crítica sin precedentes a la teoría criminológica. A pesar de que en ocasiones se haya hablado de rupturas, puntos de inflexión o crisis en la historia de esta disciplina, es posible sostener que el cambio más notable lo constituyen la aparición de los enfoques feministas. La razón es doble: son los últimos en aparecer en el tiempo y en realizar una crítica consciente y extensiva a "todas" las teorías anteriores; *y* realizan dicha crítica no sólo desde el criterio del feminismo sino, y esto es lo fundamental, desde el criterio de la "vigilancia epistemológica". Dicho en otras palabras, la criminología feminista viene a suponer, como colofón al siglo XX, una especie de sacudida epistemológica, al aplicar a la reflexión criminológica los requisitos que marca la crisis del paradigma científico moderno. Esta tarea, que paulatinamente han ido cumpliendo todas las ciencias sociales, comenzando por la filosofía y la antropología, estaba poco realizada en el caso de la criminología. Encontramos un intento en los mal llamados enfoques del control social y que aquí llamaremos circunstanciales. Sin embargo, tal vez el esfuerzo más importante y consciente en este sentido lo realiza el feminismo académico.

2. EL *OLVIDO*

Imaginemos una ciudad donde la mitad de sus habitantes son de raza blanca y la otra mitad de raza negra. Supongamos que los negros, que sepamos, no cometen ningún delito. Que sepamos significa que no aparecen como autores directos o indirectos de delitos ni en las estadísticas, ni en los estudios ni en los diarios. Tampoco hay negros en las cárceles. Supongamos, para completar la escena de ficción, que usted forma parte de la asociación de criminólogos de la ciudad, la cual debe poner en marcha una serie de investigaciones para las cuales ha recibido nutridas subvenciones del Ayuntamiento. La mayor parte de las propuestas, seguramente, tendrán que ver con la serie de delitos cometidos en la ciudad. Probablemente harán una lista de prioridades teniendo en cuanta la gravedad de los mismos, para lo cual consultarán las estadísticas. Les preocuparán, por supuesto, la causas, y en sus hipótesis figurarán probablemente variables típicas como la posición social de los detenidos, antecedentes familiares, estudios, lugar de residencia, situación laboral, etc. Puede incluso que haya propuestas para estudiar el funcionamiento de la policía, abogados, jueces y agentes del sistema penitenciario. La idea aquí será observar hasta qué punto los órganos de control social formal "producen" la desviación, por ejemplo a través de estereotipos o trato etiquetador más o menos inconsciente. Podría también proponerse, a raíz de ciertas insinuaciones de la prensa, el estudio de tráfico de influencias entre los concejales y las empresas contratadas por el Ayuntamiento, con la finalidad de analizar los denominados delitos de cuello blanco.

Un estudioso de la criminología entendería que la mayor parte de las teorías están reflejadas directa o indirectamente en las propuestas aquí brevemente resumidas, con lo cual, la situación hipotética es bastante creíble. En principio, por tanto, "el olvido" de la población negra en las reuniones de la asociación, sería algo previsible. La razón principal, ni siquiera explícita, es la siguiente: puesto que los negros no delinquen, no constituyen un problema desde el punto de vista de la criminología, que estudia las causas del delito, y por lo tanto no tenemos que ocuparnos de ellos.

Sin embargo, supongamos que a partir de cierto momento, una o dos personas comienzan a insistir en las reuniones en la necesidad de estudiar la relación entre la población negra de la ciudad y la delincuencia. Sus razonamientos supondrían una ruptura con la tradición de la asociación al establecerse sobre reglas claramente distintas. Helos aquí.

1) Suponiendo que los negros no cometen efectivamente delitos, es sumamente importante entender este extraño fenómeno, porque de esa forma, indirectamente, descubriremos las causas de la delincuencia. Ocurrirá aquí lo mismo que en la investigación médica, cuando se estudia un sector de la población con características claramente diferenciadas a la que no afecta una epidemia. Del estudio de algunos de esos individuos podremos extraer el antídoto para el virus que causa la epidemia. Al razonar de esta

forma, el miembro asociado estaría introduciendo tal vez el único enfoque no representado en las propuestas anteriores, el "circuns-tancial", el cual irrumpe en la historia de la criminología con una inversión revolucionaria de la lógica usada tradicionalmente por la disciplina: más que preguntar por qué quienes delinquen lo hacen debemos cuestionarnos por qué no lo hacen los demás.

2) Suponiendo que, efectivamente, los negros no delinquen en nues-tra ciudad, habría que plantearse si la "no delincuencia" de la población negra no estará encubriendo y aún transformándose en otros problemas sociales serios que afectan a dicha población y cuyas causas nos son desconocidas precisamente por no habernos planteado esta asociación. O puede que no, pero en todo caso, adoptando una posición freudiana, habría que ver qué ocurre con la energía o la tendencia innata a romper con la norma que parece caracterizar al hombre. Habría que observar en especial aquellos ámbitos privados de difícil acceso para el control social formal sancionador, como el familiar.

3) La "no delincuencia" de la población negra podría ser producto de un conjunto de acciones combinadas del gobierno y aparatos de control social. Quien defendiera esta idea podría extraer ejemplos extremos de la literatura de ficción como el del mundo feliz de Huxley, donde ciertos grupos de habitantes no pueden romper con la norma sujetos como están a ciertos tratamientos médicos. Podría también aludir a ejemplos históricos en la misma línea. Los esclavos negros no cometían delitos en las colonias. Aunque en realidad, la idea que justifica en este caso la investigación de la población negra no tiene por qué enunciarse sólo en un sentido, el de la desventaja. En el caso de nuestra ciudad, podrían aquí investigarse aspectos diversos que irían desde la vigilancia poli-cial de los barrios donde viven los negros, un estudio sobre la homogeneidad de su estatus socioeconómico o su participación en órganos de gobierno local, en profesiones liberales como la aboga-cía y la magistratura y en medios de comunicación. Si su posición en todas estas dimensiones fuera privilegiada puede que la falta de delincuencia se debiera a la autoprotección que ejerce esta pobla-ción como principales detentadores del poder y de los órganos del control social. En este caso, la delincuencia existiría pero estaría oculta.

4) En una postrera reunión, puede que alguien encontrara un argu-mento básico compartido por todas las intervenciones anteriores

a favor de la investigación de la población negra en su relación con la delincuencia. Este podría ser el siguiente: la única razón para no investigar la relación entre los negros y la delincuencia es pensar que la característica biológica de la raza no es un simple accidente sino un rasgo que determina el comportamiento de las personas. Este esencialismo biológico aparece hoy en día en sus últimas versiones reflejado incluso en los manuales de criminología en versiones modernas calificadas por etiquetas tan curiosas como "teorías psicobiológicas". Un término que une la psique con la biología de esta forma no tiene otro sentido lógico que el de hacer depender obviamente la primera de la segunda. Ya que lo que nos preocupa es el comportamiento —y cómo se ordena en la psique—, y no la biología a secas ni cómo afecta la psique a la biología, es decir, las causas por las que algunos individuos intentan alterar la coloración de la piel —como el caso de un conocida cantante norteamericano—. En resumen, la postura que niega el estudio de la población negra es en el fondo racista, se basa en prejuicios y no en razones científicas.

El ejemplo anterior sirve para ilustrar los puntos básicos del debate en el que nacen las teorías feministas del delito. Allá donde diga "población negra" o negros, los lectores tienen que leer "población de sexo femenino" o mujeres. Para que el ejemplo cumpliese su función didáctica he tenido que simplificar los parámetros del patrón. El porcentaje de delitos registrados por las mujeres, que sí que suponen alrededor de la mitad de la población, no es, obviamente, nulo, sino que ronda el 10%. Sin embargo, esta simplificación en nada altera la discusión central acerca del "olvido". La queja fundamental es que la mujer no aparece ni en las cifras ni en las teorías. La tarea de los enfoques del género será por tanto doble:

1) Comprobar que la cifra de delitos es realmente tan baja.

2) En caso de que sea una cifra baja, estudiar en qué medida, a) las explicaciones existentes de este fenómeno, y b) la ausencia del mismo en las teorías criminológicas, refuerzan "el olvido" y por lo tanto los prejuicios y los efectos discriminatorios que conllevan.

3. EL OLVIDO EN LAS CIFRAS

En 1984 el 84% de los delincuentes juzgados en Inglaterra y Gales eran hombres. En 1995, el 82%. Porcentajes similares encontramos en

Estados Unidos, Francia o Alemania (Heidensohn, 1997: 764-766). En los Estados Unidos observamos la siguiente tendencia (Chesney-Lind, 1997: 145 y ss.):

1) El encarcelamiento de las mujeres aumenta sin cesar a lo largo del siglo XX. En 1925 había 6 mujeres presas por cada 100.000. En 1994, había 45.

2) Los aumentos son más fuertes en las décadas de los ochenta y noventa.

3) La probabilidad de que una mujer obtenga una sentencia que le lleve a prisión aumenta en todos los delitos.

4) La mayoría de las encarceladas lo son por asuntos relacionados con las drogas. Si en 1989 el porcentaje era del 44,5 en 1991 era del 68. Los delitos contra la propiedad ocupan el segundo lugar, con un 30%.

Existen varias semejanzas remarcables entre España y Estados Unidos:

1) Aunque, como veremos inmediatamente, la tasa de mujeres presas cae algo en los setenta para recuperarse sobre todo en los noventa, el caso es que la cifra es de las más altas de Europa.

2) Las penas se han endurecido también en nuestro país. La reforma del Código Penal de 1995 hizo que los delitos contra la salud pública con el agravante de reincidencia pasara de ser sancionado con 528 días a serlo con 967. Y el robo con fuerza y bajo el mismo agravante, de 52 a 261 —con intimidación, de 248 a 529—. Considerando que los delitos relacionados con las drogas y contra la propiedad son también en España los que llevan a la cárcel a más mujeres, la dureza de las condenas parece obvia.

3) Las minorías parecen especialmente sobrerrepresentadas, lo que obliga a lecturas críticas del funcionamiento del sistema legislativo y judicial. En España la minoría gitana alcanza incluso un índice de sobrerrepresentación mayor que la minoría negra en los Estados Unidos. Alrededor del 25% de las reclusas son gitanas, siendo que la población gitana sólo supone un 1,4% del total.

Desde una perspectiva diacrónica, simplificando mucho y únicamente para ofrecer una información que sitúe a los lectores, podemos distinguir cuatro períodos[37]:

---

[37]   El criterio que utilizo para esta periodización es el de las fuentes secundarias.

1) Hasta 1861. No disponemos de fuentes estadísticas, debiendo recurrir a la historia, la legislación y la literatura. Tal vez uno de los hitos más significativos sea, como señala Canteras Murillo, la política correccional inaugurada en 1608 a través de la llamada Casa-Galera de mujeres (Canteras, 1990: 21). La política de corrección encaja en el paternalismo religioso: más que sancionar las conductas infractoras hay que corregirlas, lo que en el fondo significa no atribuir a la mujer la plena conciencia de los hechos cometidos. A ello hay que unir la tendencia histórica de la justicia a inhibirse ante algunos delitos femeninos dejando el castigo en manos del marido. Debe advertirse que este aspecto ha coleado hasta hace pocos años, hasta 1963 con la figura del uxoricidio y el deber de la obediencia de la mujer al marido consagrada por el Código Civil hasta 1975 (Larrauri, 1994: 4-5)[38].

2) De 1861 a 1978. La tasa de población reclusa por cada 100.000 habitantes desciende hasta 1931. Desde entonces hasta 1956 crecerá —sobre todo el año víspera de la guerra civil—. Desde ese momento, y teniendo en cuenta el vacío estadístico que deja la posguerra, la tasa desciende de forma aguda durante la fase de desarrollismo hasta 1965, año en que se invierte de nuevo la tendencia al recrudecerse la oposición al régimen franquista. De 1970 a 1976 desciende de nuevo, se estabiliza un par de años y vuelve a subir en 1978 (Canteras, 1990: 40).

3) De 1978-1985. La tendencia es en líneas generales alcista. Se trata del período probablemente más estudiado, gracias al estudio de Canteras Murillo. Dos conclusiones del mismo nos conviene resaltar:

   a) El aumento de la delincuencia femenina debe interpretarse como una consecuencia del aumento de la delincuencia de ambos sexos. Si se interpreta aisladamente se corre el riesgo de creer erróneamente —como de hecho ha solido ocurrir— que se da una especie de "nueva delincuencia femenina". Esta vendría dada no sólo por el aumento cuantitativo sino por la nueva

---

[38] Si el marido hallaba a su mujer cometiendo adulterio podía matarla junto con su amante y sólo se arriesgaba al destierro. En cuanto a la obediencia debida al marido, es claro el paternalismo y el riesgo de la interpretación de la capacidad correctora del hombre, pudiendo incluir en sus límites los malos tratos.

forma agresiva y viril en que aparece, supuestamente debido a la influencia de las posiciones liberadoras que habrían hecho mella en las jóvenes infractoras (Canteras, 1990: 405).

b) El leve incremento de la criminalidad femenina —que podría venir estimulado por un descenso del tratamiento penal caballeroso— habría que ponerlo en relación con al menos dos factores que lo amortiguan: 1) el descenso en la categoría de delitos contra las personas —la tercera en orden de importancia—,2) la refundición de las condenas —la reiterancia o repetición de ciertos delitos frecuentes como el robo con violencia, unido a la lentitud del sistema judicial hace que se fundan tres y hasta cuatro causas, con la consiguiente inflación estadística— (*Ibid.:* 406-407).

4) Últimos años. En la población privada de libertad, las mujeres representan en los últimos años entre el 8 y el 9%.

Tabla IV. Proporción de hombres y mujeres en prisiones españolas[39]

	1996	1997	1998	1999	2000	20001
H.	90,5%	90,4%	90,5%	91,3%	91,7%	91,6%
M.	9,4%	9,5%	9,4%	8,7%	8,3%	8,4%

El porcentaje que suelen mostrar en las últimas décadas los países de nuestro entorno suele ser inferior al 10%. De hecho, según datos del Consejo de Europa, España era, en 1995, el país europeo con más presas —9,6% ó 3.865—, seguido de Dinamarca —6,4%—, Austria —5,6%— y Bélgica —5,1%—.

Curiosamente la cifra del 10% se alcanzaba en los años 50 y 60 (Marco, 1975) pero cayó a la mitad en los 70 y 80 para recuperarse de nuevo en los noventa. Debe advertirse, por otra parte, que las cifras relativas que se acaban de ofrecer deben interpretarse sobre el incre-

---

[39] Fuente: datos extraídos de los informes generales de los años indicados elaborados por la Dirección General de Instituciones Penitenciarias. Dichos informes comienzan a desagregar por sexos la información sobre la población reclusa sólo a partir del año 2000.

mento general de la población reclusa en términos cuantitativos. Esta ha pasado de estar formada por 33.035 personas en el año 1990 a 50.537 en el año 2002. Los comentarios de Canteras para el período 1978-1985 siguen pues siendo pertinentes.

En principio, la lectura que generalmente se hace de los datos oficiales resalta al menos tres cosas: (Heidensohn, 1997: 762)

1) Que la mujer comete menos delitos que el hombre

2) Que los delitos que comete son además menos graves, menos "profesionales" y con menos probabilidades de ser repetidos por la misma autora.

3) Que, por lo tanto, habrá que esperar menos mujeres en prisión.

Además, parece que estas cifras se mantienen estables a lo largo del tiempo. En el siglo XIX el fenómeno es parecido, incluso parece haber una disminución del número de mujeres juzgadas por delitos graves al final del mismo (Zedner, 1991). Si consultamos fuentes complementarias los resultados son parecidos. Las encuestas sobre víctimas y los autoinformes, estos últimos cumplimentados de forma anónima sobre todo por jóvenes estudiantes, confirman que las mujeres cometen menos delitos (Heidenshon, 1995: 4-5)[40].

Ahora bien, una serie de importantes observaciones matizan estos resultados. En primer lugar, las precauciones que se aplican clásicamente a las estadísticas oficiales basadas en el "efecto iceberg" se multiplican en este caso. Es bien conocido, en efecto, que el número de delitos conocidos es sólo una pequeña parte del número total —la parte visible—, pues de los cometidos, sólo un porcentaje es denunciado, del cual sólo un porcentaje es registrado y juzgado y del cual, a su vez, sólo una parte es objeto de sanciones. La falta de una víctima o de testigos o evidencias suficientes limita el registro estadístico. En el caso de las mujeres como víctimas abunda el miedo a la denuncia —especialmente en los casos de malos tratos—. En cuanto autoras de delitos, en la medida en que los mismos tengan lugar en el ámbito de lo privado más que en

---

[40] También el realizado en España por Montañés, Bartolomé, Latorre y Rechea y que cito en varios momentos. Este trabajo aplicó en 1992 a una muestra de 2100 jóvenes de 14 a 21 años con proporciones iguales entre los dos sexos el *Questionnaire for the International Study on Self-Report Delinquency* pero con una ventaja sobre los estudios de este tipo: el universo es la población general no sólo los estudiantes.

el de lo público, ello podría incidir en su mayor invisibilidad. Respecto a las encuestas a víctimas, en muchas ocasiones falta la oportunidad de haber podido observar, por parte de las mismas, el sexo del delincuente.

Conocemos sólo una pequeña parte de los delitos y conductas infractoras que se cometen, pero aún conocemos menos si se trata de mujeres. Uno de los pocos estudios empíricos rigurosos que se ha hecho en España con el método del autoinforme, comprueba, en efecto, el hecho de que la mayor parte de las conductas juveniles delictivas y problemáticas declaradas pasan desapercibidas sino que además, en el caso de las chicas, este fenómeno se duplica. Así, en el 15,5% de los casos masculinos y en el 6,6% de los femeninos, se enteró de este tipo de conductas la Policía o la Guardia Civil (Montañés, Bartolomé, Latorre y Rechea, 1999: 269)[41]. Esto significa que aunque las estadísticas oficiales no mientan en el sentido de que las mujeres rompen menos con la norma que los hombres, no podemos usar los datos y proporciones para sostener que la mujer "casi" no comete delitos o infracciones, puesto que la verdadera cifra está lejos de ser conocida.

Además, algunos de los aspectos señalados anteriormente, tales como la tendencia a denunciar los malos tratos, están cambiando en los últimos tiempos y esto nos lleva al segundo matiz importante a la supuesta realidad de las cifras. Se trata de los posibles aumentos registrados por algunas autoras, sobre todo en los últimos años, de los delitos cometidos por mujeres, sobre todo en relación con la propiedad, drogas y violencia entre mujeres (Heidenshon, 1995: 8 y 209). ¿Cómo interpretarlos? Para empezar, con las precauciones técnicas adecuadas, avisa Heidenshon, porque un pequeño aumento puede suponer un salto porcentual o relativo importante y por lo tanto un cambio no comparable con aumentos similares en las tasas de hombres (*Ibid.*: 5).

El aumento de la delincuencia femenina, aunque relativo, ha suscitado, como no podía menos, la "hipótesis de la convergencia" futura con las tasas masculinas (Austin, 1993). Pero la interpretación que más debate ha suscitado es la que asocia dichos cambios con la modernización y el movimiento de liberación de la mujer. Sin embargo, tampoco hay

---

[41] Las conductas en cuestión son: Faltar al colegio, fugas de casa, viajar en autobús o en tren sin pagar, conducir sin permiso, realizar pintadas, dañar cosas, robar de una tienda, en una casa y en el interior de un coche, entrar sin permiso, comprar algo robado, llevar un arma, riñas o desórdenes, prender fuego, tomar cannabis y alcohol.

consenso en la interpretación de la "hipótesis de la liberación" (Heidensohn, 1997: 784). Para Adler (1975), a partir de los setenta, las victorias de la lucha por la emancipación de la mujer hacen que el comportamiento de ésta se vuelva en general más agresivo y violento, por tanto similar al del varón. Sin embargo, Simon (1975) realiza una lectura bien diferente: las oportunidades de las mujeres no han aumentado mucho y cuando lo han hecho han incidido en un aumento de los delitos contra la propiedad pero no de los violentos. De todas formas, a pesar de que los estudios sobre el tema no han conseguido establecer pruebas empíricas que conecten la emancipación de la mujer y la tasa de delitos (Heidensohn, 1997: 767) —incluso se ha sugerido en trabajos con series temporales largas cómo en algunos casos las tasas femeninas aumentaron más deprisa que las masculinas *antes* de la aparición de los movimientos modernos de emancipación—, la relación parece bastante lógica, más allá del recurso al mecanismo de la imitación. En ello pueden mezclarse varios argumentos que favorecen la tendencia a la nivelación en nuestra época. Desde el punto de vista material, las posibilidades de aumentar la fuerza y masa corporales a través más que del deporte de dietas y sustancias químicas, no están limitadas a los hombres. En este sentido, los espectaculares avances de la investigación en el campo de la bioquímica se convierten en un aliado añadido del movimiento que lucha contra el estereotipo del cuerpo femenino como cuerpo frágil.

No obstante el anterior comentario debe tomarse con precaución, como tendencia a largo plazo, y suponiendo que la delincuencia femenina experimente en el futuro las mismas variaciones positivas que el resto de la población en materia de instrucción formal. En España, como es bien conocido, las tasas de escolaridad experimentan un crecimiento sin precedentes a todos los niveles —especialmente en el universitario— a partir de los años 80. En relación a la proporción por sexos, la evolución ha sido tal que en la actualidad hay más universitarias que universitarios. Esta consideración puede ser interesante a la hora de interpretar los datos encontrados por Canteras Murillo en sus encuestas a reclusas de Madrid, Barcelona y Valencia en los años 1983 y 1987, porque la mayor parte de las entrevistadas ostentan un nivel cultural y social en el que los valores tradicionales respecto a la mujer están mucho más presentes que los valores liberales feministas —los cuales sólo son rastreados en un 3% de la muestra—. Esto lleva al autor español a oponerse a tesis como las del citado Adler, es decir, a objetar la existencia de una "relación monocausal directa entre emancipación y criminalidad femenina" (Canteras Murillo, 1990: 399). Dicha objeción es desde luego cierta a la luz de los datos, pero repito que debe matizarse en cuanto tendencia, debido a la explosión de las tasas educativas a partir precisamente de esa época, la cual, y esto es importante recordarlo, había tenido lugar con antelación en los países anglosajones, lo que hace que la comparación internacional deba tomarse con precaución[42]. Seguramente las hipótesis que defienden el impacto de la liberación de la mujer en las características de la delincuencia femenina, son en la primera década del siglo XXI, mucho más probables en nuestro país que hace 20 años. Aún así, el factor de la expansión educativa debe ser investigado empíricamente y contrapesado con el factor de la nacionalidad, ya que en los últimos años el aumento de inmigrantes detenidas y reclusas es constante.

Por otra parte, el uso por parte de la adolescentes de hábitos rupturistas —uso de tacos en el lenguaje, horarios de ocio o hábitos como el consumo de drogas o relaciones sexuales esporádicas— ha llevado a algunos, como he recordado en otro lugar, a la tentación de hablar de "imitación" (Gil Villa, 2002: 108) Sin embargo, sólo parece legítimo usar este término en los casos en los que la mujer se hace pasar por hombre con la finalidad de adquirir ciertos privilegios reservados para la población masculina. Fuera de eso, de los estudios sobre bandas de mujeres y sobre comportamiento violento no se deduce el argumento de imitación. Antes al contrario, el prototipo de "chica mala" (*bad girl*) supone el desarrollo de ciertas formas de feminidad compatibles con el uso de la fuerza como criterio de distribución de estatus (Messerschmidt, 1997: 82-83). En realidad, la imitación es un argumento etnocentrista pues por un lado supone admitir que quien imita recurre —y por lo tanto necesita recurrir— a uno de los mecanismos más primitivos de comportamiento, y por otro lado, concede injustificadamente el monopolio de ciertos hábitos a uno de los sexos. Es mucho más lógico pensar que el lenguaje procaz, en el estado en que se encuentre en un momento determinado en una zona geográfica determinada, ha sido establecido

---

[42] La situación ha variado enormemente. En el 2001 había en España 781.236 mujeres matriculadas en la universidad, y alrededor de 100.000 hombres menos. En Ciencias Experimentales, de la Salud, Sociales y Jurídicas y Humanidades, la proporción de mujeres es mayor (El País, 4-10-2003). Sólo en las carreras técnicas el porcentaje de matriculadas es menor —un 26,2% frente a un 73,7%— lo que indica que todavía persisten los estereotipos. No obstante, hay que recordar que los datos para el curso 1987-88 indicaban diferencias mayores, ya que la matrícula femenina en Escuelas Técnicas Superiores era del 16,2% (Gil Villa, 1994: 175).

como estrategia subversiva del orden cotidiano y está "a mano" para cualquiera que quiera utilizarlo con este fin, independientemente de circunstancias biológicas o sociales diferentes de la dimensión del poder

Por otra parte, los datos que arrojan los pocos estudios basados en autoinformes realizados en nuestro país señalan tendencias coherentes con las cifras oficiales. En general, las chicas encuestadas siguen el mismo patrón rupturista que los chicos. Las diferencias dependen del tema de la infracción. De menor a mayor observamos que:

1) Toman alcohol el 89% de los encuestados frente al 83,4% de los encuestadas.

2) Reconocen conductas que atentan contra la propiedad un 57% de chicos frente a un 43% de chicas.

3) Reconocen haber realizado actos que suponen conductas contra los objetos (tales como pintadas, dañar cosas o prender fuego) un 65,4% de chicos frente a un 44,8% de chicas.

4) Por último, reconocen haber empleado la violencia contra las personas un 55% de los chicos frente a un 24,7% de las chicas (Montañés, Bartolomé, Latorre y Rechea, 1999: 262-264).

Los autores del estudio anterior, basándose en la información obtenida por la diferencia de medias, llegan a la conclusión de que "las chicas que llevan a cabo una determinada conducta lo hacen aproximadamente con la misma frecuencia que los chicos", de manera que "el hecho de ser chica no supone ninguna especificidad, en general, con respecto a la incidencia" (*Ibid.*: 266).

Así pues, no puede hablarse de grandes diferencias ni de especialización por género en materia de delitos. Además, la preponderancia de los delitos contra las personas, que en el pasado próximo superaba a los delitos contra la propiedad (Marco, 1975) desaparece, dando lugar a la fotografía delictiva que acabamos de mostrar. Esto permite comentarios como el siguiente: "los mitos de la crueldad de la mujer envenenadora, o de que el mayor índice de delitos cometidos por la mujer corresponden a delitos sexuales, pierden cualquier base en la que pudieran fundarse" (Cuesta, 1992: 227)[43]. Canteras Murillo, por su parte, observa en sus

---

[43]   De la Cuesta escribe este comentario en un artículo en el que divulga estadísticas parecidas a las generales tras examinar los expedientes de reclusas de algunas prisiones del sur de España.

datos de los años setenta y ochenta que la mayor proporción de mujeres detenidas, se registra, "como antaño", en la comisión de hurtos, homicidios y estafas, "delitos históricamente femeninos". Estos, no obstante, tenderían a disminuir, frente a los robos —y en especial los robos con violencia—, que suben. Es decir, según este autor, la mayor parte de los delitos cometidos por las mujeres serían contra la propiedad, contra la salud pública y contra las personas —especialmente lesiones— respectivamente, deduciéndose cierta continuidad en el tiempo más que cambios cualitativos relevantes (Canteras Murillo, 1990: 415).

4. LA HIPÓTESIS DE LA *CABALLEROSIDAD*

¿Cómo explicar "el olvido"? La primera posibilidad era negar la importancia del género a la hora de estudiar la delincuencia, negar la existencia de la delincuencia femenina. Lo cual puede significar no que no existe realmente, como en el ejemplo que inventamos, sino que es prácticamente inexistente o que existe con un volumen apreciable pero como copia o anexo de la delincuencia masculina tradicional. Acabamos de ver, sin embargo, que ninguna de estas variantes que encierra la primera posibilidad puede defenderse con pruebas sólidas. Hay sin embargo, en los debates del género y delincuencia, otra posible explicación, tal vez la más importante después de la anterior, si la juzgamos por el doble criterio de la discusión generada y de los malentendidos provocados, se trata de la hipótesis de la caballerosidad.

Según dicha hipótesis, la razón por la cual la mujer no aparece en el universo de la criminología es que goza de un trato privilegiado por parte de los aparatos de control social formal —jueces y policía pero también legisladores—. ¿Y por qué? Por la tendencia a relegar a la mujer al plano de lo privado y lo doméstico. Puesto que el ámbito de la justicia es por esencia un ámbito público, la mujer no debe verse envuelta en asuntos legales. Es más, puesto que su papel es el de la protección del ámbito privado y la salvaguardia de su orden, sería contradictorio, o especialmente grave, que se viera envuelta en asuntos de ruptura de normas. De ahí que se tienda a ocultar este tipo de casos, a resolverlos de modo informal y privado siempre que sea posible. Pero esta prejuicio se complementa con otro para originar la hipótesis. Toda estrategia de condescendencia funciona normalmente como estrategia de dominación. El otro, en este caso, la mujer, es visto como un inferior que requiere un trato desigual.

Ahora bien, la hipótesis de la caballerosidad es discutible y no puede decirse que esté claramente demostrada. Antes al contrario, la serie de sospechas y críticas que ha levantado y que a continuación expondremos hace que se sea muy aventurado, por no decir, erróneo, recogerla en el modo en que lo hacen algunos manuales.

En principio, la ley es igual para hombres y mujeres en una democracia moderna. Existe, sin embargo, algunas diferencias en este nivel. Sólo los hombres pueden ser acusados de violación —aunque la mujer pueda ser cómplice— y sólo la homosexualidad masculina ha sido objeto de sanciones penales. Por contra, el infanticidio y la prostitución (en el caso de los códigos que sancionan la incitación) parecen afectar sólo a las mujeres (Heidensohn, 1995: 33). Evidentemente el tratamiento del infanticidio debe verse en una perspectiva histórica[44]. En el caso de la prostitución, las lecturas críticas del tratamiento jurídico de esta conducta son actuales. Si nos centramos en el caso de las prostitutas inmigrantes en España, que representan en muchas localidades la mayoría, el tratamiento de la prostitución como delito sin víctima puede ser cualificado cuando menos de cínico.

Es más, puede defenderse que la mujer cae en todas las categorías de victimización, como sugiere Barba Álvarez. En la victimización primaria, si por ésta entendemos las consecuencias directas, físicas, psíquicas, económicas o sociales experimentadas por una persona como resultado de la comisión de un hecho calificado como antisocial, aunque este no sea calificado como delito (Barba Álvarez, 2002: 524). La victimización secundaria alude al proceso que experimenta la víctima primaria cuando acude a las instancias estatales para poner en marcha las oportunas aclaraciones del delito. En este caso, muchas mujeres inmigrantes, se encuentran con que la policía no sólo no inicia dicho proceso de aclaración sino que las deporta (*Ibid.*: 535). Por otro lado, es sabido que en la mayoría de los casos, la maquinaria judicial sólo se pone en marcha si media denuncia. Sin embargo, ¿cómo ignorar las dificultades que tienen estas mujeres para dar este paso? En cuanto a la victimización terciaria, las secuelas —no sólo psíquicas— que deja el etiquetado como consecuencia de los fenómenos anteriores, no necesita de muchos argumentos a su favor.

---

[44] Más adelante se recoge el análisis que hace Smart de la ley inglesa de 1623 que puede servir como ejemplo.

Considerando aspectos como el analizado anteriormente no es sorprendente que algunas autoras opinen que la ley está hecha y aplicada mayoritariamente por hombres. Incluso, se ha sugerido cierta "hipótesis de la conspiración", que vendría a representar el opuesto de la "hipótesis de la caballerosidad". Pero casi todas las teorías de la conspiración, que parecen salpicar la sociología constantemente como una tentación eterna, son difíciles de probar. En este caso, es imposible definir un conjunto coherente de intereses masculinos que sirvan a los estereotipos sexistas. Además, ¿cómo se explicaría entonces los cambios en materia de derechos de la mujer? (*Ibid.*: 39).

Pero el que no haya conspiración no significa que haya caballerosidad, dice Heidensohn —tal vez la autora que más ha extremado la posición crítica—. La mujer es discriminada por el sistema sancionador no positivamente sino negativamente. El sistema policial, judicial y penitenciario es más duro con ella que con los hombres. La autora se basa, para apoyar esta afirmación, en materiales de investigaciones cualitativas que narran las experiencias de las mujeres a su paso por las distintas fases del control social formal, reforzándolas con algunos silogismos (*Ibid.:* 41-42):

- Puesto que las mujeres tienen más probabilidades de comparecer ante el juez como por un primer supuesto delito —al reincidir menos que los hombres— tienen menos experiencia para manejarse en estos ámbitos y por lo tanto sufren más.

- Puesto que los delitos por los que se les juzga son en general menos graves pero se les insta a que se declaren igualmente culpables contradiciendo sus inclinaciones personales, el sentimiento de injusticia experimentado es mayor.

- Los chicos valoran más positivamente la atmósfera de los juzgados y el personal de los mismos. Las chicas confiesan en las entrevistas impresiones de "temor" y se sienten más amenazadas. Estas encuentran especialmente intimidante el hecho de que el juzgado sea un entorno esencialmente masculino.

- La estrategia de defensa de las chicas parece diferir en ocasiones de la que se emplea en los chicos: en el primer caso se les aconseja silencio y pasividad, mientras que en el segundo se les anima a ser más asertivos.

Frente a la hipótesis de la caballerosidad, Heidensohn propone entonces dos argumentos que la invierten:

a. La hipótesis de la doble desviación. A la mujer no se le acusa sólo del delito o falta que ha cometido en concreto, sino también de haberse saltado la regla moral del orden social del que se supone que era guardiana. Esta segunda culpa ocurre a un nivel profundo y si se quiere no siempre explícito o consciente pero igualmente evidente si consideramos el mayor número de mujeres en situación de prisión preventiva, en espera de informes médicos y psicológicos acerca de su salud, de la cual se sospecha, y siendo que una buena parte de las mismas saldrán absueltas. "El resultado es un etiquetamiento mucho más eficiente de la mujer como desviada, incluso cuando no se trata de delincuentes" (*Ibid.*: 47).

b. La tendencia a sexualizar el comportamiento rupturista de la mujer. Todo parece indicar un sesgo —una obsesión— del sistema sancionador por la desviación sexual cuando se trata de juzgar a la mujer. Esto hace que cuando se trata de enjuiciar delitos o faltas que nada tienen que ver con el sexo, como el robo, el tratamiento es más benévolo que en los hombres pero ante comportamientos sexuales no bendecidos socialmente, la violencia de la sanción es mayor (*Ibid.*: 48):

   – Los jueces aplican un "doble rasero" en relación al comportamiento sexual, al controlar y castigar a las chicas y no a los chicos por actividades sexuales prematuras o promiscuas.

   – Los jueces —y los trabajadores sociales y otros agentes— "sexualizan" la delincuencia femenina normal con lo cual tienden a dramatizar el riesgo y el daño causado.

   – Entre las mujeres en prisión, están sobrerrepresentadas las que son simplemente *mujeres*, es decir, aquellas que no se conformaron con la regla de la monogamia, heterosexualidad y maternidad. Si los jueces son más duros con las mujeres que no son madres significa que están actuando de acuerdo con prejuicios sexistas. En este caso, si la mujer que no tiene hijos advierte en su entorno cotidiano que no es bien vista (una mujer no puede sentirse "plenamente realizada", o "completa" sin experimentar la maternidad), ahora resulta que comprobamos que el prejuicio tiene efectos no sólo a nivel de sanción informal sino también a nivel de sanción formal.

El sistema judicial "sexualiza" por tanto la ruptura de normas por parte de la mujer debido a su obsesión por la moralidad sexual de las mujeres jóvenes. Si las chicas son tratadas en los casos mencionados con más dureza es porque en el fondo los que juzgan creen que tienen un carácter "moral" negativo o malo, lo que les hace necesitar más atención, control y guía que aquellas que cometen faltas o delitos no sexuales (Smart, 1999: 29). Recordemos la tendencia histórica ya señalada del Estado a inhibirse en favor del marido a la hora de tratar a la mujer como sujeto sancionable formalmente en pie de igualdad con el hombre por los códigos. Aquella fuente de paternalismo no se ha secado del todo, pese a que el derecho penal y civil haya rectificado. Elena Larrauri ha resumido en tres las críticas hechas tradicionalmente al derecho penal por las estudiosas feministas:

1) la deficiente regulación de los delitos que tienen a la mujer como víctima,

2) la insuficiencia de tipos penales que protejan a la mujer, y

3) la irregular aplicación —o inaplicación— en los Tribunales de ciertos delitos contra las mujeres (Larrauri, 1994: 93).

Sin embargo, pese a todos los argumentos anteriores, no podemos dar una respuesta definitiva al tema. Parece tan difícil probar la hipótesis de la caballerosidad como la de la doble desviación[45]. Uno de los esfuerzos más notables en ese sentido en nuestro país lo constituye el trabajo de análisis estadístico de Canteras Murillo, al medir las diferencias en el descenso de las proporciones de hombres y mujeres a lo largo del proceso judicial —detenidos, condenados por sentencia firme y penados privados de libertad—[46]. Sus conclusiones indican que:

---

[45] Piénsese en las dificultades empíricas que supone probar la discriminación, tanto positiva como negativa en terrenos como el judicial, más allá de los esfuerzos estadísticos, como el hecho por Canteras Murillo. Es difícil comparar dos casos judicial en los que los detenidos sean hombre y mujer porque el número de variables es muy grande: antecedentes, características del delito o falta, pero sobre todo, "circunstancias". Las circunstancias hacen de cada caso judicial algo casi único y dificultan las generalizaciones que exige la hipótesis de la discriminación. ¿Cómo comprobar que un juez fue sexista, para bien o para mal de la imputada, si su decisión está sustentada por la cadena de circunstancias? Harían falta procedimientos especiales que rebasan la observación de los casos, tales como someter las decisiones de unos jueces a la evaluación de otros y esperar que se produjeran críticas claras y consenso en las mismas. No hace falta decir que dichos procedimientos están fuera del alcance de los investigadores, al desafiar el corporativismo de la profesión.

[46] Construye así un sencillo índice de atrición para ambos sexos en el que 0 representa una atrición igual o tratamiento no discriminatorio, y valores por encima o por

1) Se observa un trato diferencial a favor de la mujer para el conjunto de todas las edades.

2) Dicho trato se da menos en el subgrupo de mujeres jóvenes y en el subgrupo de delitos contra la propiedad.

3) En el subgrupo de adultos la tendencia es a aumentar el trato caballeroso pero de forma menos acusada que la tendencia opuesta en el subgrupo de jóvenes. Lo mismo cabe decir de la diferencia entre los delitos contra las personas —con tendencia a aumentar— y los delitos contra la propiedad (Canteras Murillo, 1990: 385-386).

La plausible interpretación que hace el autor es que el menor grado de caballerosidad o trato favorable esgrimido por las instancias policial y judicial es consecuencia de la reacción social negativa que despierta la comisión de ciertos delitos contra la propiedad, en especial los que usan la violencia, entre mujeres jóvenes. La imagen viril de estas mujeres potenciarían cierto rechazo social, puesto que el trato favorable se habría establecido siempre sobre la condición de que la mujer se atenga a los roles tradicionales (*Ibid.*: 405).

Otra posibilidad es que existan las diferencias pero se contradigan y por lo tanto se neutralicen. Y en efecto, da la impresión de que Heidensohn exagera su argumentación al no valorar estudios que sugieren trata-mientos de favor de la mujer o que la benefician por distintas causas — la propia autora se refiere a casos en los que las abogadas defensoras suelen conseguir mejores resultados que los hombres de forma que las mujeres defendidas reciben penas menos severas, o la propia tendencia a disminuir el porcentaje de mujeres en sentenciados en función de la severidad de la pena (Heidensohn, 1995: 43-44)—. En este punto, Pat Carlen agrupa la literatura sobre el tema en seis grandes bloques:

1) Los trabajos que describen la cantidad y especificidad de los castigos impuestos a las mujeres en diversas épocas históricas.

2) Los estudios sociológicos que sitúan las sanciones a mujeres en el contexto más amplio de los controles sociales. El argumento general aquí es que sobre la mujer pesa más el control informal — en la familia, en el trabajo, en la moda— por lo cual aparece menos en las estadísticas de control social formal.

---

debajo de 0 trato diferencial a favor o en contra de las mujeres (Canteras Murillo, 2000: 372).

3) Estudios sociolegales que intentan averiguar si sobre la mujer pesan sentencias más duras que sobre el varón.

4) Trabajos criminológicos referidos al tipo de confinamiento que sufren las mujeres en las instituciones penales cerradas.

5) Informes y estudios que intentan mostrar que la prisión es un castigo más duro para la mujer que para el hombre, y

6) Literatura oficial y administrativa que en varios países ha complementado o criticado los informes a los que se refiere el punto anterior.

Pues bien, la observación de los resultados de todo este cuerpo de investigación, "sugiere que no hay una fuerte evidencia estadística que sustente la idea de que las sentencias son más duras para las mujeres" (Carlen, 2002: 7). En los años ochenta, una serie de estudios ingleses apuntaban a que este fenómeno podía darse en el sistema judicial. Ello hizo que varios investigadores se animaran a estudiar el tema llegando en general a la conclusión de que la idea no sólo no era cierta sino que estaba invertida: las mujeres son sentenciadas de forma menos dura que los hombres (*Ibid.*: 8). Otra cosa es que, una vez en prisión, resulten perjudicadas. Debido a sus trayectorias vitales, a sus necesidades ginecológicas y a las demandas culturales a las que se hallan acostumbradas antes de ingresar en prisión, ciertos aspectos de la cultura organizacional de la institución penitenciaria pueden hacer que la mujer sufra más que el hombre —por ejemplo, en el caso de la separación de los hijos o por la aplicación de ciertas medidas de seguridad que no contemplan aspectos fisiológicos de la mujer— (*Ibid.*: 9). Además, en algunos estudios se han rastreado abusos sexuales por parte de los funcionarios (Chesney-Lind, 1997: 168).

Por tanto, todo parece indicar que deberíamos distinguir entre el nivel judicial y el nivel penitenciario a la hora de valorar cuál de los dos sexos recibe, en la práctica, un tratamiento más lenitivo. En realidad, si nos atenemos a las investigaciones empíricas, y puesto que nos encontramos con resultados contradictorios, deberíamos acabar observando que:

1) en ocasiones los estereotipos sexistas perjudican a la mujer desde el punto de vista de la sanción de la ruptura de normas,

2) pero que en otras ocasiones las benefician,

3) por lo tanto deben realizarse más estudios y una labor posterior de sopesar cada uno de los efectos contrarios antes de poder pronunciarnos con exactitud.

5. EL OLVIDO EN LAS TEORÍAS

Dos críticas fundamentales resumen la posición inicial de los enfoques feministas (Gelsthorpe, 1997: 516). La primera es que la gran mayoría de los estudios sobre delincuencia hasta 1980 son estudios sobre hombres delincuentes. La criminología aparece como una profesión eminentemente masculina. En el cómodo mundo del machismo académico era lógico centrarse en el hombre (Heidenshon, 1995: 143). La segunda crítica, es el tipo de explicaciones al uso sobre la relación de la mujer con el delito y la ruptura de normas: "la ideología que informa tanto las explicaciones clásicas como las contemporáneas sobre la criminalidad de la mujer, es una ideología sexista" (Smart, 1999: 18). A continuación nos detendremos en esta idea haciendo referencia a los grandes hitos de la sociología de la desviación y a las teorías criminológicas más conocidas[47].

El sexismo en la criminología comienza con el siguiente razonamiento: si la mujer rara vez aparece en las estadísticas de delitos, esto significa que la delincuencia femenina es un fenómeno anormal. Por lo tanto, aquellas mujeres que delinquen deben estar afectadas por algún

---

[47] Para ello me basaré en las exposiciones de Heidensohn y de Smart. En este punto, dados el objetivo del trabajo, ofreceré solamente un resumen elemental de las deficiencias teóricas. Existen, no obstante, otras clasificaciones —y modos de enfocar la crítica—, aunque tal vez más complicadas y con criterios menos sintéticos o específicos de la evolución de la sociología de la desviación. En uno de los raros estudios monográficos hechos en España sobre el tema, Clemente Díaz recoge, tal vez por la época —años ochenta—, una taxonomía elaborada por Burke y Sarri (1981), (Clemente Díaz, 1987: 119 y ss.). El primero abarcaría desde el siglo XVIII hasta finales del XIX. Época de prejuicios donde la mujer se asocia a los conceptos de chivo expiatorio y malditismo. El segundo englobaría las teorías de Lombroso y duraría hasta 1925. El tercero llegaría hasta la segunda guerra mundial y en él destacarían figuras como el americano W.I. Thomas, acercando los enfoques biologicistas a posiciones ambientalistas. En el cuarto estadio, por primera vez autores como Pollak defenderían la idea de que no hay tanta diferencia entre la delincuencia masculina y femenina —con su teoría del enmascaramiento de la segunda—. En este estadio surge el interés por los aspectos psicosociológicos. En el quinto aparecen investigaciones sobre diferencias en el trato de hombres y mujeres por parte del sistema judicial y de comportamientos en las prisiones. Y por fin el sexo y último estadio sería el que abarcaría desde los años setenta hasta la actualidad, impulsado por el feminismo y las organizaciones de defensa de los derechos humanos. Puede verse también, en español, la revisión de Mª de la Luz Lima Malvido (1998).

tipo de patología o déficit. En concreto se ha sugerido que son deficitarias en instinto maternal o en el sentido moral. Pues bien, a este tipo de razonamiento lo denominaremos *determinismo biológico*. Se trata del defecto que consiste en buscar la explicación del comportamiento humano en la biología, olvidándose de las causas psicológicas, culturales y sociales. Son estas últimas las que marcan la diferencia entre el hombre y mujer dando lugar al concepto de género. Este término se acuñó precisamente para distinguir esas diferencias de aquellas otras que observamos a nivel anatómico o fisiológico —y que constituyen el sexo—.

Lo que las corrientes feministas reprochan a buena parte de la criminología es que no se preocupó de tener en cuenta esta sencilla distinción. Con ello se comportó de forma poco científica, adoptando acríticamente los prejuicios que circulan en la cultura popular sobre las diferencias de comportamiento entre hombres y mujeres. El determinismo biológico puede ser directo e indirecto. Un ejemplo del primer caso son los estudios que intentan relacionar la menstruación o la menopausia, con las respectivas alteraciones hormonales, con la predisposición al delito. En el segundo caso, la biología afecta vía carácter, por ejemplo al predisponer un temperamento más compasivo y benévolo, lo cual llevó a creer a autores como Lombroso o Pollak que en los casos excepcionales en que esto no ocurre, es decir, en el caso de la mujer criminal, ésta actuará de forma mucho más cruel y siniestra que el hombre (*Ibid.:* 21).

Debe añadirse que el determinismo aludido ha sido usado no sólo para explicar la rareza del comportamiento delictivo de la mujer sino también para lo contrario. A diferencia de Lombroso, Pollak explica el "efecto iceberg" proporcional a la delincuencia femenina de la forma siguiente: la mujer comete delitos pero estos permanecen ocultos debido a que está especialmente dotada para la actividad delictiva; su habilidad para engañar y manipular al hombre le permite evitar ser detenida (*Ibid.:* 25). De todas formas, como señala Smart, las posiciones de estos dos autores no están tan alejadas. Porque también Lombroso creía que en el fondo de toda mujer acecha un "inocuo semi-criminal". La diferencia mayor reside tal vez en que si para Lombroso las normas sociales consiguen impedir que afloren las tendencias criminales innatas de la mujer, para Pollak no; el delito se da en el contexto de "amas de casa", madres y esposas, lo que ocurre es que se oculta (*Ibid.:* 25-26).

Así pues, la crítica feminista está especialmente interesada en mostrar los orígenes y efectos de las llamadas *ideologías patriarcales*, conjuntos de ideas aparentemente lógicas que tienen consecuencias reales para el modo en el que se conducen los hombres y las mujeres

(Eagleton, 1987: 100). Ellas son las responsables, por ejemplo, de que el maltrato que sufre la mujer en nuestros días no sea denunciado ni perseguido ni previsto con eficacia, ya que socialmente se ha considerado "normal" cierta violencia en el trato del hombre hacia la mujer en el ámbito privado, en cuanto que forma parte de una relación de clara dominación.

En cuanto al olvido de la mujer en las teorías concretas, Heidensohn destaca tres tendencias importantes en la evolución de la sociología de la desviación del siglo XX que han llevado al mismo (Heidensohn, 1995: 126):

1) Se pasa de ver el comportamiento desviado como algo patológico y anormal a verlo como algo normal e incluso en ocasiones admirable.

2) Los enfoques estructurales —anomia, subcultura, marxismo— dominan buena parte de este periodo.

3) A partir de 1960 observamos corrientes interpretativas que por primera vez convierten el proceso por el cual se llega al comportamiento desviado en algo problemático —pensemos en las teorías del etiquetado—.

Durante la primera mitad del siglo XX, el hecho de tratar la delincuencia como algo normal hizo que no se tuviera en cuenta a la mujer, bien porque era estadísticamente excepcional, bien porque, en el fondo, se consideraba una actitud poco apropiada a su rol. Es lo que ocurriría tanto con la Escuela de Chicago como con Sutherland. Este último, no llega a mencionar la importancia de la diferencia de género a la hora de explicar la delincuencia, no llega a investigarla, tal vez, como sugiere Heidensohn, porque ello hubiera amenazado su teoría de la asociación diferencial, al exigirle un elaborado análisis de las diferencias en la socialización de los dos sexos (*Ibid.*: 132).

A partir de 1950, la segunda tendencia puede resumirse en la apreciación del objeto de estudio por los sociólogos hasta el punto de convertir a los delincuentes en héroes. Por un lado, la criminología parece obsesionada con un subgrupo que constituye su objeto de estudio: los hombres, jóvenes y urbanos. Las mujeres, aparecen alrededor de ellos como un apéndice, como un apoyo, o en todo caso, como el contrapunto adecuado al tema de la dominación masculina. Por otro lado, tanto la teoría de la anomia de Merton, como los enfoques funcionalistas y marxistas tratan con entidades abstractas —las variables estructurales— como la familia moderna, la sociedad americana o el capitalismo pasando por alto los efectos del género. En este punto puede surgir, sin embargo, una objeción. Si es cierto que en estos trabajos se produce una apreciación del sujeto desviado, cuando se trate de la mujer se produciría una valoración que desafiaría los prejuicios sexistas. Este sería el caso por ejemplo de los estudios funcionalistas sobre prostitución —comentado en el apartado correspondiente—, como el clásico de Davis. Y en efecto, se ha señalado por la crítica posterior, cómo al reconocer el autor la función que cumple la prostitución sus conclusiones serían compatibles con las defendidas por el movimiento pro-derechos de quienes ejercen dicha profesión. Sin embargo, incluso en este caso hay crítica, porque Heidensohn descubre que Davis aplica un doble rasero moral, al preferir que se sancionen a las mujeres y no a sus clientes porque lo contrario sería más costoso para el mantenimiento de la propia institución —ya que disuadiría a la clientela, la cual tiene mucho más valor económico que las prostitutas—. Es claro, sin embargo, que las asociaciones que engloban a estas trabajadoras luchan por la abolición de todo tipo de sanciones hacia las mismas (*Ibid.:* 135).

En cuanto al trabajo clásico de Cohen, sobre bandas, adopta la presunción de Grosser, el autor de el trabajo tal vez más citado de entre los no publicados, *Delincuencia juvenil y roles sexuales en la América contemporánea*. En él se sugiere que la delincuencia sexual femenina es el equivalente funcional al robo masculino y al vandalismo y actividades en bandas (*Ibid.*: 136-137).

En cuanto a la tercera tendencia, no parece que los enfoques interaccionistas exploten su ventaja con respecto a los enfoques estructurales. Al dedicar atención a los procesos de etiquetaje y desviación secundaria, podrían fijarse en las diferencias de género. Sin embargo, salvo rarísimas excepciones —que no se aplican a los trabajos más conocidos— no lo hacen. Con Becker por ejemplo ocurre el mismo fenómeno que con Sutherland, reconoce la importancia del fenómeno pero luego no lo estudia (*Ibid.:* 138). En cuanto a los enfoques subculturales, cuya antorcha —como expone metafóricamente Heidensohn— pasa de los americanos a los británicos en los años setenta, el defecto básico consistirá en dedicar las etnografías a la observación central de los chicos. Las chicas sólo aparecen en ellas reflejadas indirectamente, es decir, en cuanto que materia de opinión de los chicos. Clasificaciones sexistas se cuelan en estas descripciones, como aquella que distingue —según los chicos observados— entre dos clases de chicas y que algún autor califica —propiciando el estereotipo—

como "familiar": aquellas con las que se puede probar la hombría y aquellas que están reservadas para el matrimonio (*Ibid.:* 139). La queja de Heidensohn se vuelve aquí amarga: "en casi 50 años de trabajo teórico y etnográfico sobre culturas de la desviación, de Whyte a Willis, *nada* ha cambiado" (*Ibid.:* 140) —en el caso de *cultura profana* de este último autor, la única referencia a la mujeres en el índice y aparece en la sintomática expresión "actitudes hacia"—.

Mención aparte merece la crítica a los enfoques de criminología radical. Los sociólogos británicos que estudiaron la delincuencia en los años sesenta y setenta, por su radicalismo, elevaron al infractor a un estatus superior al de sus homólogos americanos: de héroe a rebelde (*Ibid.:* 134). Además, la "nueva" sociología de la desviación —y en ello se parece a las teorías subculturales y al funcionalismo— se convierte en una "celebración más que en un análisis de la forma de desviación con la que el teórico podría identificarse de forma indirecta" (*Ibid.:* 141). En efecto, la autoproclamada "nueva criminología" (Taylor, Walton y Young, 1981) había tomado la idea del etiquetaje incrustándola en un contexto mayor de relaciones sociales, culturales y políticas. Con ello enriqueció sin duda el enfoque transaccional de la desviación al hacerlo formar parte del análisis de la política económica y las relaciones de clase. Sin embargo, estos análisis ignoraron completamente la cuestión de género (Gelsthorpe, 1997: 515). Y el posterior "realismo de izquierdas", ese conjunto de ideas —según lo describía su propio mentor, J. Young— que emerge en los años 80 como una crítica a la criminología, no parece ser sino una sofisticada versión del paradigma científico moderno, el cual, como se sabe, no considera el género (*Ibid.:* 516).

Autoras como Smart y Naffine han profundizado en la crítica a estos enfoques. Los criminólogos radicales de los setenta criticaron sobre todo dos cosas de la tradición criminológica anterior: su inherente conservadurismo y su errónea forma de teorizar —o en palabras de Young, su falta de sensibilidad para las cuestiones políticas y su abandono de la etiología de la delincuencia— (Smart, 1999: 33-34). Según Young, la criminología postbélica delataba su herencia positivista en su fe en la medicina y en la rehabilitación y en sus explicaciones tocadas de determinismo biológico. En esa época, los ingresos de los ciudadanos alcanzaban su mayor cuota histórica, los servicios sociales se expandieron más que nunca y se lograban cifras récords en la escolarización. Con todas estas tendencias, si la corriente principal de la criminología hubiera tenido un poco de razón en sus planteamientos, las tasas de delincuencia habrían descendido. Pero sucedió lo contrario, por lo tanto, razona Young, la criminología estaba equivocada. Ante ello, el principal objetivo de la criminología radical será buscar una solución al problema del delito, comprometiendo la política socialista en la reducción de las tasas de delincuencia (*Ibidem*). Ahora bien, llegados a este punto, Smart aclara algo fundamental, a saber, que lo que Young critica a la llamada criminología administrativa —debido a que se le consideraba un simple apéndice del Estado en su labor de control social— es precisamente su mencionado abandono del estudio de las causas de la delincuencia. Al calificar dicho abandono como una actitud reaccionaria, Young estaría ignorando, en opinión de Smart, los debates actuales dentro de la sociología y la teoría cultural sobre los problemas de las teorías totalizadoras.

La crítica de Smart se centrará en la fe de Young en la ideología de las grandes narrativas. Es esta ideología la que otorga sentido al término "positivismo". Este habría sido malinterpretado por los radicales. Al hacerse de él una especie de cajón de sastre donde los autores se desahogan y vierten todo tipo de críticas negativas heterogéneas se pierde vista lo fundamental, a saber, que ser positivista nada tiene que ver con la ideología política sino con la postura epistemológica. El positivista puede ser tan socialista como reaccionario y se caracteriza por presumir que puede llegar a establecerse un conocimiento verificable o verdad sobre los acontecimientos, que podemos establecer explicaciones causales que nos proveerán de métodos objetivos para intervenir en los sucesos definidos como problemáticos. Negar el positivismo no significa negar toda posibilidad de intervención, aclara Smart, sino desafiar el postulado modernista de que una vez que tengamos la teoría —la metanarrativa en realidad— que explica todas las formas del comportamiento social, podremos saber qué hacer, siendo la certeza de ese hacer verificable y transparente (*Ibid.*: 34).

Para Naffine, la criminología realista hace ostentación de incluir a las mujeres en sus análisis, pero si se observan detenidamente sus planteamientos subyacentes, se llega a otra conclusión: en la práctica no es fácil ver ningún puente con las teorías feministas (Naffine, 1996: 66). La masculinidad cubre como una capa inconsciente el punto de vista de la criminología radical. Aunque no se diga, el prototipo de víctima general es el hombre, lo cual se observa por la definición de algunos delitos y los contextos a los que se deben asociar, que son públicos. La preocupación por los delitos de ámbito público minusvalora los crímenes cometidos contra las mujeres y especialmente los referidos a la violencia doméstica (*Ibid.:* 65). En ocasiones, los realistas se comportan de una forma más ingenua que realista, como cuando opinan sobre la violencia hacia la mujer. Creen que su rechazo es universal ignorando el hecho de que muchos hombres deben obtener placer de las exhibiciones de violencia dirigida a la mujer, si pensamos en el éxito de la pornografía (*Ibid.:* 64).

6. FEMINISMO Y POSTMODERNIDAD

Las mismas autoras pueden ser citadas como ejemplo del esfuerzo hecho por incorporar al feminismo conceptos del pensamiento postmoderno y posestructural. Naffine critica el feminismo del punto de vista —*standpointism*— por sus implicaciones empiricistas y esencialistas ayudándose de Foucault y Derrida. Estos feminismos han interpretado en ocasiones el concepto de poder de una forma simplista, como si un grupo determinado —constituido por ejemplo por hombres— lo tuviera todo y lo utilizara de forma consciente e instrumental sobre los grupos subordinados —constituidos por ejemplo por mujeres—. Sin embargo, desde una posición foucaultiana, el poder es algo complejo y fluido. Poniéndose ella como ejemplo de mujer y profesora, Naffine escribe: "en ciertos momentos soy una mujer relacionándome con un hombre, en otros soy una profesora que se relaciona con un estudiante, en otros soy una colega que se relaciona con otro colega (…) en ciertos momentos soy una profesora investida de autoridad —formo parte del sistema—, pero en otros, soy una mujer y me constituyo como una subordinada —estoy fuera del sistema—" (Naffine, 1996: 72-73).

En cualquier caso, Naffine insiste en que ninguno de nosotros, seamos hombres o mujeres, ocupemos una posición de poder o de subordinación, estamos libres de los efectos constituyentes de los sistemas conceptuales, marcos de significados que ordenan nuestros pensamientos e informan de nuestras ideas. De ahí el antiempiricismo. La percepción que yo tengo de mí mismo está mediatizada ya por el mundo que me rodea y que intento comprender. Mi visión del mundo está previamente constituida por el conjunto de explicaciones y significados culturales que me rodean. Y esta es también la principal lección que Naffine saca de Derrida. Todos estamos inmersos en un texto, en un lenguaje que es el que nos permite las condiciones del pensamiento concreto. El antiesencialismo es evidente: primero es el lenguaje y luego la idea, no al revés. El mundo no tiene sentido sin un lenguaje, el código de cada cultura (*Ibid.:* 82). El prisma por el que miramos el mundo es un prisma cultural encuadrado en un lenguaje. Es una ilusión pensar que podemos situarnos fuera del cuadro, representando el papel de unos espectadores imparciales y objetivos capaces de descubrir un mundo que ya estaba allí y que es independiente de nuestra mirada. Sobre este planteamiento se abre la estrategia de la deconstrucción. Esta supone una intervención en el funcionamiento del lenguaje destinada a revelar los límites de los conceptos que normalmente no cuestionamos. Deconstruir no es destruir sino observar el modo en el que trabaja el lenguaje, liberando ciertos términos de sus cargas metafísicas (*Ibid.*: 86).

Ahora bien, así como el uso de referencias foucaultianas no supone demasiadas dificultades —por ejemplo la idea de Foucault sobre la complejidad del poder y de la resistencia puede verse claramente expuesta en su *Historia de la sexualidad* (1992)— no sucede lo mismo con la obra de Derrida. En mi opinión, hay todavía mucho que aclarar en el posible aprovechamiento de la obra del filósofo francés por parte de la criminología feminista. Lecturas como la de Naffine tienen más el valor de sugerencias, por otra parte poco sistemáticas en sus conclusiones. Creo que, como mínimo, habría que partir del análisis de los siguientes puntos:

1) las críticas al falologocentrismo,

2) el papel del intelectual "deconstructivo",

3) la aplicación del concepto de "diferancia" al estudio del esencialismo en el género,

4) la utilidad del concepto de "diseminación" para las estrategias de resistencia y de subversión de la mujer[48].

Dentro del análisis sociolingüístico, Carol Smart ha trabajado el tema del sexismo del lenguaje jurídico. El punto de partida es la crítica al esencialismo: sólo si aceptamos que el término Mujer y el término mujeres no son reducibles a categorías biológicas podremos reconocer las estrategias a partir de las cuales la Mujer/mujeres son "creadas", por ejemplo por el discurso jurídico (Smart, 1994: 180). En una exposición que semeja a las explicaciones sociohistóricas de Foucault, Smart se retrotrae al siglo XIX, momento en el que el derecho contribuyó a una

---

[48] Algunas lecturas sobre estos puntos pueden obtenerse en Derrida (1977, 1989ª, 1989b) y en Peretti (1989).

redefinición más rigurosa de la gama de sujetos que tienen género. Para explicar las consecuencias de este hecho, toma una de ellas, la categoría de "mala madre". En la Inglaterra de 1623 surge la draconiana ley sobre el infanticidio, por la cual la mujer debe probar su inocencia ante la muerte de su hijo, pudiendo ser condenada a muerte sin tener en cuenta las circunstancias en las que ocurrieron los hechos tales como la pobreza extrema, o incluso el que el hijo muriera en realidad por causas naturales. Pues bien, la tendencia histórica que se observará en las sucesivas leyes que aparezcan a partir del siglo XIX es a reducir la crudeza de las sanciones pero a aumentar el universo de mujeres sancionables. Así, en 1803 aparece el primer estatuto criminal sobre el aborto, penalizándolo en cualquiera de sus fases. Por otro lado, la edad del consentimiento para casarse se elevó a los 13 años en 1882 y a los 16 en 1885. Esto llevó a que las mujeres jóvenes que se quedaban embarazadas y no tenían la edad para contraer nupcias, fueran sometidas, en la práctica a "un escrutinio legal y filantrópico" (*Ibid.:* 184). En la misma línea debe interpretarse la ley de 1813 sobre deficientes mentales, que facilitará el encarcelamiento de madres solteras basándose no sólo en supuestas deficiencias mentales sino también morales. Todos estos hitos empujan en el mismo sentido, la categoría "madre soltera" es tratada legalmente como problemática y desestabilizadora. En 1623 la categoría afectaba a una minoría de mujeres. Pero a partir del XIX ese grupo no hace sino aumentar: las que no se han casado, las divorciadas, y hoy en día, las llamadas "madres de alquiler" y las que buscan tratamiento para la fecundidad. (*Ibid.:* 186).

Pero Smart destaca también por su esfuerzo por incorporar el concepto de postmodernidad a los análisis feministas. A diferencia de Naffine, se centra más en una dimensión sociológica, al trabajar autores como Bauman. Bajo la equívoca —y sobre todo tantas veces malinterpretada— etiqueta de "postmodenidad", esta postura ha conectado con las críticas filosóficas al estructuralismo, y en general con la crisis del paradigma científico moderno propugnada por autores como Derrida o Lyotard (Gil Villa, 2001: 24 y ss.). La modernidad es una forma de ver e interpretar la realidad, lleva implícita la idea de progreso, se basa en la acción, cree en el conocimiento y el control de la realidad por medio de la previsión, se apoya directa o indirectamente en sus tareas civilizatorias en éticas universalistas exclusivistas —exclusivas de ciertos grupos confesionales o profesionales— y en fin, se apoya en última instancia en una estructura social basada en la desigualdad (hombre-mujer, empresario-trabajador, adulto-joven, político-ciudadano, maestro-alumno).

Para cualquier disciplina, aceptar la deconstrucción de la modernidad supone, cuando menos, aceptar aspectos como la complejidad, la interdisciplinariedad, el sincretismo teórico, la renuncia a la búsqueda de una única causa o grupo de causas conectadas de una única forma, la falta de confianza ciega en la ciencia —sobre todo en cuanto esperanza a acabar algún día con el problema social estudiado de forma definitiva—, la continua vigilancia epistemológica —ese continuo vigilar nuestros métodos de observación de la realidad, ese estilo prudente a la hora de expresar nuestros hallazgos, ese continuo análisis de las presunciones subyacentes de nuestras proposiciones—, la atención reflexiva a las consecuencias no previstas de nuestras proposiciones y propuestas —al menos como hipótesis—.

¿Cumple la criminología estos requisitos? Aunque no puedo aquí contestar con argumentos extensos a esta cuestión, todo parece indicar que, en general, la respuesta es negativa. Sólo tomando uno de los anteriores criterios —y sin enunciarlo como se hace aquí—, el de complejidad, Smart sentencia que "la criminología no puede deconstruir el delito" al no poder ubicar la violación o el abuso sexual infantil en el campo de la sexualidad, ni el robo en el campo de la actividad económica, ni las drogas en el campo de la salud. Porque de hacerlo estaría abandonando la criminología a la sociología, y sobre todo, estaría abandonando la idea subyacente y principal de un problema unificado que requiere una respuesta unificada, al menos a nivel teórico (Smart, 1999: 39). Antes al contrario, la criminología tiene el defecto general de categorizar una gran variedad de actividades tratándolas como si estuvieran sujetas a un mismo tipo de leyes.

Para Smart, la forma en que se construye el conocimiento feminista conlleva implicaciones para la actividad política. La perspectiva postmoderna nos invitaría a reconsiderar las bases últimas de lo que pensamos que sabemos. Se privilegia el análisis del discurso, tanto de los patriarcales como de los feministas. Entre estos últimos, y siguiendo a Harding (1996), Smart se desmarca no sólo de las posiciones empiristas —con su confianza en el estudio objetivo de la realidad de la mujer basándose en datos verificables que llevan claramente a políticas emancipatorias— sino también del feminismo del punto de vista que universaliza la experiencia y el concepto de mujer. El sujeto cartesiano femenino se disgrega en una polifonía, en un pluralismo de formas de entender la vida y de propuestas.

¿Cuáles serían las ventajas del feminismo postmoderno de Smart? Drakopoulou, en su comentario crítico de la trayectoria de Smart, señala que serían al menos dos. La primera, la recién señalada pluralidad de enfoques, la cual se supone que enriquecería la corriente. Sin embargo, esta posibilidad se contradiría con la tendencia de Smart a tratar la historia del feminismo desde un prisma evolucionista. Smart aplicaría la idea del progreso. La sucesión histórica de distintas etapas sería un enfoque diacrónico que negaría la visión sincrónica de coexistencia de varios feminismos (Drakopoulou, 1997: 111). La segunda supuesta ventaja del enfoque de Smart también sería discutible, según la autora crítica. Smart insistiría en la perspectiva epistemológica, como hemos visto, pero en el fondo, sólo en algún trabajo suelto analiza la producción del conocimiento feminista. Más bien, en la práctica se centraría en una perspectiva ontológica, al criticar el esencialismo del sujeto femenino. Pero Smart estaría reforzando el concepto de verdad al insistir en lo que es falso en los otros feminismos. Por que, "¿cómo puede alguien reconocer que algo es falso sin aceptar que posee la verdad, o al menos que es el poseedor de una "verdad mejor"?" (*Ibid.:* 113).

En realidad, Smart estaría, tal vez a su pesar, introduciendo sus propias formas de universalismo y sus propias normas prescriptivas de una forma similar a las proposiciones políticas previas criticadas. Por ejemplo, al aceptar el objetivo de combatir la opresión de la mujer estaría reconociendo un imperativo universal para el feminismo. Conceptos como resistencia o libertad son igualmente valores universales (*Ibid.:* 115). De igual forma, Smart presentaría, siempre según la misma crítica, su propia política como una necesidad, al defender que el *único* camino crítico del feminismo consiste en observar la ley como un lugar donde se disputan los significados de género (*Ibidem*).

Al centrarse en el análisis del discurso, el problema sería la falta de referentes. Para identificar la mujer del discurso legal como construcción se debería poder comparar con el discurso de la mujer real, pero como ¿cómo podemos identificar éste último? (*Ibid.* 117) Por ejemplo, su crítica del discurso legal sobre la mujer violada necesitará comparar el tratamiento y definición de las leyes con el discurso de las mujeres violadas concretas y reales. Este sería el referente que haría posible la crítica al discurso legal. Pero entonces, parece como si se aceptara que hay algo de esencial y puro en la materia del discurso "real" que haría falso el discurso sobreimpuesto y artificial de la ley. La crítica aquí sería que la crítica feminista postmoderna al necesitar del estatus ontológico de la mujer violada de la mujer que ha sido realmente víctima de violación, acaba contradiciéndose porque la crítica depende entonces de aquello que se supone que iba a trascender, a saber, la existencia de un sujeto femenino trascendental (*Ibid.*: 118).

Hasta aquí la crítica de Drakopoulou. La conclusión de esta autora es que el feminismo postmoderno no nos proporciona un medio de evitar ni el dogmatismo ni el escepticismo. A continuación, sin embargo, expondré una serie de argumentos contracríticos en defensa de la posición de Smart y del enfoque postmoderno.

1. Creo que la discusión se aclara más si comenzamos por observar las implicaciones del valor relativo de la verdad. Reconocer que la verdad, toda verdad, ha sido construida por ciertos agentes en un momento y tiempo determinados, no significa que se tenga un pensamiento alternativo. En este sentido, el término "deconstrucción" avisa ya de la autonomía de la crítica, la cual sólo aspira a desvelar las fases de la construcción, y por tanto, en cierto sentido, a destruir dicha construcción, al menos simbólicamente, ideológicamente —puesto que toda construcción, como todo edificio, se rodea de una mitología a través de la cual la contemplamos—. El propio constructivismo significa únicamente que la realidad puede construirse y por tanto deconstruirse si encontramos el mapa del arquitecto, la claves de la construcción. Pero tras el velo no esperamos ver la verdadera realidad. Tras el velo, tal vez podemos descubrir las ruinas de otro edificio, las cuales a su vez podríamos investigar —sus funciones sociales— pero en el acto de desvelar no esperamos nada. "Si el genealogista —escribe Foucault— se toma la molestia de escuchar la historia más bien que de añadir fe a la metafísica, ¿qué descubre? Que detrás de las cosas hay "otra cosa bien distinta": no su secreto esencial y sin fecha, sino el secreto de que no tienen esencia". (Foucault, 1988: 18).

Tras la realidad deconstruida puede haber otras realidades construidas pero en todo caso, lo que esperamos no es eso sino la nada. Tras la realidad construida está la nada, y sobre ella, como un ejercicio de supervivencia, grupos sociales fabricando identidades con materiales e ideas más o menos coherentes. Además, el intelectual crítico aquí no tiene ya el papel del intelectual orgánico. Mucho más modesto es su papel, al admitir desde el realismo que los intelectuales no son los únicos que definen la realidad, y al renunciar en todo caso a esa posibilidad en caso de existir, no sólo por la repulsa a todo paternalismo, sino porque la historia ha demostrado que luego hay consecuencias negativas y contradictorias con los objetivos, que ocurrieron y provocaron el arrepentimiento. En todo caso, como puede verse ya en la tradición de la obra de Nietzsche, el demoledor o deconstructor, el "filósofo a martillazos" es diferente e independiente, en principio, de las empresas constructoras. Quien critica la verdad no tiene por qué tener otra verdad mejor escondida.

2. Evidentemente, Smart y en general el pensamiento posestructuralista, abraza ciertos valores que pueden considerarse universales, tales como la libertad y el derecho a la resistencia a todo poder —en parte anejos al individualismo—, y el respeto que ello supone a la libertad del otro, lo cual tiene implicaciones morales. Pero esa no es la cuestión. El posestructuralismo nunca dijo que renunciaba a ciertos mínimos, como no puede renunciarse a un lenguaje si se quiere que haya entendimiento. El problema está en los límites, en la definición de esos mínimos. La diferencia en el conjunto de cosas admitidas y de formas de operar es tal que justificó el bautizo de una nueva forma de investigar y encarar la ciencia. En el caso que estamos comentando, para ser más explícitos, el feminismo postmoderno sencillamente no puede tener un programa político y los aspectos positivos que la autora crítica cita de Smart, y a los que se agarra como un clavo ardiendo, difícilmente van a convencer a los lectores, puesto que son demasiado vagos. Por supuesto que se puede defender la perspectiva de análisis de la ley como campo de lucha de definiciones sobre la mujer. Pero ni Smart ni ninguna feminista de este enfoque negará que puede haber otras perspectivas de análisis. Lo que se dice es que ésa es la que propone el feminismo, y la propone porque está demostrado que es lo suficientemente potente y rica como para entender buena parte del funcionamiento de la ley sobre todo si se persigue el objetivo de la igualdad de la mujer. Ahora bien, no hay prescripciones políticas positivas, por ejemplo, no puede defenderse *a priori*, en mi opinión, el principio de discriminación positiva. En algunos casos podrá y en otros no, en aquellos en los que, tras establecer un meticuloso balance de factores y consecuencias, la ventaja creada no compense el daño moral —más que jurídico— que se causa al otro. Podemos establecer aquí una comparación con la filosofía en el plano personal. Hay, como decía Ortega y Gasset, lo que se ha solido llamar "hombres de principios" y otros que como él confesaba de sí mismo, no lo eran. Las feministas, desde la perspectiva posestructuralista, tampoco podrían serlo.

3. En relación al discurso puede aplicarse el razonamiento del primer punto. No es necesario tener un referente como alternativa para analizarlo. En el caso de las mujeres víctimas de violación, y si utilizamos el sentido común en vez de la retórica, parece bastante oportuno que se contrasten los testimonios y las experiencias de las víctimas con la definición de la mujer que subyace tanto en los códigos como en las

decisiones judiciales y en los tratamientos por el resto de los agentes. No se entiende por qué ello debe implicar asumir la existencia un concepto esencial y universal de la mujer víctima. La única presunción es que las mujeres víctimas de delitos sexuales que compartan de una misma época y un cierto espacio común muy probablemente compartirán aspectos de sus experiencias y puntos de vista que, de ser, ordenadas y explicitadas, podrían ayudar a entender su sufrimiento y a disminuirlo en casos futuros. Esto no es ningún tipo de presunción ontológica, como puede verse claramente. No se afirma que la mujer víctima es un ente perfectamente coherente y universal. Pensemos para ilustrar este malentendido en la terapia en grupo. Nadie duda de su validez pero ninguno de sus defensores admitiría que se basa en que los reunidos —quienes comparten un mismo problema— constituyen un ser diferencia-do.

LOS ENFOQUES CIRCUNSTANCIALES

¡La circunstancia! ¡Circum-
stantia! ¡Las cosas mudas que están
en nuestro próximo derredor!

(José Ortega y Gasset,
Meditaciones del Quijote, 1914)

I
El sujeto infractor y su circunstancia

1. INTRODUCCIÓN

Los enfoques circunstanciales constituyen uno de los prismas socio-lógicos —como aparatos conceptuales y heurísticos— que más probabi-lidades tiene de abordar el estudio de la delincuencia desde una perspec-tiva compleja y acorde con la evolución epistemológica de las ciencias sociales y de los valores culturales de nuestra época. A lo largo de esta segunda parte se ofrecerán argumentos a favor de esta idea. De entrada y a modo de justificación resumida, podemos decir que la perspectiva propuesta es —o puede ser—[1]: 1) esencialmente sociológica, 2) bastante coherente con la evolución de los paradimas científicos en esta fase tardía de la modernidad, 3) bastante coherente con los valores culturales que nuestra época, y 4) con vocación práctica y compatible con el valor ético de la responsabilidad del investigador.

¿Qué significa esencialmente sociológica? Es verdad que hay varias teorías del delito y de la desviación claramente sociológicas. Sin embar-go, los enfoques circunstanciales nacen precisamente como oposición consciente al estudio de la delincuencia desde la perspectiva de la motivación. También se dirá que esta oposición ya se advierte en otros enfoques. La diferencia está en la vigilancia epistemológica dentro de un sistema teórico coherente. Los enfoques circunstanciales son los que más vigilan al fantasma de la motivación, que está siempre al acecho y acaba emergiendo en algunos casos incluso al margen de la voluntad de sus autores. Por otro lado, dicha vigilancia, constante y consciente, no paga el precio de su desvanecimiento científico, como en el caso de algunas aportaciones interaccionistas o fenomenológicas. Aquí, los

---

[1]   Es oportuno avisar a los lectores desde el principio que estas características no se hallan siempre logradas de hecho sino que son potenciales y han sido extraídas no sólo tras un trabajo de examen de la coherencia de los estudios de los enfoques sino tras una interpretación personal que señala posibles desarrollos.

resultados son expuestos de forma ordenada y sistemática, basados en hipótesis previas y sobre todo falsables, por lo tanto, siguiendo el esquema científico utilizado es el de la objetividad basada en el consenso.

Esto no quita para que, al mismo tiempo y en parte paradójicamente, los enfoques circunstanciales estén "a la altura de los tiempos" en el sentido de reflejar los embites que ha sufrido el paradigma científico tradicional moderno. Dicho de otra forma: para los enfoques circunstanciales las leyes de la delincuencia son, en principio, newtonianas, lo que permitirá su prevención, pero no totalmente. La inestabilidad forma parte de los propios cimientos de la teoría. Es como si el edificio teórico fuera comparable a esos rascacielos japoneses, construido sobre bases móviles, a la espera de posibles seísmos. De ahí que establezca un complicado equilibrio entre el sujeto y la circunstancia. Podemos decir que los enfoques están preparados para reconocer que, junto con las leyes de Newton, también nos rigen las leyes del caos, que la delicuencia y la infracción de la norma funciona en determinados momentos y regiones como un sistema no lineal.

La desacralización de la ciencia coloca al científico en una posición de inseguridad o si se quiere de humildad. Pero también ocurre esto con el propio sujeto. También cede a lo largo del siglo XX la tentación a cierta deificación del individuo. El descentramiento del sujeto —de la voz, de la presencia, de su poder, como se nos dirá desde distintas posiciones filosóficas posestructurales— puede verse reflejado en los enfoques circunstanciales en la naturaleza de la racionalidad del sujeto infractor. Se optará por una modalidad "limitada" de la misma, renunciando a la versión más ambiciosa e idealista de las teoría económica clásica. También puede decirse que se presentará de forma impura, es decir, mezclada con componentes de varios tipos de racionalidad, no solo instrumental.

Sin embargo, debe subrayarse que el sujeto infractor es racional. Esto es, no se renuncia al estudio y comprensión de su comportamiento, que se cree posible. En este sentido, los enfoques circunstanciales no caen en los peligros opuestos al idealismo científico, y que se observa en *ciertas* versiones del pensamiento tanto postmoderno como neomarxista o anarquista. Para las primeras, el delincuente sólo puede ser contemplado de forma estética, desde una distanciada y escéptica posición que ha renunciado previamente a luchar por la justicia. Para las segundas, la mayor parte de la delincuencia está justificada precisamente desde el punto de la justicia social, ante la desigualdad social. Frente a ellas, los enfoques circunstanciales son compatibles con valores básicos del individualismo liberal. En este sentido, por ejemplo, asumen el derecho a la propiedad privada —cosa que algunos criminólogos radicales interpretarían como una defensa de la injusta estructura social—, o el valor de la responsabilidad, sin el cual se corre el riesgo de disculpar al sujeto echándole la culpa siempre a la sociedad. Esto tampoco significa que se opte por lo contrario, es decir, por una ideología liberal a ultranza en la que la política social no sea en parte responsable de buena parte de las infracciones. Pero como sucede en el caso del complicado esquema de la reacción social y de la etiqueta, el investigador debe aspirar a salir de las dos posturas extremas y lograr un equilibrio entre la responsabilidad y la acción consciente del sujeto y la presión de la estructura o de las expectativas de los otros en la interacción social. De otra forma, es imposible construir una sociedad mejor, en el sentido de un estado de cosas en el que se evite la mayor parte del sufrimiento.

La teoría del control de T. Hirchi —y su posterior obra con Gottfredson—, el enfoque de las actividades rutinarias de M. Felson y la perspectiva de la acción racional de R.V.G. Clarke y D. Cornish, constituyen el núcleo central de lo que aquí llamo la aproximación criminológica de la circunstancia. La calificación señalada, o el estatus —enfoque, perspectiva o teoría—, es la que los propios autores suelen utilizar. Los tres parten de los mismos presupuestos, comparten similares mismas características metateóricas y presunciones subyacentes, y pretencen cumplir el mismo objetivo o aportación en la historia del pensamiento criminológico y de la desviación. Pero sobre todo, es el diálogo que se establece entre ellos lo que hace que aquí los consideremos dentro de un mismo enfoque. En los libros colectivos, así como en algunos ensayos, parecen asumir, en efecto, dicha pertenencia, aunque con algunas reservas. Esto hace que sea posible proponer un tratamiento colectivo de sus tesis —lo cual facilitará su divulgación, la comprensión de su alcance y los comentarios críticos destinados a su reorientación—, como aquí hacemos. Sin embargo, dicha propuesta exige el esfuerzo de averiguar las presunciones subyacentes y rasgos metateóricos que las animan —más allá de las reflexiones al respecto hechas por los propios autores— así como analizar atentamente la relación que se establece entre las tres partes, entre ellas y por fin entre ellas y el resto de posiciones teóricas dentro y fuera del campo criminológico.

Aunque algunos de estos autores declaran cierta afinidad con otras aproximaciones, aquí procederemos con cautela. Serán consideradas las similitudes pero, de entrada, no podemos caracterizarlas como circunstanciales porque sus autores no parecen formar parte tan conscientemente de la misma perspectiva o porque podrían formar parte de otras, como sucede en el caso de los trabajos sobre el espacio.

El número de aspectos básicos reconocidos por los autores varía. En algunos casos aparecen tres, en otros se hace mención especial de dos o de uno; Cornish, en fin, recoge cinco en una de las listas más exhaustivas que encontramos, referida a la perspectiva de la acción racional[2] (Cornish, 1993: 364). Aquí propondré un análisis basado en los dos rasgos más generales que configuran el núcleo lógico de los enfoques, a saber: la circunstancia y el sujeto infractor, o al revés, el sujeto y su circunstancia, puesto que justamente se trata de aquilatar el protagonismo de cada uno de estos aspectos en relación al otro.

2. EL PAPEL DE LA CIRCUNSTANCIA

Si reducimos el esquema del delito al máximo encontraremos dos elementos imprescindibles: el sujeto delincuente y las circunstancias que rodean al acto delictivo. Puede que no haya víctima pero siempre habrá un yo y una circunstancia que rodea a este yo. En general, las distintas tradiciones criminológicas incidieron siempre, fuera cual fuere la perspectiva adoptada —psicológica, biológica o sociológica— en el sujeto que rompía con la norma, en el primer elemento del esquema. El yo era el protagonista y las circunstancias del delito quedaban en un segundo plano, digno tal vez de la atención de los detectives en la literatura. Y como no es difícil sostener que el yo, la persona o el ser humano, no ha variado mucho en los últimos miles de años, era fácil caer en la tentación de explicar la delincuencia recurriendo a la predisposición a la misma que muestran algunos seres, bien por genética bien por el ambiente en el que han sido socializados. Como dice Cornish, "la constante presión hacia la patologización de los motivos y del comporta-

---

2   La racionalidad de la acción humana; su naturaleza interaccional, transaccional y adaptativa; la necesidad de estudiar las percepcionesde los infractores, la toma de decisiones y las opciones como indicadores de esos procesos interaccionales, así como los productos; la necesidad de una aproximación específica al delito, enfatizando el rasgo distintivo de las interacciones delitivas entre los sujetos y sus situaciones; y la necesidad de separar los sucesos de los procesos de implicación para reflejar las diferencias en las variables, secuencias de decisión y escalas de tiempo.

miento del delincuente es un factor imposible de evitar en la disciplina"
(*Ibid.:* 365).

Los enfoques *circunstanciales* aparecen como una reacción a esta forma
dominante de estudiar el delito (Clarke y Felson, 1993: 4). Incluso en el caso
que más se preocupa por factores que el sujeto va definiendo en su
socialización, que es el de Hirchi, observamos cómo ciertas propiedades
definidas a nivel individual, tales como el género, la edad o la pertenencia
a bandas, son consideradas como "situacionales". Y aunque algunos de los
autores de los que hablamos utilicen en inglés el término "situacional" —
situational variables, situational crime prevention, etc.— nosotros los
bautizaremos con el calificativo de circunstancial en honor al filósofo
español Ortega y Gasset, conocido precisamente por haber dado a la
circunstancia un valor revolucionario frente a la tradición idealista. En
efecto, la "razón vital" de Ortega, su pensamiento vitalista, se basaba en
equilibrar el yo como sujeto privilegiado de la atención de los filósofos, con
la "circunstancia", que para él era un conjunto de cosas que forman parte
de la vida de cada cual, la cual es única y hasta cierto punto insondable, y
que forman parte de la misma ya sea como presencia, ya sea como ausencia
(Zamora Bonilla, 2002: 293).

Sirve pues el paralelismo para entender el objetivo de los criminólogos
aludidos, y ello no sólo porque nos ayuda a reducir el esquema mental a su
mínima expresión con sentido lógico, sino también porque vienen a estar
animados, los dos pensamientos, por una interesante sintonía sociológica
con los tiempos que corren. Al ser la inestabilidad un signo claro de nuestro
tiempo, es posible encontrarla reflejada en las teorías que intentan explicar
la acción social. Por otro lado, todo pensamiento que reivindique el papel de
la circunstancia será propenso a reflejar de una forma más o menos directa
la inestabilidad. Este fue el caso de Ortega, a quien le gustaba comparar al
hombre moderno con un náufrago (Ortega y Gasset, 1983:565; Molinuevo,
2002: 194). En el caso de nuestros enfoques, la inestabilidad se percibe por
los dos motivos. Porque asumir que el delito depende en buena medida de
sus circunstancias supone, en el fondo, admitir el azar, y ello pese a que,
como sucede con las teorías del caos, este azar pueda ser en parte
exorcizado, es decir, determinado. La previsión, que es el objetivo primor-
dial, se consigue pero sólo en ciertos niveles, como veremos en el correspondiente apartado.

Pero volviendo a la circunstancia, si el corolario tal vez más importante
de la revalorización de la misma a la hora de romper con la norma, es la
minusvaloración del yo, la caracterización de éste como frágil sería una de
las posibilidades abiertas y, en el fondo, una de las tentaciones que estarán

continuamente presentes, como veremos, y sobre la que deberá aplicarse la vigilancia epistemológica. La tentación de definir al sujeto por su fragilidad es mayor si consideramos que no viene sólo inducida por postulados teóricos previos, como acabamos de afirmar, sino también por el contexto social inestable. El ser humano es de suyo inestable: "todas las personas tienen alguna probabilidad de cometer un delito y de ser delincuentes en un momento dado y ciudadanos respetuosos con la ley en el momento siguiente" (Clarke y Felson, 1993: 10). Pero en general no reconocemos esta posibilidad. Nos fabricamos una imagen falsa tanto de los delincuentes como de nosotros mismos. Es lo que Felson llamará posteriormente la "falacia del No-Yo" (Felson ,1998: 10). "¿Delincuente yo? ¿Ladrón yo? ¡Pero si no he roto un plato en mi vida!, exclamamos. Borramos de la memoria todos aquellos pequeños o no tan pequeños actos ilegales que hemos cometido a lo largo de nuestras vidas. Aunque Felson no lo dice, este hecho —constatado en las encuestas cuando la mayoría dice que no ha robado últimamente porque "no podría hacer nada malo"— forma parte de un fenómeno que ha sido estudiado por los psicólogos. Nos negamos a admitir la realidad cuando atenta contra nuestra imagen del yo de forma que pone en peligro la coherencia de nuestras autopercepciones. En realidad se trata de un mecanismo de defensa que opera a niveles semiconscientes, es decir, que no controlamos. Así, alguien puede estar viendo algo e inmediatamente olvidar que lo vio porque reconocerlo le provocaría un gran sufrimiento (Goleman 1997).

Ahora bien, ¿podemos deducir entonces que los autores *circunstanciales* basan el supuesto de la potencial criminalidad de la persona en esos descubrimientos psicológicos? No exactamente. Una cosa es no reconocer que se ha roto con la norma para no tener una imagen negativa de uno mismo y otra cosa es pensar que romperemos con la rompa siempre que se den las circunstancias externas adecuadas. En el primer caso entra el juego el sentimiento de culpa y la moral. En el segundo no. Podemos recordar aquí la distinción que hace Freud entre ser culpable" y "sentirse culpable" y que vimos en el debate sobre el autocontrol de la primera parte. Uno puede haber cometido una falta y sin embargo no sentirse culpable. En este caso, "es" culpable si ha sido detenido y se prueba que cometio dicha falta. Por otro lado, uno puede sentirse culpable sin haber cometido la falta[3].

---

[3]   Recordemos que la tensión entre el yo y el superyo, que da origen a lo sentimientos de culpabilidad, es clave en los planteamientos de Freud para entender el paso

Pero lo que dice Felson es que si no romperemos con la norma no es debido a que tenemos interiorizada la conciencia moral sino, sencillamente, porque la oportunidad no es lo suficientemente atractiva. O dicho de otra forma, porque no nos han ofrecido el precio suficiente. En efecto, Felson cuenta una anécdota entre Winston Churchill y Lady Astor en la que aquel le ofreció cinco millones de libras por dormir con él. Lady Astor le respondió: "¿pero qué se cree que soy?", a lo cual respondió Churchill: "Bueno, eso ya ha quedado claro; ahora sólo se trata de ajustar el precio"[4].

Pues bien, he aquí la diferencia. Seguramente hay dos tipos de personas, las que piensan que todos tenemos un precio y por lo tanto admiten que "se venderían" y las que no lo piensan o no se venderían en ningún caso debido por causas morales. Estos últimos también pueden romper con la norma o venderse en alguna ocasión, pero cuando eso ocurra no será fácilmente predecible, como en el otro caso, porque nada tendrá que ver con el precio sino con complejos procesos psicológicos. Porque la "voz de la conciencia", como podemos describir a la moral, proceda de las fuentes que proceda, no es una instancia fija, no es una voz que habla siempre con la misma intensidad. Freud mostró cómo puede sufrir variaciones en función de las experiencias que tiene el individuo no sólo con los padres sino también posteriormente en la escuela o con otras figuras de autoridad. Y cuando la fuente es claramente religiosa, también observamos cómo sufre vaivenes, por ejemplo en las hagiografías. Pero no está claro que una persona que, en términos

---

fundamental de represión de los instintos sexuales y agresivos antisociales. Esto se logra precisamente volviendo dicha energía contra el propio individuo. El superyo o conciencia moral para Freud utiliza contra el yo la agresividad que de otra manera se canalizaría hacia afuera. De ahí la importancia del sentimiento de culpa, pues en el se halla la base del malestar de la cultura. Recogemos esta explicación como un ejemplo clásico más —otro sería el religioso— que resaltaría la importancia de instancias morales interiores, al margen de los detalles que toma y del sentido general de la teoría en la que encaja, en este caso el psicoanálisis.

4   Circula entre nosotros una anécdota —o tal vez sea sólo un chisme— parecido. Al parecer, un alumnos se acercó un día a nuestro ilustre don Jacinto Benavente después de una de sus brillantes clases universitarias y le espetó: "don Jacinto parece mentira que un genio como usted sea homosexual". El profesor le preguntó entonces al alumno si estaría dispuesto a dejarse sodomizar por cierta cantidad de dinero. El alumno respondió que por supuesto que no pero dudó cuando el profesor subió la cantidad a cifras astronómicas. Entonces le dijo: "lo ves, todos tenemos un precio".

religiosos, cae en la tentación una vez, vaya a caer de nuevo una segunda vez en circunstancias similares. Algo que sí ocurrirá en "la filosofía del precio". Por tanto, la diferencia está en la previsibilidad de los comportamientos delictivos o rupturistas.

2.1 Dos niveles de circunstancias

El modelo de análisis que se plantea diferencia cualitativamente distintos niveles de un mismo objeto de estudio y en este sentido podríamos calificarlo de complejo. Dentro de un primer nivel distinguiríamos cada tipo de crimen para estudiarlo de forma específica. Y ello al menos por dos razones: porque cada delito tiene que ver con necesidades diferentes, y porque la información que se maneja en la toma de la decisión delictiva varía enormemente según las infracciones. Incluso dentro de un mismo tipo de delitos, como el robo, no nos debemos conformar con las distinciones al uso en criminología. Puede no ser suficiente con distinguir entre robos en viviendas y robos en comercios. Hay que distinguir también entre robos en barrios de clase media, en viviendas proporcionadas por las administraciones públicas y en barrios residenciales de lujo. (Cornish y Clarke, 1986: 2)

En un segundo nivel debemos distinguir, según los autores, entre la comisión de un acto delictivo concreto y la implicación general de un sujeto en la actividad delictiva. Podríamos decir que una cosa es cometer una infracción y otra ser un infractor. Lo segundo, ser un infractor, conlleva un tipo de decisiones y de información compleja, diversa y sedimentada en largos periodos de tiempo. Entran en juego aquí consideraciones que nada tienen que ver con el delito en sí, sino con las circunstancias de la historia de vida del sujeto. Por su parte, las decisiones que tienen que ver con el acontecimiento infractor concreto constituyen normalmente procesos más cortos y utilizan información relacionada con las circunstancias más inmediatas (*Ibidem*). De acuerdo con esta distinción será posible estudiar, en teoría, tanto la entrada, continuacion y salida de un sujeto en el mundo de la delicuencia, como los factores que lo empujaron en un momento y lugar determinados a delinquir. Como veremos más adelante, los autores de los distintos enfoques intentarán dividirse para dar cuenta de esas dos grandes tareas, no sin ciertas tensiones. Existen ciertas ventajas, teóricas y empíricas, de la distinción aludida. Pensemos, por ejemplo, que si las causas de la criminalidad son relativamente independientes de las del delito, la tasa de robos en viviendas podría variar sin que cambie el número de ladrones potenciales. A su vez, dichos robos podrían ser estudiados con éxito sin relación con otro tipo de delitos, como asaltos o violaciones, de manera que la aplicación de medidas preventivas para los primeros no tendría por qué —si los postulados asumidos son ciertos— suponer un aumento de los segundos (Hirschi, 1993: 114). Es importante aclarar en este punto que esta idea no es incompatible con la de la versatilidad y falta de especialización de la mayoría de los delincuentes. Porque los potenciales infractores buscan, en general, satisfacciones rápidas, de manera que entre sus acciones se mezclen las actividades ilícitas con otros equivalentes funcionales, tales como el beber alcohol, conducir rápido o ausentarse del trabajo. Esto significa que pocas veces se especializan en un sólo tipo de delitos. Pero la alternancia en los mismos no impide que la investigación y la prevención los analice por separado puesto que cada uno tiene sus propias características.

3. LA RACIONALIDAD DEL SUJETO DELINCUENTE

La racionalidad del sujeto nada nos dice de la circunstancia que lo rodea, por lo tanto debe tratarse como una característica diferenciada. Es cierto que el elemento circunstancial es el *leiv motiv* de estos enfoques, y que eso obliga, en cierto modo, a una minusvaloración del yo. De ahí que cuando Felson desarrolla los tres elementos de su teoría "química del delito", blanco, vigilante y probable infractor, pasa como de largo por el tercero, reconociendo tímidamente que ese tal vez no sea el elemento más importante (Felson, 1998: 73). Podríamos comparar esos factores con un enchufe donde el blanco u objetivo del delito representa el polo positivo y el vigilante representa el negativo —para que el delito se cometa debe estar ausente—. En ese caso el agresor haría de "tierra", un elemento anodino, neutral, un hipotético "alguien" que como puede ser, por definición, cualquiera de nosotros, permanece por eso mismo impreciso y misterioso.

Ahora bien, el hecho de que el yo resulte como empequeñecido al lado de la circunstancia no implica que se le convierta en un sujeto imbécil. Antes al contrario, su minusvaloración queda corregida, si cabe, con un rasgo fundamental de estos enfoques, a saber: la racionalidad. Quienes violan la norma, saben muy bien lo que hacen: buscan beneficiarse de una acción delictiva. Pero, ¿qué signica exactamente que el transgresor sea "racional"? ¿Significa que se comporta como el *homo economicus* en el mercado? No. Nuestros autores se apresuran a matizar. Si bien el modelo extraído de la teoría económica clásica y de la filosofía utilitarista puede servir de referencia última, lo cierto es que las diferencias son sustanciales. He aquí los motivos por los que los criminólogos rechazan el enfoque económico (Clarke y Felson, 1993: 5):

1. Reduce los beneficios de delito a recompensas materiales —normalmente dinero—, dejando de lado todos aquellos que no pueden traducirse a términos económicos.

2. Los economistas no son sensibles a las diferencias entre tipos de delitos —cada uno con sus costos y beneficios específicos—, tendiendo a subsumirlos en la categoría general del crimen.

3. No pueden considerarse en un plano de igualdad los costes y los beneficios porque entonces se infravalora las dificultades del sistema para castigar a los infractores, lo fácil que les resulta a éstos escapar de la ley.

4. Las estadísticas dicen que lo que roban los empleados excede a lo que roban los clientes. ¿Cómo puede considerarse el crimen una opción profesional cuando algunas ocupaciones ayudan a la gente a cometer delitos?

5. Por otra parte el modelo de la "opción profesional" ignora la delincuencia juvenil. Muchos de los delitos son cometidos por personas que todavía no forman parte de la población activa.

6. El modelo de mercado no da cuenta de una gran parte de delitos ordinarios en los que puede que haya una oferta de víctimas pero desde luego no puede decirse que sea por opción voluntaria. Unicamente tiene posibilidades más claras en delitos sin víctimas, como la droga y la prostitución.

7. El modelo matemático requiere datos estadísticos que en general no están disponibles por lo que las inferencias son arriesgadas.

8. Por último, la imagen del criminal frio y calculador que se desprende del modelo nada tiene que ver con la realidad de la mayoría de los delincuentes que resultan ser simples oportunistas.

Los criminólogos de las circunstancias toman sin dudar la decisión de apostar claramente por el concepto de "racionalidad limitada", frente al modelo económico clásico de maximización de los beneficios. Ante los dos Premios Novel, H. Simon y G. Becker, se alinean claramente con el primero. Dicha decisión es posiblemente la más sensata y rentable a largo plazo, y probablemente deba ser entendida en el contexto de definiciones negativas que exige la delimitación del objeto de estudio de todo enfoque que se abre paso en la historia de una disciplina. Ahora bien, dicho esto, no deberíamos ignorar que contamos con el esfuerzo de Becker por aplicar su modelo a la delincuencia mientras que en el caso de Simon, como veremos, su visión de la racionalidad tiene una virtud más promisoria que real, no solo porque no ha sido trabajada por su mentor expresamente en sus conexiones con el delito, sino porque incluso en un plano general no ha cuajado todavía, a día de hoy, en una teoría precisa. Por otra parte, es posible mantener que los valores que animan a Becker son los mismos que animan a Simon y que también comparten algunos de los obstáculos principales en sus respectivas propuetas, lo cual es lógico si pensamos que los dos trabajan el concepto de racionalidad.

3.1. G. Becker y el modelo económico

El objetivo de Becker es calcular la cantidad de delitos que *deberían* permitirse y de delincuentes que *deberíamos* dejar sin castigar para lograr disminuir la pérdida social que ocasiona la delincuencia (Becker, 1968 :170). Dicha pérdida es la suma de los daños ocasionados por los delitos más los costes empleados en la detención y procesamiento de los delincuentes así como, en un paso posterior, de la naturaleza y el tiempo de la pena impuesta —por ejemplo, años de prisión—. La intervención para minimizar el coste podrá dirigirse a la probabilidad de que los delincuentes sean detenidos y juzgados y a la decisión sobre la forma y tiempo de la pena. En este punto se parte del presupuesto de que el potencial delincuente se orienta de modo racional, o sea, comparando los riesgos y los beneficios de las opciones legal e ilegal. Un trabajo parcial y mal remunerado ofrecerá menos recompensas y menos rápidas que un robo. Un cambio en el sistema penal afectará menos su decisión, a la hora de calibrar los riesgos, que un cambio en las probabilidades de su detención y procesamiento. Es decir, tendrá más en cuenta la dificultad del hecho delictivo en sí que la pena que le espera —en cuanto *risk preferrer* que es—. De la misma forma, otro de los supuestos que se aceptarán es que un aumento del daño causado por el delito tenderá a provocar un aumento de los valores óptimos del gasto en la probabilidad de la detención y en la forma de la detención. De ahí que delitos como el homicidio o la violación deberían, de acuerdo con esto, tener una mayor probabilidad de ser resueltas en la investigación como casos y de ser sancionadas con castigos más severos.

El esquema se inclinará lógicamente por ciertas modalidades de sanción, como las multas, las cuales constituyen probablemente la forma más sencilla y menos dramática de recomponer el equilibrio roto por los delitos desde el punto de vista económico. Menos dramática significa en parte más racional. El sistema de multas es más general y tolerante que otros probados históricamente como la venganza, la disuasión, la seguridad, la rehabilitación y la compensación, los cuales son además menos útiles (*Ibid.*: 208). El obstáculo principal, sin embargo, es posible que venga del lado emocional de los ciudadanos víctimas —reales o potenciales— por cuanto en muchos casos tenderán a comportarse dominados por sentimientos irracionales como el miedo o la venganza.

3.2. Mead y la psicología de la justicia punitiva

En este sentido cabe contraponer hasta cierto punto los análisis de Becker con las ideas de Mead sobre la psicología de la justicia punitiva. En artículo clásico así titulado el sociólogo de la Universidad de Chicago explicaba el respeto a la ley por el instinto de hostilidad, al cual atribuía una fuerza superior a la de otros impulsos como el sexual, el del hambre, el del parentesco o el de la posesión (Mead, 1918: 599). En una etapa de civilización superior el criminal encarnaría al enemigo del grupo de forma que suscitaría la solidaridad para reforzar la supervivencia. Las emociones que observamos en los juicios son "emociones de una batalla" (*Ibid.*: 586) —tal vez por eso hemos acuñado expresiones como "batallas judiciales". Sintomático es también el proceso de estigmatización que suelen sufrir muchos convictos, y que, como han puesto de manifiesto los teóricos del etiquetado, rebasa con mucho la idea de proporcionalidad del sufrimiento en el pago por el delito cometido.

La "parafernalia de la ley criminal" sirve, en fin, no sólo para exiliar al rebelde sino también para reforzar la cohesión del resto del grupo (*Ibid.*: 587). Pero en la forma de funcionar la justicia, todo tiende dramáticamente a agudizar dicha polarización y Mead declara la incompatibilidad de la organización que toma el instinto de hostilidad —que refina la forma pura que alcanza por ejemplo en la ley de Lynch— con los objetivos declarados por el sistema de erradicar el delito y de recuperar al delincuente para la vida social. "Es casi imposible psicológicamente —escribe— odiar el pecado y amar al pecador" (*Ibid.:*592). Sólo en el área de la justicia juvenil encontramos visos de un funcionamiento restablecedor, pero precisamente el que los juzgados de menores funcionen de forma tan diferente del resto es un argumento a favor de la distinción entre funciones declaradas y funciones latentes (*Ibid.:* 594). "Los juzgados —subraya— no trabajan para recuperar el equilibrio de la situación social rota por el delito sino para determinar si el sujeto juzgado es un miembro de la sociedad o no lo es" (*Ibid.:* 595-596). Esta interpretación tiene puntos claramente divergentes con los objetivos de Becker pese a que ambos tipos de análisis puedan ser calificados en parte de funcionalistas. Becker cree en la restauración del orden, aunque obviamente se trate de una cuestión de grados. Ciertamente se trata de un reordenamiento económico pero no podemos olvidar que el mismo constituye un ejemplo de restauración pacífica de las relaciones sociales entre individuos con intereses diferentes.

La posición de Becker no debe tildarse apresuradamente de idealista. En primer lugar porque el propio autor reconoce el obstáculo del disenso basado en el lado emocional de los comportamientos. En efecto, Becker asume que para algunos la prostitución, las apuestas o el aborto deberían estar disponibles para todo aquel que estuviera dispuesto a pagar su precio en el mercado, mientras que para otros apostar es pecado y abortar un asesinato (*Ibid.:* 209). El economista debe pasar por alto estos desacuerdos y asumir "un consenso sobre los daños y beneficios" así como "intentar simplemente poner en marcha una serie de reglas que hagan posible una implementación óptima de aquel consenso" (*Ibidem)*. Desde una perspectiva metateórica, no se puede negar que este *modus operandi* comporta algunas ventajas. Contribuye a inyectar racionalidad en los comportamientos, lo cual es de valorar positivamente, frente a las lecturas pesimistas. Pero es que además —y en este sentido sobre todo podemos decir que no se trata de posturas idealistas— las tendencias profundas de la evolución cultural no son incompatibles con esta apuesta. Si observamos la historia de la legislaciones penales de los últimos cien años, centrándonos en casos como el consumo de la marihuana o el aborto, concluiremos que en general, en la mayor parte de los estados occidentales, la tendencia ha sido a una mayor "racionalidad" en el tratamiento judicial y penal de estas conductas.

Esto significa que a medida que pasa el tiempo se piensa en ellas sin interferencias de ideas que les son externas. A ello ha contribuido de forma clara la crisis de las éticas religiosas universalistas y su lento paso a una racionalidad de tipo reflexivo-moral (Gil Villa, 2002: 59 y ss.). Es decir, ante el dilema de abortar o realizar una transfusión de sangre o no hacerlo, cada vez más ciudadanos deciden en función del sufrimiento a evitar con la decisión más que con el criterio extrínseco asociado al mandato ético de, pongamos, la religión católica romana o los Testigos de Jehová. El individualismo de la época actual —más allá de la modernidad—, inyecta nuevas formas de racionalidad incluso en ámbitos tradicionalmente sentimentales, tales como el amor (*Ibid.:*139 y ss.). En la medida en que esto sea cierto, el paso del tiempo matizaría el corolario de la idea de Mead de la vigencia de los instintos de hostilidad, según el cual la individualidad queda seriamente mermada. Lo que observamos es una complejidad de las formas de vida social a la vez que una fragmentación de las relaciones sociales de forma tal que se consigue mejor que nunca la armonía de los intereses individuales contrapuestos, sin que ello signifique, obviamente, que su equilibrio sea estable.

Por otro lado, es también evidente que los componentes de las nuevas formas de racionalidad imperantes deben ser todavía investigados. Lo único que sabemos de forma cierta es que no pueden ser superficialmente identificados con una dimensión exclusivamente instrumental. En este sentido y al menos fuera del ámbito del comportamiento puramente económico, los esfuerzos parece que deberían ser canalizados por el lado de formas de racionalidad limitada. Pero esto no significa desdeñar análisis como el de Becker. Antes al contrario, deberían observarse atentamente sus resultados toda vez que se hallan animados por valores como la libertad, tolerancia y pacificación de la respuesta del sistema de control a los comportamientos infractores. Las propuestas que de ellos se deducen son unos de los pocos caminos científicamente explorados de lograr romper con la "maldición" de la condición humana expuesta por Mead, ese su carácter íntimo violento y vengativo.

No obstante, y aunque aquí llamemos la atención sobre la infiltración de componentes racionales en áreas sentimentales, es claro que los estudiosos de la racionalidad limitada son espoleados en gran parte, y precisamente, por la limitación sentimental de los comportamientos racionales. Dicha limitación se uniría a otra muy importante que es la cognitiva, la cual hace que no podamos comparar a las personas con ordenadores que tienen en cuenta una gran cantidad de variables a la hora de tomar una decisión (Selten, 1999: 3).

3.3. H.A. Simon y el modelo de la racionalidad limitada

El concepto de racionalidad limitada fue acuñado por Herbert, A. Simon y aunque en los trabajos de los criminólogos se hacen solo breves referencias al mismo —que prácticamente se limitan a citarlo de pasada—, creo que es importante detenerse en él para comprender mejor qué podría significar que el delincuente es un sujeto o actor racional. Por otro lado, las ideas de Simon no presentan un *corpus* de conocimiento acabado, sino que tienen el valor de sugerir líneas de investigación interdisciplinares tendentes a elaborar una teoría compleja de la racionalidad del comportamiento.

El punto de partida es considerar a las personas como sistemas "artificiales" o "sistemas de adaptación", es decir, "sistemas que son lo que son solo porque han respondido a las fuerzas modeladoras de un entorno al que deben adaptarse" (Simon, 1990: 2). El cerebro humano comparte esta característica con la inteligencia artificial, es decir, con los ordenadores. La inteligencia se define así indirectamente como adaptación al medio, por tanto como la función clave de la supervivencia. Claro que esta adaptación podemos contemplarla desde una perspectiva inconsciente, como hace Darwin, pero también desde su lado consciente. Es este último caso, el que tiene que ver con el aprendizaje y la resolución de problemas, el que aquí nos interesa, obviamente, porque es el que permite descubrir las causas próximas del comportamiento.

La comparación del cerebro con los sistemas de procesamiento de información artificiales muestra a Simon la fuente de la que partirán los razonamientos posteriores, a saber: la idea de las limitaciones. En efecto, cualquier sistema de procesamiento de símbolos se encontrará con los famosos teoremas de Gödel, puesto que está en cierta medida destinado a ser incompleto. Pero además, a esto hay que añadir otro obstáculo más importante si cabe, cual es el de la velocidad y organización de las operaciones realizadas por aquel sistema así como su capacidad de memoria. Así por ejemplo, no es posible proponer un juego de ajedrez para ordenadores perfecto porque el algoritmo matemático no puede dar cuenta de las operaciones a realizar; tendría que se capaz de contemplar más posiciones posibles sobre el tablero que moléculas hay en el universo. De aquí se derivará indirectamente una las leyes más importantes del comportamiento humano: "debido a las limitaciones que ofrecen su potencia y su velocidad de cálculo, los sistemas artificiales deben usar métodos de aproximación para manejar la mayor parte de las tareas. Su racionalidad es limitada" (*Ibid.*: 6).

Que sea limitada significa, sobre todo, que la optimización está más allá de su alcance, punto este crucial donde se localiza la ruptura con los planteamientos de la acción racional postulados clásicamente por la teoría económica. La psicología cognitiva, nos recuerda Simon, ha puesto nombre y apellidos a estas limitaciones: 1) en la memoria humana de corto plazo sólo caben media docena de informaciones; 2) se tarda cerca de un segundo en realizar un acto de reconocimiento; y 3) las reacciones humanas más simples se miden en decenas y centenas de milisegundos más que en microsegundos.

Ahora bien, los límites no constituyen un callejón sin salida. Existen al menos tres grandes tipos de estrategias que el sistema puede desarrollar y que son ejemplos de adaptación racional a los entornos de tareas complejas (*Ibid.*: 11). Veámoslos.

1) Procesos de reconocimiento. Evidentemente, un experto puede encontrar soluciones que no están al alcance de un neófito (*Ibid.*: 7). Un primer mecanismo a la hora de enfrentarse con un problema es echar mano del conocimiento acumulado. La capacidad de reconocimiento se basa en un número aproximado de 50.000 pistas almacenadas en la memoria y permiten resolver muchos problemas de forma "intuitiva" (*Ibid.*: 8). En los diagnósticos médicos y en la lectura, esas pistas clave permiten extrae de la memoria la información para el tratamiento de las situaciones que las pistas identifican.

2) Investigación heurística. También llamada "selectiva", se usa cuando el número de posibilidades a examinar es muy grande —contándose incluso por cientos—. Existen reglas para realizar la selección genéricas o específicas, relativas a determinadas tareas. Así actuamos cuando debemos resolver una ecuación lineal en álgebra y utilizamos un algoritmo. En este caso no probamos posibles soluciones diferentes sino que empleamos los pasos sistemáticos que nos dirigen al valor correcto desconocido. Ahora bien, si el dominio de la tarea tiene poca estructura o buena parte de la misma nos es desconocida, aplicaremos "métodos débiles" (*weak methods*) que la experiencia ha demostrado ser útiles en otros dominios. Uno de ellos es el de la "satisfacción" (*satisficing*). Consiste en "usar la experiencia para construir una expectativa de lo buena que sería una solución que podríamos lograr de una forma razonable, y parando entonces de buscar tan pronto como demos con una solución que satisfaga dicha expectativa" (*Ibid.*: 9). La probabilidad de que la primera alternativa satisfactoria resuelva

el problema de la decisión a tomar depende de si: (a) el número de alternativas a comparar es enorme o incluso infinito, o (b) el problema presenta una estructura tan poco conocida que todas las alternativas deberían ser examinadas para determinar cuál de ellas es la óptima. Por otra parte, el mecanismo de la satisfacción también se usa cuando las alternativas son inconmensurables, ya sea debido a que: (a) presentan numerosas dimensiones de valor que no pueden ser comparadas, (b) ofrecen resultados inciertos que pueden ser más o menos favorables o desfavorables, o (c) afectan los valores de más de una persona. Entonces, la "opción satisfactoria" puede ser utilizada en cuanto que demos con una alternativa que, (a) sea satisfactoria para todas las dimensiones del valor, (b) posea resultados satisfactorios para todas soluciones de incertidumbre, o por fin (c) sea satisfactoria, respectivamente, para todas las partes implicadas. Por último, otro "método débil" es el "análisis medios-fines", consistente en "percibir diferencias entre la situación que tenemos y la deseada, y en obtener de la memoria operadores que, de acuerdo con la experiencia, son capaces de eliminar aquellas diferencias" (*Ibid.*: 10).

3) Reconocimiento de patrones. Se trata de la bien conocida habilidad para descubrir pautas ocultas que relacionan los elementos de una serie, por ejemplo de letras. En experimentos de laboratorio, los sujetos identifican secuencias y subsecuencias de símbolos que se repiten recomponiéndolas en componentes unitarios en un patrón de nivel superior. Esta capacidad se demuestra claramente a la hora de detectar patrones en piezas de música complejas (*Ibid.*: 11).

Aparentemente, trasladar las ideas de Simon a la delincuencia no es difícil. Digo aparentemente porque, como veremos, esta tarea encierra desafíos futuros sobre los que debe reflexionarse. El sujeto infractor es racional pero hasta cierto punto. No es un actor "reflexivo" que tenga en cuenta las consecuencias no deseadas y a medio y largo plazo de su acción, o que de vueltas y más vueltas a los pros y los contras. Si consideramos que el ciudadano medio, en la toma de decisiones cotidianas, tiene en cuenta solo de tres a cinco consecuencias, aquellas que están más próximas en el tiempo y el espacio, el delincuente medio todavía operaría con una racionalidad más *limitada* si cabe (Felson, 1998:23). Hirschi, por su parte, introduce un matiz: el actor valora los costes y beneficios de la acciones legales e ilegales *con la finalidad de obtener el máximo de placer* (Hirschi, 1993: 108). El uso del término concreto "placer" se debe a estos autores consideran clave la idea de la posposición de las gratificaciones. Los infractores no están socializados en este valor de clase media, insistirán.

Podemos considerar que, el hecho de nacer como reacción a la criminología tradicional y de acariciar la circunstancia como factor primerísimo y fundamental, obliga a estos autores a rebajar el papel del sujeto delincuente. Este aspecto lo compensan al otorgarle a dicho sujeto el rasgo de actor racional. Sin embargo, todo parece indicar que dicha compensación está todavía poco trabajada, poco desarrollada. Tal vez eso explique ciertos desfases a la hora de expresar las prioridades. Cornish llega a decir que la racionalidad del sujeto es el rasgo fundamental de la perspectiva de la acción racional (Cornish, 1993: 364). Sin embargo, en la Introducción de *The Reasoning Criminal*, escrita junto con Clarke leemos que, como consecuencia de las premisas adoptadas — en concreto la que trata a los delitos específicamente y que veremos en el punto siguiente—, "la atención de teoría se centra en los delitos más que en los transgresores" (Cornish y Clarke, 1986: 2).

Así pues, al menos en los primeros desarrollos de las teorías circunstanciales, se insiste en las limitaciones del actor infractor. La imagen del delincuente calculador e inteligente que juega al ratón y al gato con Sherlock Homes es pura mitología, nos recuerda Felson. Los medios de comunicación la han difundido porque la verdad es demasiado trivial y anodina como para enganchar a la audiencia. La "falacia de la ingenuidad" exagera, en su opinión, la inteligencia de los transgresores. La verdad es que la mayoría no son "profesionales" ni están especializados en ningún delito en concreto (Felson, 1998: 14-15). Algún apoyo empírico existe para este razonamiento de Felson. Tal vez el más llamativo y citado es el estudio que hizo Feeney entrevistando 113 ladrones de California entre 1971 y 1972. Entre otras cosas, encontró que alrededor de la mitad no había planificado el robo en absoluto, mientras que otro tercio lo había hecho pero de forma muy precaria. El último día, o incluso horas antes, se había preocupado de dos o tres cosas como conseguir un compañero, un coche y un arma (Feeney, 1986: 59).

II
Principales tesis de los enfoques circunstanciales

1. ACTIVIDADES RUTINARIAS Y DELITO

¿Qué significa hablar de circunstancias en materia de delincuencia? ¿Cómo explica la circunstancia el delito? Para reducir la explicación de los autores a su máxima expresión podríamos decir que *la circunstancia es una combinación de tiempo y espacio donde el delito se hace probable.* Los factores fundamentales son el espacio, el tiempo y el azar. La situación normal en la vida cotidiana viene definida por la defensa de las personas de los objetos de su propiedad. Sin embargo, no pueden evitar separarse de ellos en algún momento. Dicho momento puede ser aprovechado por un observador extraño que es un potencial delincuente. Pensemos, por ejemplo, en el caso de una persona que va de compras a un centro comercial y deja su coche aparcado olvidando dentro una cazadora de piel. Si alguien quisiera aprovecharse de esta circunstancia u otras similares podría, desde el punto de vista de la teoría, montar guardia discretamente todo el día el aparcamiento. Por pura probabilidad, llegaría el momento deseado en que se produjera la combinación de tiempo, espacio y azar. El azar bajo la forma de alguien que va con prisas y no repara en el descuido. El tiempo y el espacio como factores más controlados. Estaría en ese caso adoptando una estrategia parecida a la de ciertos reptiles —como cierta clase de pitones— que permanecen sumergidas cerca de las orillas de un rio día tras día sin comer viendo cómo llegan todas las tardes las gacelas a beber agua, esperando pacientemente a que una de ellas se adentre demasiado. Aunque en la práctica los ladrones no son tan pacientes, ni hacen un estudio previo de las probabilidades de un lugar determinado, este ejemplo sirve para ilustrar la idea.

También podríamos utilizar otra imagen. El delito viene a ser como una pieza de teatro con tres escenas: en la primera hace su aparición —se hace visible el objeto codiciado—, en la segunda sale el guardián, y en la tercera entra el ladrón que se apropia del objeto tranquilamente. El teatro varía lógicamente según el tipo de delito. Los delitos contra la propiedad son los más claros y por eso suelen ser utilizados por estos autores en sus explicaciones en primer lugar. Es porque allí distinguimos claramente la "naturaleza" del delito, es decir, una situación mínima de un sujeto que se apropia de algo que no le pertenece generando una víctima. Los ladrones no lo tienen difícil, sólo tienen que localizar objetos de valor que sean fácilmente transportables y visibles. Lo difícil es acceder al objeto, apoderarse de él rápidamente y huir con éxito de la escena del delito. Felson resume estos factores en el acrónimo VIVA: valor del objeto, inercia o dificultad que ofrece el mismo, visibilidad y acceso (Felson, 98: 54). El ladrón puede seleccionar un collar de perlas dado su alto valor, su fácil transporte o escasa inercia, y siempre que no haya nadie en la casa objeto del robo y de que ésta no esté ni muy aislada ni muy rodeada de vecinos curiosos. El valor y la inercia pueden considerarse conjuntamente al dividir el valor del bien robado por su peso en kilogramos o en libras. En este caso una lavadora no vale mucho en comparación con una joya. Igualmente, la visibilidad y el acceso suelen ir unidos. Así, una cartera dentro de un coche es tanto visible como accesible.

Tan importante como la tentación es la ausencia de "vigilantes". En realidad deberíamos escribir la palabra entre comillas porque vigilante es cualquier persona que pueda sentir una sospecha al observar a un individuo extraño en un barrio o local conocido sin justificación aparente. Tanto puede ser un guardia jurado como el tendero de la esquina que observa como el niño de la vecina habla con un desconocido. El papel de "los otros" —como podríamos llamarlos con más propiedad y estilo gráfico— es clave: en presencia de testigos que puedan identificar el acto delictivo, éste sencillamente no tiene lugar en la mayoría de ocasiones. Y ello no sólo en los delitos contra la propiedad sino también en los que implican violencia contra las personas y en los delitos sin víctimas como el tráfico de drogas. La mayor parte de reyertas tienen lugar en locales públicos como bares y son protagonizadas por jóvenes. En muchos casos, la escaramuza tiene que ver con la percepción subjetiva de un ataque verbal o gestual que rebaja el yo. Un gesto hosco o una palabra altisonante puede desencadenar una pelea. Sin embargo todo depende del papel de los testigos. Para empezar el papel pasivo de estos, la presencia de espectadores, aumenta la humillación y hace más probable la pelea. En segundo lugar, algunos de estos espectadores, normalmente acompañantes del sujeto ofendido, pueden pasar a desempeñar un papel activo. Pueden echar más leña al fuego (*¡Cómo te dejas decir eso!*) —

troublemakers o *inzurizadores*[5]— o pueden intentar calmar los ánimos —*pacemakers*—. Esos últimos, los pacificadores, suelen ser personas de más edad (*ibid.*: 66). Por último, en el caso de delitos como el tráfico de drogas, los vendedores procuran siempre evitar testigos, ya sea camuflándose bajo fachadas legales o buscando lugares, como parques o edificios sin porteros[6]. En fin, incluso en un delito tan especial como el que se practica uno a sí mismo al matarse, es necesaria la ausencia de los otros.

Ahora bien, al margen de estas consideraciones basadas en el sentido común y en la ordenación de observaciones empíricas, ¿encontramos alguna hipótesis de mayor alcance? Sí. Al definir el delito como un asunto de probabilidades donde se dan las circunstancias de un objeto indefenso en un momento y espacio determinados, podemos preguntarnos: ¿han aumentado o han disminuido en los últimos tiempos esas probabilidades? Han aumentado. ¿Por qué? Porque estamos menos en casa y hacemos más cosas durante el día. Tanta actividad hace que entremos en contacto con muchos lugares y personas desconocidas cada día, lo que aumenta la probabilidad del delito. Esta viene a ser la tesis publicada por Felson y L.E. Cohen en 1979 contrastando estadísticas de delitos con algunos indicadores de lo que denominaron "actividades rutinarias" —bautizando así el enfoque—. *Routine activities* son todas aquellas actividades que hacemos cada día para satisfacer distinto tipo de necesidades, tanto básicas como ociosas (Felson y Cohen, 1979: 593). El mayor cambio experimentado en las mismas, en los Estados Unidos y a partir de 1960, es el número de horas que se pasan fuera del hogar, debido a su vez, a varios factores como la incorporación de la mujer al mercado de trabajo, el aumento de mujeres estudiantes, de las personas que se desplazan en coche para trabajar o de los viajes y vacaciones. Al mismo tiempo aumenta la producción y el comercio de bienes valiosos y de fácil transporte, como electrodomésticos. Con estas condiciones, los autores interpretan las siguientes tendencias para la década aludida:

---

[5]   Me permito la licencia de traducir troublemakers por inzurizadores. Es difícil encontrar en castellano un adjetivo de uso común que transmita la idea. En la zona de Aragón de donde procedo, sin embargo, solía utilizarse con frecuencia la palabra "inzurizador" para aludir exactamente a alguien que instiga al otro animándolo a que cree problemas en su relación con un tercero.

[6]   Un buen ejemplo al respecto puede verse en el trabajo de Sullivan, si bien, enfocado desde parámetros teóricos muy distintos (subculturales y estructuralistas) sobre barrios neoyorkinos y en el caso concreto de la marihuana (Sullivan, 1989: 240).

1. La mayor parte de los delitos con víctima ocurren fuera de casa.

2. El robo de automóviles y de aparatos eléctricos —medida según su valor económico— aumenta en una proporción mucho mayor que el robo de bienes muebles o inmuebles pesados o de bienes no durables.

3. Existe una correlación estadística entre la ratio de actividad del hogar y delitos como el homicidio, la violación, asaltos y robos. Lo que implica que cuanto menos personas tiene un hogar y menos tiempo pasan en él, más riesgo corren aquellas de ser objeto de algún delito (*Ibid.*: 600)[7].

En realidad, el enfoque de las actividades rutinarias del delito de Felson y Cohen parece abundar en las clásicas teorías de la modernización. Pues los cambios sociales descritos no son sino aquellos que los sociólogos habían encuadrado en rúbricas como la urbanización y la tercialización del siglo XX y sobre todo de su segunda mitad. Incluso de una forma más concreta, la evolución de las estadísticas del delito podrían relacionarse con las pautas de la llamada sociedad de consumo. Los sociólogos intentan explicar, en los últimos tiempos, qué aspectos diferencian nuestro consumo del de otros pueblos o épocas. No nos podemos detener aquí en este punto, pero baste decir que el conocimiento de estas pautas sería muy conveniente para una teoría que se basa precisamente en la "exposición" o "visibilidad" de un gran número de bienes. La condición de la vulnerabilidad no se crea en el aire, depende a su vez de la condición de la "disponibilidad" de los bienes y de su compraventa. Y esto tiene que ver no sólo con los cambios señalados con Felson en la vida cotidiana, sino con procesos más profundos y complejos como la globalización en su aspecto de automatización del comercio mundial, o la desacralización de los objetos consumibles. Esto hace que, en resumen, haya más objetos que nunca a nuestra disposición y menos límites morales que nunca para consumirlos. De cualquier forma, los objetos que en concreto mencionan los autores, tales como aparatos de televisión o coches, son los clásicos indicadores usados por los sociólogos para aplicar a una sociedad, en función del grado de su extensión en la población, la etiqueta de sociedad de consumo[8].

---

[7] La ratio es un indicador obtenido por los autores al sumar los hogares en los que el marido está presente y la mujer trabaja fuera a los hogares monoparentales y dividiéndolo por el número total de hogares del país.

[8] En el caso de España a partir de los 70, una década más tarde que en USA. Véanse los trabajos de Alonso , L.E. y Conde, F. (1987) y de Castillo y Castillo, J. (1994).

2. LA TOMA DE DECISIÓN DEL DELITO

Quien delinque ha tomado previamente la decisión de hacerlo. Esa decisión a su vez es doble. Por un lado supone entrar en un modo de vida específico o continuar en él. Por otro, estudiar mínimamente el "golpe". Según los responsables del enfoque de la acción racional, eso significa distinguir entre criminalidad y delito. La criminalidad se refiere al proceso de evaluación racional por el cual un sujeto decide la entrada, la continuación o la salida en la forma de vida delictiva. Veamos cuáles podrían ser los factore que entran en juego tomando como ejemplo el delito del robo (Derek y Cornish, 1986: 2):

La *entrada* guarda relación con la socialización, la experiencia en la ruptura de normas y las necesidades del sujeto candidato a delincuente:

1) Factores de base

   a) Psicológicos: Temperamento, inteligencia, estilo cognitivo.

   b) Crecimiento: hogares rotos, cuidado institucional, padres delincuentes.

   c) Sociales y demográficos: sexo, clase, educación y vecindario.

2) Experiencia previa en el delito

   a) Experiencia directa o indirecta en el delito

   b) Con la ley y agencias de control

   c) Conciencia y actitudes morales

   d) Autopercepción

   e) Planificación del futuro

1) Necesidades

   Dinero, sexo, amistades, estatus, diversión

Estos tres tipos de factores configuran el sustrato sobre el que el sujeto realizará una evaluación de las soluciones posibles. Estas puede ser de dos tipos:

2) Legítimas: trabajo, matrimonio, apuestas.

3) Ilegítimas: robos en barrios de clase media, otro tipo de robos o delitos.

En ellas se valorará especialmente:

4) El grado de esfuerzo requerido

5) La cantidad e inmediatez de las recompensas esperadas

6) La probabilidad de ser castigado y la severidad de las posibles penas.

7) Los costes morales.

Si el sujeto descarta las soluciones legítimas estará ya "predispuesto" a cometer algún delito (*readiness*). A partir de ese momento la base de la actuación ya está construida. Sólo será cuestión de tiempo, de que se produzcan las circunstancias adecuadas que disparen la acción delictiva y materialicen la "predisposición".

Es muy probable que alguien que comente un robo —por seguir con el ejemplo que ilustra la lista de factores— cometa otro. Sin embargo, dicha *continuación* es a su vez reevaluada por el sujeto en función de otros tres tipos de factores:

8) El aumento de la profesionalización

Sentimientos de orgullo relacionados con el aumento de habilidades y conocimientos. Reducción de los riesgos al sofisticarse la planificación y seleccionar cuidadosamente los objetivos. Establecimiento de contactos que favorecen la comisión de delitos. Desenvoltura en el trato con jueces y policías.

9) Cambios en el estilo de vida y valores

Asumir que se depende financieramente del robo. Elegir trabajos que lo facilitan. Gusto por una vida intensa en la que se disfruta del momento. Desvalorizar el trabajo legal y justificar la delincuencia.

10) Cambios en el grupo de iguales

Amistad con otros delincuentes y personas relacionadas con el hampa. Etiquetamiento como delincuente. Alejamiento de las amistades "legales".

¿Es posible que nuestro hipotético ladrón pueda plantearse el abandono de sus actividades ilegales? Sí en el caso de que se cumplan ciertas condiciones.

11) Un día, uno de los robos, se encuentra que el botín fue exiguo, que tuvo más miedo de lo normal o que no consiguió colocar después la mercancía.

12) Supongamos que a ese suceso "interno" se le suman otros de carácter "externo", es decir, no relacionados directamente con los robos cometidos. Aquí, puede ocurrir que el sujeto se case, que detengan a su colega o que se agote el filón del robo, por ejemplo porque han vallado el barrio en que robaba.

13) Los sucesos 1 y 2 llevan a una "re-evaluación de la predisposición".

14) Al examinar las alternativas, el sujeto puede rechazarlas si considera, por ejemplo, que las salidas legales, como el trabajo, le ofrecen poco dinero o jornadas demasiado largas, y que otro tipo de delitos más allá del robo en barrios de clase media, son muy arriesgados.

15) Por consiguiente, en ese caso decidirá robar de nuevo. Supongamos que la experiencia vuelve a resultar frustrante por cualquier circunstancia —es atacado por un perro guardián, sorprendido por el propietario con las manos en la masa o por la policía.

16) Y que a ello vuelven a sumarse acontecimientos "externos" negativos o disuasorios tales como el ultimátum de su esposa para dejarlo, el encarcelamiento o una oferta de trabajo seguro.

17) Entonces se llevaría a cabo una segunda "re-evaluación" en la que puede decidir dejar de robar porque los riesgos son excesivos, el esfuerzo es muy grande o lo considera como una actividad para los más jóvenes.

18) En ese caso puede decidir aceptar una oferta de trabajo o poner su propio negocio o bien dedicarse a otro tipo de actividades ilícitas, como el robo en barrio residenciales de clase alta o en bancos.

Los procesos de entrada, continuación y salida de la delincuencia son relativamente independientes del proceso por el cual se lleva a cabo el delito. En este caso, la secuencia de la decisión suele realizarse de una forma mucho más rápida. Siguiendo con el ejemplo del robo, esto significaría:

19) Rechazar ciertos barrios de clase media donde se pretende actuar por haber demasiada vigilancia, estar demasiado distantes o no haber transporte público para acceder.

20) Seleccionar otro que resulta ser accesible, poco patrullado por la policía, con casas con pocas medidas de seguridad y jardines amplios y poblados.

21) Rechazar las casas de vecinos ruidosos, que tienen alarma, que no poseen acceso por la parte trasera, que tienen perro, con entradas demasiado visibles desde la calle.

22) Elegir una casa en la que no hay nadie, a ser posible un chalet adosado, que haga esquina y tenga jardín con arbustos o árboles que permitan el camuflaje y varias puertas de acceso.

La decisión en este caso es doble y tiene que ver con la elección del barrio y de la casa (Derek y Cornish, 1986: 4).

Observando la diferencia con los otros esquemas podemos concluir que los procesos asociados a la criminalidad son procesos a largo plazo y complejos, frente a los procesos que desencadenan el delito. Pero sobre todo la diferencia está en la cualidad de los factores: en los primeros hay motivos "predisposicionales" mientras que en la toma de decisión última los factores son puramente "circunstanciales". Probablemente sea Hirchi el que más ha trabajado esos factores menos circunstanciales, sobre todo en su segunda etapa a través del concepto de autocontrol.

3. LOS LAZOS SOCIALES

Un delincuente es simplemente toda aquella persona que, debido a ciertas circunstancias, decide actuar ilegalmente porque cree que así obtendrá más beneficios y placer de forma más rápida. Ahora bien, ¿qué circunstancias son esas? Cuatro en concreto, según Hirchi, en su ya famoso libro *Causas de la delincuencia*. Este fue publicado en 1968. Más de 30 años después —concretamente en el 2001— escribe una introducción para una nueva reedición en la que valora cómo ha sido recibida su teoría del control social. Citando algunos trabajos de revisión, recuerda que de 1970 a 1991 se han publicado 71 test de aspectos de la teoría y 27 tesis. Pero puede decirse que toda esta literatura generada no desafía los resultados de la teoría, aunque ofrece muchos "consejos" (Hirschi, 2002: xvii). La razón, en opinión del autor, es que apenas tiene rivales en la virtud de generar posibilidades de investigación, tanto por su estructura como por su contenido. En parte tiene razón, el libro de Hirschi se ha convertido en un clásico en criminología por el esfuerzo que someter a pruebas empíricas las tesis de las teorías más importantes hasta la época —sobre todo las de la anomia, teorías de la tensión y de las subculturas— oponiendo las ideas de la teoría del control social, buena parte de cuyos planteamientos podríamos encajar, con la perspectiva que hoy tenemos, en lo que aquí venimos llamando enfoques criminológicos circunstanciales.

La teoría del control social de Hirschi se resume en una idea fácil de enunciar y de corte inconfundiblemente durkheimiano: la delincuencia se da cuando los lazos que unen al individuo con la sociedad se rompen o se debilitan[9]. Puesto que el término "sociedad" se refiere, de forma genérica, a un potencial grupo de personas, grupos, instituciones o incluso estados futuros del individuo —tales como padres, profesores, iguales, familias, escuelas, bandas, iglesias, etc.— (*Ibidem)*, la tarea de explicar la idea consistirá sobre todo en explicar en qué consisten los "lazos" y con qué tipo de vicisitudes se encuentran. Los pilares de la teoría del control social serán entonces cuatro "elementos del lazo" que unen al individuo con la sociedad: apego, compromiso, implicación y valores. Se supone que cada uno de ellos capta un aspecto diferente del "ser social" que hay en cada persona, a pesar de que entre ellos están relacionados, más con unos que con otros, como veremos. Hirschi intentará demostrar la veracidad de sus ideas a través de un cuestionario que pasó en California, en 1964 a 5545 estudiantes de secundaria y que contrastó con antecedentes oficiales delictivos y con hechos delictivos declarados por los propios entrevistados[10]. A continuación intentaré aclarar tanto los conceptos como la forma de operar del autor.

1. *Apego* (Attachment).

La palabra "apego", en español, tiene una connotación de ligazón afectiva a las personas o a las cosas, de ahí que la utilicemos aquí en la libre traducción del término inglés utilizado por Hirschi. Porque con *attachment* el autor quiere referirse al fino sentido del tacto o sensibili-

---

[9]   La definición concreta de delincuencia queda así: "actos que de ser detectados se supone que acabarán por castigar a la persona que los cometió por parte de los agentes de control social" (*Ibid.:* 47).

[10] Concretamente en el Werstern Contra Costa County, parte de la zona metropolitana de San Francisco. Los detalles sobre la muestra se recogen en el capítulo III. No nos detendremos mucho en este punto que, por otra parte, como se podrá suponer, ha sido objeto de críticas tanto en lo que se refiere a la confección del instrumento como al posterior tratamiento estadístico. Como en el caso de la obra de Durkheim, *El Suicidio,* aquí nos centraremos más bien en los comentarios teoricos de fondo, algo más lógico al contar con la perspectiva del tiempo pasado y dados los objetivos generales de este trabajo.

dad con el que nos comportemos en nuestras relaciones sociales. Advirtamos de que las normas son contempladas aquí desde la particular perspectiva del interaccionismo simbólico y por lo tanto del ajuste de expectativas que implica cada relación social. Así, para mí obedecer las normas me da la tranquilidad de saber a qué atenerme cuando me relaciono con los demás. De la misma forma, si no respeto las normas los demás quedarán desconcertados al encontrarse con que yo he frustrado sus expectativas. Así pues, el poco apego por las normas viene a significar el poco tacto o respeto que tengo hacia los deseos y expectativas de los otros (*Ibid.:* 18).

Es esta la dimensión del lazo social que Hirschi más desarrolla en su obra, dedicándole más capítulos que a las demás, al tratar separadamente el apego a los padres, a los profesores y a los pares.

Apego a los padres

En principio, "el apego del hijo a los padres hace que sea menos probable que cometa actos delictivos por la sencilla razón de que pasa más tiempo en su presencia" (*Ibid.*: 88). Ahora bien, puesto que, por un lado, muchas veces cometer uno de aquellos actos no requiere mucho tiempo, y puesto que buena parte de los jóvenes se encuentra expuesta, por el ritmo de vida moderno, a situaciones en las que que tienen la oportunidad de delinquir, por ambos motivos, la cantidad de tiempo que pasan con los padres no tiene por qué prevenir contra la delincuencia. El factor clave, según Hirschi será más bien el grado en que los hijos tienen presentes mentalmente a los padres, es decir, en qué medida, cuando van a hacer algo, piensan si sus padres estarían de acuerdo. Para ello se pregunta a los jóvenes encuestados, 1) si su madre sabe dónde pasa el tiempo cuando sale de casa, y 2) si sabe con quién está. Mezclando las dos cuestiones obtiene un indicador con categorías de respuesta graduadas de 0 a 4 —de menor a mayor supervisión de la madre. El resultado obtenido es que aquellos chicos cuyas madres nunca saben dónde se encuentran sus hijos, están más implicados en actividades delictivas durante el año anterior a la administración del cuestionario.

El segundo indicador significativo es el grado de comunicación establecida con los padres. La probabilidad de cometer delitos es menor si se discute a menudo con los padres los planes de futuro y se les cuenta cosas que se piensan y se sienten (*Ibid.:* 91). Y ello, incluso independientemente de tener amigos detenidos o no, lo cual, a su vez, favorece —

analizado de forma aislada— la comisión de delitos. Esto implica que la comunicación es uno de los factores más poderosos. Por último, una mayor identificación con los padres (¿te gustaría ser como ellos?) supone menos riesgo a la hora de delinquir.

Es probable, sin embargo, que Hirschi haya sobrevalorado indirectamente la comunicación entre padres e hijos de clases medias, dada la época en la que escribió su obra. Porque hay que recordar que a partir de los años setenta, con la incorporación de la mujer al trabajo fuera del hogar y debido al impacto de ciertos valores culturales como la autorrealización, que exigen la inversión de tiempo y dinero en uno mismo, aquellos padres reducen el tiempo de convivencia con los hijos.

Apego a la escuela

Lo primero que hace Hirschi en este punto es desmentir la hipótesis que asocia a los delincuentes con personas que tienen problemas de habilidades sociales (Short y Strodbeck, 1965). Por lo menos, a juzgar por los resultados de la encuesta en preguntas como estas: 1) *Es difícil para mí hablar con alguien cuando lo encuentro por primera vez*, o 2) *Es difícil decirles a los demás lo que sientes*.

Cuanto mejores resultados académicos obtiene un chico, y cuanto más competente se percibe a sí mismo, menos probabilidades tiene de tener en su haber un pasado delictivo, y ello al parecer —lo cual le interesa destacar a Hirschi— independientemente de su posición en la estructura de oportunidades, en este caso controlando por raza —blanca o negra— (*Ibid.:* 120).

Además de los resultados y la percepción subjetiva de capacidad, la probabilidad de cometer delitos está relacionada con: 1) hacer o no los deberes escolares —aspecto que en realidad tratará en otro de los lazos—, 2) gustarle a uno o no gustarle la escuela, y 3) preocuparse por la opinión que de uno tienen los profesores o por el contrario tenerle sin cuidado (*Ibid.:* 123).

Apego a los amigos

En principio, parece lógico que exista una relación entre la delincuencia y las actividades delictivas del grupo de iguales. No es pues de extrañar que Hirschi encuentre en su muestra que las tres cuartas partes de quienes tienen cuatro o más amigos que han sido detenidos por la policía, se hayan visto a su vez implicados en algún delito (*Ibid.:* 98-99). La cuestión, sin embargo, es cómo debe interpretarse dicha relación. Hirschi subraya aquí una diferencia fundamental entre su teoría del control social y los enfoques subculturales de la desviación. Si para estos la asociación con delincuentes puede llevar a cometer delitos al propiciar la disolución de actitudes de conformidad, para Hirschi, la ecuación debe enunciarse al revés. Es decir, es la poca conformidad —indicador fabricado por tres cuestiones: el gusto por la escuela, la orientación de logro y la comunicación con los padres— la que empuja tanto al delito como a la compañía de personas que infringen las normas. El argumento que prueba el orden de los factores propuesto es que hay entrevistados que afirman tener amigos con antecedentes sin que ellos mismos hayan cometido ningún delito (*Ibid.:* 153). Esto significaría, en opinión de Hirschi, que la amistad no es un factor relevante por sí mismo.

En este punto sin embargo, se presenta la duda de si Hirschi no cayó en un error de interpretación literal de la teoría de la asociación diferencial de Sutherland —sobre los que advirtio Cressey, según vimos en la primera parte—, toda vez que en la segunda y definitiva versión de la misma, queda claro que la probabilidad de cometer actos delictivos depende de la exposición del individuo a la ratio definiciones favorables/desfavorables de la ley, independientemente de la fuente de la que partan las segundas, es decir, ya sea de otros delincuentes o de personas que obedecen la ley.

2. *Compromiso* (Commitment)

Si una persona invierte tiempo y energía en una cierta clase de actividad a largo plazo, tal como la educación o crear un negocio, esto hará que a la hora de romper con las normas, se lo piense dos veces, porque se arriesga a perder todo ese esfuerzo (*Ibid.:* 20).

Hirschi mide las deficiencias en el "compromiso con líneas de acción convencionales" observando si los adolescentes están más preocupados por "ser adultos" que por cómo les va en la escuela. En realidad, las dos cosas están relacionadas porque quienes se preocupan más por lo primero lo hacen menos por lo segundo y viceversa. Son, por otra parte, los primeros los que más delitos han cometido. En efecto, los datos de Hirschi muestran que cometieron más delitos quienes con regularidad beben alcohol, fuman, consideran tener un coche algo importante y mantienen más relaciones sexuales (*Ibid.:* 168).

Preocuparse con la escuela tiene que ver con la orientación del logro, indicador fabricado con tres items: *"Me esfuerzo mucho en el colegio, Para mí, es importante conseguir buenas notas, y Haga lo que haga, me esfuerzo mucho.* A más puntuación obtenida, menos relación con la delincuencia.

En segundo lugar, Hirschi intenta comprobar parte de la teoría de la anomia, en concreto la versión que defiende la hipótesis según la cual si se da una diferencia entre las aspiraciones y las expectativas de un individuo, dicha diferencia provocará una frustración que puede llevar a delinquir. Sin embargo, los resultados con la muestra de California apuntan que:

a) No hay apenas casos de sujetos en los que se observen diferencias importantes entre lo que aspiran a ser y lo que creen que serán. Por lo tanto, la frustración no tiene lugar.

b) En los casos en los que se da, no afecta a la probabilidad de cometer delitos (*Ibid.*: 172-173).

Y algo parecido ocurriría con la ocupación, ya que, "cuanto más se aspira a nivel profesional más baja es la tasa de delincuencia, y ello independientemente del puesto de trabajo que se cree que acabará teniendo al final" (*Ibid.*: 183). Estas objeciones encajarían en la última de las críticas que fueron repasadas en la primera parte en relación al concepto de anomia en Merton.

3. *Implicación (*Involvement)

Este aspecto del lazo social se basa en la idea, ampliamente compartida, de que si una persona está muy ocupada en actividades convencionales y cotidianas —trabajo, responsabilidades familiares, compras, citas, etc.—, no tendrá tiempo para delinquir (*Ibid.*: 22). Parece clara la conexión con el punto anterior del compromiso —la inversión a largo plazo en educación u otros medios para lograr las aspiraciones personales, debe concretarse en actividades que ocupan el tiempo diariamente—, y tal vez por eso y por la trivialidad de la idea, Hirschi no dedica mucho espacio a su comprobación empírica.

En todo caso, Hirschi insiste en la importancia de hacer los deberes escolares porque eso supone menos tiempo para deambular por las calles con los amigos, y es precisamente este tipo de vagabundeo, aparentemente inocente, lo que se relaciona con los actos delictivos. Así por ejemplo, de entre los que pasan cinco o más horas a la semana dando vueltas con el coche, la proporción de los que han cometido algún delito se duplica (*Ibid.*: 194). Por otro lado, quienes dedican por término medio, más de hora y media a cumplir con las obligaciones escolares en casa, tienen menos probabilidades de haber cometido delitos que quienes dedican media hora o menos (191).

1. *Valores* (Belief)

¿Son los delincuentes personas que tienen un sistema de creencias especiales, con unos valores diferentes de los del resto? Pues hay dos posibles respuestas. Según Hirschi, que arremete de nuevo contra las teorías subculturales, no. Para la teoría del control social, "la delincuencia no viene causada por creencias especiales sino en todo caso por la ausencia de creencias (efectivas) que prohíben la delincuencia" (*Ibid.*: 198).

Debe insistirse en la palabra "efectivas", aunque Hirschi la coloque entre paréntesis, a la hora de entender el planteamiento. Porque en realidad, lo que ocurre es que el que roba lo hace, a sabiendas de que robar está mal. Es decir, que comparte los mismos valores que quienes no roban. Esto significa que es consciente de su responsabilidad individual, lo cual lleva a tomar posición en otro debate clásico, el debate determinismo-libre albedrío. En última instancia, hay dos grandes posturas a la hora de explicar desde el punto de vista ideológico la ruptura de normas y la delincuencia. O se tiende a pensar que la culpa es del individuo o se cree que la culpa es, en el fondo, de la sociedad. O se admite que el individuo optó por cometer el delito (libre albedrío) o se cree que fue llevado a esa situación forzado por causas sociales (determinismo). Pues bien, como ya se habrá adivinado, para la teoría del control social (y en general para los enfoques circunstanciales)[11], la

---

[11]   Adviértase —y deshágase— la aparente contradicción entre el protagonismo de la circunstancia y la responsabilidad individual. En realidad no hay tal contradicción sino un sencillo equívoco causado por la asociación de las palabras implicadas. Admitir que la circunstancia es en buena parte responsable del delito no es lo mismo que declarar que el delincuente "se vio empujado por el destino" a delinquir. Evidentemente la trampa cualitativa en el razonamiento está en asociar destino y determinismo a circunstancia. Yo puedo verme tentado por las circunstancias a cometer un delito, sin embargo, yo "decido" si lo cometo.

elección y por tanto la responsabilidad individuales no pueden ser obviadas. Hirschi ofrece aquí un dato: sólo el 12% de su muestra cree que los criminales de alguna manera no deberían sentirse culpables por sus acciones (*Ibid.:* 206-207).

¿Cuál es entonces la razón por la cual unos creen "efectivamente" en las normas —y en su legitimidad— y otros no? Muy sencillo, la respuesta está en las propias dimensiones del lazo social, es decir, que dependerá del apego a, del compromiso con, y de la implicación en actividades e instituciones sociales convencionales como la familia, la escuela y el trabajo —y sus agentes—. De forma tal que, los chicos con menos lazos sociales tendrán más probabilidades de criticar y condenar a los "condenadores" (padres, profesores y policías, es decir, las figuras de autoridad encargadas de hacer respetar las normas y el orden) y por lo tanto menos reservas morales a la hora de cometer delitos (*Ibid.:* 211).

Esto hace que Hirschi se incline por la hipótesis de que la reserva o resistencia moral, a la hora de delinquir, no siempre existen, a diferencia de autores como Matza, quienes basan sus aportaciones a la sociología de la ruptura de normas precisamente en aquella resistencia, ya que para ellos el delincuente necesita justificar sus acciones, es decir, racionalizar su acción o encontrar excusas que la hagan aceptable[12]. Es este un supuesto sumamente importante que contribuye en gran medida a definir la teoría. Ahora bien, en este punto parece detectarse una contradicción en la exposición de Hirschi, puesto que al principio, define el apego a los otros como el equivalente sociológico del superyo freudiano (*Ibid.:* 20). Sin embargo, este ultimo concepto se basa en una tensión moral que lleva al sentimiento de culpabilidad independientemente de que se haya roto con la norma. Asumir esto parece incompatible con negar la resistencia moral.

De cualquier forma, Hirschi intentará testar y refutar empíricamente las "técnicas de neutralización" de Sykes y Matza :

1) La negación de la responsabilidad. Esta técnica no significa solo negar la responsabilidad en un acto alegando que fue un "acciden-

---

[12] "Nuestra tesis es que buena parte de la delincuencia se basa en lo que es, esencialmente, la extensión no reconocida de mecanismos de defensa contra el delito, en la forma de justificaciones de la desviación que son vistas como válidas por el delincuente pero no por el resto de la sociedad ni por el sistema legal" (Sykes y Matza, 2003:234).

te". Supone también pensar que los actos delictivos se deben a fuerzas externas al individuo y que escapan a su control, como padres poco afectivos, malas compañías o vecindario pobre (Sykes and Matza, 2003: 234)

2) La negación del daño. El delincuente realizará su propia evaluación moral de las repercusiones de su conducta infractora, de modo parecido a como la ley criminal distinguía tradicionalmente entre delitos *mala en se* y delitos *mala prohibita* —es decir, entre actos que son condenables en si mismos y actos que son ilegales pero no inmorales—. Así, puede pensar que el vandalismo no tiene tanta importancia si afecta a alguien que puede pagarse los desperfectos; un robo o hurto puede considerarlos como un "préstamo" y una pelea entre bandas como un ajuste de cuenta privado (*Ibid.:* 235).

3) La negación de la víctima. Puede que el delincuente acepte la responsabilidad de su conducta desviada e incluso esté dispuesto a admitir que pudo causar daños, pero entonces puede pensar que dichos daños están justificados por las circunstancias. Suele tratarse de casos cuyas víctimas son convertidas por el delincuente en culpables de comportarse de forma incorrecta, siendo él una especie de héroe que se limitó a administrar cierta justicia de la venganza. Algunos ejemplos serían los asaltos a presuntos homosexuales o a inmigrantes de los que se dice que no fueron invitados (*Ibidem*).

4) La condena de los jueces. Quienes le condenan, opina al aplicar esta técnica el delincuente, son en realidad desviados disfrazados, hipócritas. Normalmente se utiliza con personas cuyo rol social se basa en la aplicación de normas y en el enjuiciamiento del comportamiento de los demás, como policía, profesores o padres. Así por ejemplo, la policía, según este mecanismo, es corrupta (*Ibid.:*236)

5) Apelación a lealtades mayores. Aquí, se sobreponen los intereses del grupo al que pertenece el delincuente —el colega, el grupo de amigos o la banda— al de la mayoría de la sociedad. No es que el infractor desprecie la ley, sino que en su mente todo ocurre como si se viera ante el dilema de escoger entre obedecer la ley o mantener la lealtad con los suyos. La infracción se ve pues como un sacrificio (*Ibidem*).

Pero la tarea de validación de dichas técnicas es difícil debido a un importante obstáculo metodológico, a saber: ¿cómo podemos saber si el entrevistado realiza la operación de justificación de su acción antes o después de haberla cometido? (*Ibid.:* 207). En opinión de Hirschi, lo más posible es que las primeras acciones delictivas se realicen sin justificación previa. La racionalización vendrá *a posteriori* pero servirá para estimular una segunda tanda de acciones delictivas, dando lugar así a una espiral.

De esta forma, debemos concluir que, a pesar de haberse posicionado previamente en contra de los planteamientos de Matza, las diferencias no son tan grandes. De hecho, puede decirse que asume parte de la idea de la neutralización, aunque le otorgue un papel más limitado y posterior en el tiempo. También puede decirse que la teoría de Matza viene a ser, en cierto modo, el negativo o trasunto de la teoría del control social, como se deduce si comparamos la técnica de condenar la autoridad con las dimensiones de apego, compromiso e implicación en actividades convencionales.

Por último, Hirschi intenta también desmitificar la idea de cultura de clase popular. Bien entendido que se centra sólo en una de las versiones primeras, americanas y más arriesgadas, la de Walter B. Miller (1958), según la cual, en las clases más bajas podemos encontrar un conjunto de valores culturales coherentes, de creencias y de prácticas que modelan la vida de estas personas y que constituyen un caldo de cultivo adecuado para la infracción de las normas. He aquí la lista de valores y las conclusiones de Hirschi:

a) Problematicidad (*Trouble*). Consiste en obedecer la norma pero no porque se crea en la misma o se apoye su fondo moral sino porque de lo contrario puede acarrear problemas. Ahora bien, Hirschi encuentra que la mayoría de sus entrevistados de las clases sociales más bajas no están de acuerdo con que las consecuencias de violar la ley son la principal razón para observar un comportamiento conformista. A esto hay que añadir que la proporción de los chicos de posiciones sociales más bajas que muestran actitudes de desdén hacia la ley no difiere prácticamente de la de miembros de clases superiores. Por lo tanto, pertenecer a clases populares no tiene por qué predisponer a la delincuencia (*Ibid.:* 214-215).

b) Picaresca (*Smartness*). Se valora la habilidad para conseguir los objetivos con el mínimo de esfuerzo físico usando la agilidad mental. En castellano podríamos hablar de pícaros, los cuales clasifican a la gente en listos y "primos" (*suckers*). Con arreglo a esta forma de pensar, el tipo que se dejó la llave de contacto puesta, se merece que le roben el coche por primo. Hirschi encuentra rastros de esta forma de pensar entre los chicos entrevistados, solo que ésta no se concentra de modo especial en la clase baja sino que se reparte en todas (por tanto incluyendo hijos de padres semicualificados, hijos de "white collar" y de profesionales liberales).

c) Matonería (*Toughness*) y Autonomía y adultez. Aunque se trata de dos valores diferenciados, aquí los agruparemos. La matonería y la masculinidad han sido tradicionalmente asociados a los comportamientos de chicos de barrios de clases populares en mayor proporción que a los de sus homólogos de clases medias. Pero a su vez, la matonería supone hacer alarde de aguantar bebiendo alcohol, fumar o conducir un coche, que son valorados positivamente por los adolescentes y jóvenes como símbolos de independencia y madurez. En ambos casos, Hirschi llega a la misma conclusión (*Ibid.*: 215, 217). Encuentra sí, dichas actitudes entre algunos entrevistados. También reconoce que están asociadas a los mayores registros de actos delictivos. Pero, y esto es lo importante de cara a la discusión, dichos comportamientos no se ceban en las clases populares. Se trata de factores relevantes que tienen que ver con la falta de lazos sociales y no con la pertenencia a la clase social más baja, cuya cultura, como conjunto coherente de valores compartidos y únicos, según Hirschi, hay que demostrar todavía que exista.

Debemos situar por tanto estas críticas de Hirschi en la línea de aquellos trabajos que relativizan la idea de la cultura de la delincuencia o de la desviación. No obstante, esto no significa que no exista nada en la realidad que de sentido a dicha categoría, salvando el peligro de la imputación, tal y como vimos cuando repasamos este debate.

4. AUTOCONTROL

Según hemos visto hasta ahora, el delincuente será alguien con pocos lazos sociales. ¿Sólo eso? No, posteriormente, en la obra escrita con Gottfredson, Hirschi ofrece más pistas del potencial delincuente. Debe ser alguien, en principio, impulsivo, insensible o no demasiado inteligente, en cuanto que no consigue considerar las consecuencias negativas o dolorosas de sus actos (Gottfredson y Hirschi, 1998: 95). O dicho de otra manera, los delincuentes son personas que, además de aprovechar una oportunidad de delinquir tienen un bajo autocontrol. Este concepto se define en términos negativos, las causas del bajo autocontrol "son negativas más que positivas", dicen textualmente los autores, quienes aprovechan para separar su teoría de todos aquellos enfoques —la mayoría en su opinión— en los que se ve al delincuente como el resultado de algún rasgo extra que no tienen los individuos que no delinquen. El delincuente no tiene algo especial que lo diferencia de los demás, sino que simplemente no tiene los mínimos de socialización que tiene el resto. No obstante, nótese que aunque el autocontrol sea definido en términos negativos, es valorado como algo positivo, a diferencia de autores como Freund, según vimos en la primera parte. Podemos caracterizar a las personas con bajo autocontrol de la siguiente manera (*Ibid.*:89):

1. Se rigen por el "aquí y ahora", es decir, tienden a no posponer las gratificaciones o placeres.

2. No son diligentes ni tenaces en sus acciones.

3. Suelen ser personas muy activas, con gusto por la aventura.

4. Sus relaciones con amigos, colegas y parejas suelen ser inestables.

5. No suelen estar especialmente cualificados porque la mayor parte de las actividades delictivas no requiere especialización alguna.

6. Suelen ser egoístas e indiferentes al sufrimiento y necesidades de los otros.

7. Pueso que su objetivo fundamental es conseguir el mayor placer en el menor tiempo, suelen exhibir conductas como el fumar, beber alcohol, jugar, etc.

8. Son personas sociables.

9. Como su objetivo es también evitar todo sacrificio o displacer, suelen ser exhibir niveles de tolerancia mínimos. Por ejemplo, puede irritarles el llanto continuado de un niño.

Todas estas características demuestran que la familia fue inefectiva en su educación. En efecto, la principal causa del bajo autocontrol hay que buscarla en la institución familiar (*Ibid.*:97). Enseñar el autocontrol significa, en este sentido, tres cosas: vigilar el comportamiento de los niños, saber reconocer las conductas desviadas, y castigarlas. La familia es tan importante para estos autores que, aunque reconozcan la teórica posibilidad de que otras instituciones puedan compensar el aprendizaje del autocontrol, tales como la escuela (*Ibid.*: 105), acaban viendo en aquella —o sus variantes— nada menos que la única solución auténtica al problema de la delincuencia. Porque debe subrayarse que la visión que tienen de la delincuencia está coloreada por la edad. Es decir, la delincuencia es, en realidad, delincuencia juvenil, si observamos las tasas de los delitos ordinarios en relación a la edad. A partir de los 25 años se advierte una caída generalizada en la frecuencia de delitos cometidos. El punto de inflexión —el pico más alto— se alcanza alrededor de los 20 años, habiendo comenzado la curva un acelerado ascenso a partir de los 13 o 14 años (*Ibid.*:263). Es en estos años, por tanto, donde deberían hacerse los esfuerzos preventivos. "Prevención más que tratamiento", sugieren los autores (*Ibid.*:269). Porque si han fallado los contextos naturales de socialización, ¿cuánto no fallarán los contextos artificiales? De ahí el fracaso de la mayor parte de las políticas de reeducación. "Una efectiva y eficiente prevención contra el crimen tendría que centrarse en los padres o adultos con responsabilidades en el cuidado de los niños" (*Ibidem*).

Gottfredson y Hirschi no abundan más en este punto, no nos dicen cómo podría concretarse esta idea, la cual alcanza el valor de una interesante sugerencia. Sin embargo, en lo que tiene de dependiente de la variable edad, hay que decir que algunos trabajos la han matizado. De hecho, algunos de los autores que han revisado el debate sobre este punto no han podido menos que calificar el "pesimismo" de Hirschi y Gottfredson, si bien no de infundado, sí de "extremo" (Greenberg, 1991: 35). Porque también hay indicios de que, para ciertos grupos específicos de individuos y de delitos, la frecuencia de delitos no disminuye. "Parece —sugiere Greenberg— que entre los delincuentes más activos, la frecuencia de infracciones no declina con la edad. Si declina en términos agregados ello se debe a que algunos de los delincuentes acaban desistiendo" (*Ibid.*: 34).

Por lo demás, los autores deberían tener en cuenta que el autocontrol tiene una dimensión filosófica. No hay que ver en este concepto sólo la parte "instrumental" tendente a favorecer el control de los comportamientos o la pacificación de los mismos. Esta tal vez sea la "parte occidental" del concepto, de claro interés criminológico. Pero existe también una "parte oriental", claramente reflejada en filosofías como el taoísmo. Hasta cierto punto, es posible decir que el Tao Te King, libro que enseña el ideal de la sabiduría como vida buena, con el menor sufrimiento posible, se basa precisamente en el ejercicio del autocontrol. La persona debe aprender a controlar sus deseos y en especial su impulso a actuar. Cuanto más lo consiga, menos interferencias provocará. Obsérvese cómo curiosamente en Occidente estamos llegando a una situación especialmente receptiva a estas enseñanzas, al hacerse cada vez más patente la parálisis de la acción debido a la reflexividad por la conciencia de las consecuencias indirectas de nuestras acciones, las cuales han causado mucho malestar durante la época de la modernidad, basada en la acción. Por lo tanto, el autocontrol tiene otras funciones además de las que se derivan del orden social y puede además ser inculcado a través de la educación, en las escuelas, a través de actividades que equilibren los valores de la ambición, la acción, la motivación del logro y el estrés.

5. CONTROL, ETIQUETADO Y ESTRUCTURA

Existen algunos intentos de acercar los postulados de estas teorías a otros enfoques con la finalidad de enmendar algunas de sus deficiencias. Uno de los más citados es de Steven Box. Hemos recogido en la primera parte su crítica radical al Estado y a sus aparatos de control social — entre los que menciona también a los propios criminólogos—, responsables de dar vida a la categoría de subcultura del crimen. Box también echa mano echa mano de la teoría del etiquetado para poder resolver la importante cuestión de por qué en las variables clase social y etnia parecen guardar poca relación con la delincuencia en los estudios basados en entrevistas y sin embargo la tienen tanta en las estadísticas (Downes y Rock, 1998: 241). La respuesta está en que los primeros captan la *desviación primaria* mientras que las segundas captan la *desviación secundaria*[13]. A través de los distintos pasos de intervención oficial, los sospechosos detenidos inicialmente se irán filtrando hasta que queden mayoritariamente los de ciertas etnias y clases sociales. Los procesos de etiquetado interactuan con las variables de control, ya que, por ejemplo, ciertos grupos son más vigilados por la policía y por lo tanto tienen más probabilidades de ser detenidos. Pero esta idea no impide que podamos seguir hablando, como en el caso del resto de los autores tratados, de circunstancias que condicionan la decisión de delinquir. También aquí Box aporta su lista particular de cinco variables. Dicha decisión dependerá de:

---

[13]   Este concepto se menciona en el apartado dedicado a los enfoques interaccionistas.

1) las posibilidades que se tengan de ocultar la acción delictiva (*secrecy*),

2) el conocimiento o habilidades requeridos (*Skills*),

3) el equipo necesario (*Supply*),

4) el apoyo de los colegas (*social support,*) y

5) el apoyo, en términos de justificación de la infracción, que le puedan brindar ciertos valores culturales (*symbolic support*) (Box, 1971).

Particular atención merece el trabajo de Harriet Wilson por su esfuerzo empírico, quien se acaba acercando a posiciones estructurales. Wilson se propone medir los efectos del handicap social, la supervisión paternal y la criminalidad también de los padres en la delincuencia juvenil a través de una muestra de 120 familias de Birmingham. Estas, divididas en dos submuestras, 60 de la zona centro y 60 de suburbios, se clasificarán en tres categorías de handicap social —severo, moderado o bajo— según la puntuación que alcancen en las variables de clase social del padre, tamaño de la familia, indumentaria escolar del hijo, asistencia de éste a clase y contacto de los padres con la escuela[14]. (Wilson, 1980: 207). Respecto a la supervisión paterna, se dividirán en dos grupos en función de la información obtenida con las madres de los niños. Si dicen que estos últimos están siempre fuera de casa, toman el autobus o van

---

[14] A Wilson le salen 40 familias en cada categoría. Deben cumplirse algunos otros requisitos como la presencia de ambos padres en la familia, el que haya cuatro o más hijos, con uno de 10 a 11 años que será entrevistado aparte, que sea pobre, normalmente se cuenta con padres desempleados y/o sin cualificaciones. La forma de obtener la muestra sigue dos pasos: primero localizó las zonas geográficas más deprimidas de la ciudad utilizando datos oficiales de hogares con falta de baño, superpoblados, con altos porcentajes de adultos varones desempleados o enfermos, con cabezas de familia representados por trabajadores manuales sin cualificar, no propietarios de vehículos y con presencia de inmigrantes. En segundo lugar se eligieron 12 colegios en el barrio periférico y 25 en el centro para elegir de entre ellos primero los chicos y después sus familias con información de los profesores y siempre que pertenecieran a familias con las características aludidas. Igualmente se tuvo acceso en un paso ulterior a las fichas policiales de los chicos estudiados y de sus padres. Fueron entrevistados tanto las madres como los hijos de la edad señalada. En ambos casos se usaron entrevistas semiestructuradas. En el primero se obtuvo dos tipos de información: datos generales biográficos de la familia y relación con los hijos (indicadores de la supervisión paterna). A los chicos se les preguntó sobre sus actividades y actitudes en el colegio y en la comunidad y tiempo libre.

al parque y a la ciudad por sí mismos, no deben rendir cuentas de adónde van y a menudo no saben donde encontrarlos, entonces la familia tendrá un estilo "laxo" de supervisión. Las que se exhiban un comportamiento opuesto tendrán otro calificado de "estricto".

La hipótesis de Wilson es que el aumento de la delincuencia está más relacionado con la laxitud en la vigilancia de los hijos que con el handicap social y con la criminalidad de los propios padres (*Ibid.:* 211). Y aparentemente eso es lo que encuentra en los datos: las tasas de delincuencia en familias con supervisión laxa son siete veces mayores que las que se dan en familias con supervisión estricta. Mientras que las familias con handicap social severo muestran tasas tres veces superiores con relación a las menos deficitarias, y las familias con padres con antecedentes solo muestran una proporción del doble comparadas con sus contrarias (*Ibid.:* 229-230). Puede que esta idea de la importancia de la supervisión paterna sea algo que nos dice el sentido común, reconoce Wilson, pero la originalidad está en que increíblemente la criminología no le ha prestado mucha atención. A la hora de explicar la relación entre supervisión y delincuencia lo hace sin embargo de forma un tanto rápida y arriesgada. De nuevo, se recurre aquí a la teoría del etiquetado. Según Wilson, los padres estrictos no se caracterizarían, como a primar vista podríamos suponer, por ser autoritarios, en el sentido de expresarse en "términos prescriptivos" —"no hagas esto, no hagas aquello"—, sino que más bien desvían la crítica hacia el grupo de niños probadamente infractores, etiquetándolos como malas personas y malas compañías, como personas que atraen problemas. De esa forma, sus hijos son colocados automáticamente en una posición jerárquica superior y se esfuerzan por mantenerla tratando de comportarse de forma diferente a la del grupo estigmatizado por los padres (*Ibid.:* 232-233). Wilson, que ha guardado cuidado en contrastar cada paso con estudios hechos por otros autores, al llegar a este punto no lo hace.

Existe, por supuesto, una relación entre los tres factores examinados por Wilson. Así, encontramos más padres con trayectorias delictivas en el grupo de handicap social severo (*Ibid.:* 227). Igualmente, llama la atención la tabla 11 del trabajo donde se cruzan las variables estilo de supervisión y handicap social (*Ibid.:* 222). Entonces vemos que, independientemente del grado de supervisión, el número de las familias con hijos delincuentes crece a medida que se extrema el handicap social. Pero Wilson no expone la sospecha de esta lectura en ese momento. De hacerlo, tendría que explicar su al menos relativa incongruencia con la hipótesis que está preocupado por probar. Y parece incluso que nos ha convencido cuando de repente, en las páginas finales realiza una sorprendente declaración. Sorprendente por dos cosas: porque rompe con la lógica del artículo —de su objetivo— y con la presunción subyacente de los enfoques circunstanciales, pasándose al lado opuesto estructural. Y lo que declara es que no se utilice ese trabajo para culpar a los padres, dando lugar a posibles programas reeducativos o punitivos, puesto que lo importante es la asociación entre los métodos de supervisión y el handicap social. "Los métodos de supervisión laxa —continua— son a menudo el resultado de un estrés crónico, de situaciones que arrancan de prolongados periodos de desempleo, de discapacidades físicas o mentales de algunos miembros de la familia, y de condiciones de pobreza sostenida" (*Ibid.*: 233). De manera que el lector no sabe ya a qué atenerse, es decir, no sabe hasta qué punto la supervisión del hijo por parte de los padres, es no solamente una variable importante, olvidada, sino la variable fundamental, por encima del handicap social, como se dijo, lo cual implica, obviamente, que es independiente del mismo en un grado relevante. Por otro lado, con dicha declaración, la solución parece estar únicamente abocada a reformar la estructura social, algo tan vago y abstracto que lo hace improbable y desde luego, peligrosamente disuasorio de medidas concretas de acción de política familiar, educativa y penal dentro de los límites que establecen las garantías de las libertades civiles.

III
La prevención del delito

1. INTRODUCCIÓN

La prevención del delito es sin duda uno de los aspectos más relevantes desde la criminología desde el punto de vista social. Ignorar este tema por principio parece hoy un contrasentido y hasta cierto punto una falta de responsabilidad ética. La postura que defiende este libro es que siempre que sea posible, el teórico debe extraer conclusiones que ayuden a solucionar el problema social investigado. Es así como la ciencia aumenta su contribución al objetivo último de mejorar la calidad de vida de la gente.

Ignorar la vertiente preventiva es además un contrasentido si consideramos que aquella es una de las dimensiones que más vigor cobra en la vida moderna de la sociedad globalizada y de riesgo. Refleja una preocupación general que conecta con la necesidad básica de sobrevivir en un mundo cuyas inestabilidades son tanto mayores, debido en buena medida a la conexión de los acontecimientos sociales con varios o todos subsistemas —económico, político, cultural—, cuanto mejor conocidas cada día —lo que les otorga su dimensión reflexiva, real y vale decir, dramática—.

Con la globalización, la seguridad de los Estados se debilita debido a la mayor permeabilidad y por lo tanto vulnerabilidad de los espacios en los que ejercían el control social. El tiempo y el espacio se comprimen de forma que dejan de ser las coordenadas que orientaban nuestras vidas tradicionalmente. Incluso, si unimos ambas variables asumiendo que el espacio no es otra cosa que tiempo cristalizado como sugiere Castells (1997: 444), comprobaremos que *la red* facilita la ruptura de normas y las acciones delictivas no solo desde el punto de vista de su coordinación sino también aumentando casi *ad infinitum* las posibilidades de camuflaje.

En realidad, en este contexto global, no es exactamente la prevención contra el delito sino el sustrato más profundo del cual esta se alimenta, el de la ruptura de normas en general, el que aumenta en grandes proporciones. La razón es el plus de inestabilidad provocado, lo cual hace que la gente se vuelva más susceptible en materia de infracciones. En un contexto inseguro, hasta la violación de la reglas de cortesía puede ser visto como un desafío o al menos como un recordatorio de nuestra vulnerabilidad, de la fragilidad del mundo social en el que nos desenvolvemos. Ahora bien, esta especie de sorda tensión se libra en un terreno demasiado profundo, las consecuencias negativas consisten más bien en un desgaste a largo plazo de las reservas de tolerancia de las poblaciones que pueden ser compensadas por otros aspectos positivos de distinto signo, locales o extralocales. Sin embargo, por lo mismo, pueden ser también exagerados por acontecimientos de índole negativa, haciendo salir entonces a la superficie todo el nerviosismo colectivo latente.

Tal fue lo ocurrido en Estados Unidos tras el atentado contra las torres gemelas de Nueva York. En opinión de muchos analistas las medidas preventivas adoptadas por la administración de George Bush han sido desproporcionadas. ¿Cómo explicar esa reacción excesiva? Colocando el suceso en un clima de inestabilidad, en una atmósfera de tensa calma bajo la cual fluía la vida del pueblo americano, es decir, de un pueblo que sentía avanzar con más fuerza que ninguno, los efectos de la globalización y de sus procesos afines —y hasta cierto punto relativamente independientes—. Tras los atentados, la prevención deviene obsesión. Y del mismo modo que ocurre a nivel individual, la obsesión no trae nada bueno, llegando a suspenderse las garantías jurídicas sagradas en todo estado de derecho[15]. Los gastos en materia de seguridad se disparan y la administración se expande. La creación, siempre en los Estados Unidos, de la Office Homeland Security (OHS) supone diferenciar a partir de ese momento la seguridad interior de la exterior (Neyssan, 2002: 101). Este desdoblamiento es un ejemplo claro de lo que el sociólogo español Salvador Giner denomina *congestión institucional* en su explicación del funcionamiento de la sociedad civil ante los profundos cambios sociales que vivimos en los últimos tiempos: "Cada nueva oleada de acontecimientos (…) exige esfuerzos coordinados que no pueden resolverse siempre desde la sociedad civil, sino que tienen que

---

[15]   El 31 de octubre, el Departamento de Justicia suspende el derecho de los detenidos a entablar conversación a solas con su abogado. La prisión preventiva a extranjeros sospechosos se amplia a una semana. Tras los atentados se detuvieron a más de 1200 extranjeros sin que en muchos casos se informara a los cónsules de los países de origen, etc.

encontrar la respuesta de los poderes públicos… Para evitar la sobrecarga de la red institucional existente instauramos entonces más instituciones públicas, es decir, con poderes imperativos. Surge entonces una sobrecarga (*overload*) adicional de tareas para los gobiernos y administraciones para la cual no se ha encontrado solución factible, ni el plano práctico ni el teórico" (Giner, 2003: 453). Si bien de aquí no podemos deducir con exactitud que la idea de una "sociedad preventiva" ratifica plenamente las tesis de la "sociedad corporativa", pues habría que entrar en un debate más complejo que desborda nuestro objetivo, sí que al menos podemos concluir que una de las reacciones lógicas de los Estados nacionales ante los problemas para mantener el orden social en el nuevo orden internacional es la de incrementar sus burocracias y el gasto público en materia de prevención —lo cual no tiene por qué suponer un aumento proporcional del déficit público, ya que puede disminuirse en otras partidas presupuestarias—.

En todo caso, acontecimientos como el ataque terrorista mencionado simbolizan un fenómeno: la sociedad occidental se convierte más que nunca en una sociedad preventiva. El delito, como la enfermedad, es un riesgo que corremos. La prevención es una forma lógica de enfrentarnos a él, sobre todo en una sociedad avanzada. Porque es cierto que hasta en una tribu de recolectores podemos encontrar formas rudimentarias de prevención, por ejemplo, buscando guaridas espacialmente protegidas de posibles ataques de otros grupos. Sin embargo, cuanto más refinada es una civilización, en el sentido de haber satisfecho las necesidades básicas, mayor parte de la energía se dedicará a la prevención, como si ésta fuera proporcional a los bienes que debe proteger y, de forma igualmente importante, al tiempo que se dispone. En realidad, este factor evolutivo explica de por sí parte de nuestra preocupación por la prevención y viene a sumarse a aquel otro factor de carácter más específico y diacrónico que es el diagnóstico sobre la inestabilidad de una época.

De acuerdo con esta idea introductoria que señala la importancia de este tema, dos aspectos fundamentales deben ser tratados. De un lado, las consideraciones sobre la propia naturaleza de la prevención. Es este un aspecto si se quiere de tipo metateórico cuyo importante objetivo es llamar la atención sobre los límites de la prevención. El segundo, más concreto, se centra en los tipos de prevención del crimen, el sentido que tienen las propuestas de los enfoques circunstanciales y su posible futuro.

2. LA PARADOJA COMO LÍMITE DE LA PREVENCIÓN

Al presentar la circunstancia, avanzamos que una de las consecuencias de su potenciación podría ser la inestabilidad, huellas de la cual encontramos efectivamente examinando los límites de la previsión. Debemos ahora aclarar este punto. Para empezar, la situación ideal en la que se re-crean las circunstancias preventivas siempre y en todo lugar exigiría demasiada energía. Ocurriría como en aquel cuento del emperador cartógrafo de Borges, que mandó a sus súbditos hacer un mapa tan perfecto que debieron consagrarse en cuerpo y alma abandonando sus respectivas ocupaciones y provocando su ruina. En segundo lugar, a la objeción física anterior se le añaden limitaciones de tipo moral: la única sociedad absolutamente segura es aquella en la que las libertades están suspendidas, como en la conocida obra de Huxley, *Un mundo feliz*. Fuera de esa opción, la realidad nos coloca en la espiral de la redefinición continua de las normas y de su infracción. Los delitos asociados a las nuevas tecnologías lo demuestran con claridad: los códigos de seguridad son deconstruidos por los piratas informáticos. Es cuestión de tiempo. En tercer lugar, en una sociedad de riesgo y compleja, en el sentido que le da Luhmann, evitar un riesgo supone asumir otro —si está nublado y no cojo el paraguas corro el riesgo de mojarme pero si lo cojo y no llueve corro el riesgo de olvidarlo o cargar con un objeto inútil— (Luhmann, 1987).

En nuestro terreno, esto significa que una medida destinada a prevenir un delito, podría estar propiciando otro, o que acciones inofensivas que se toman en un sector tienen consecuencias delictivas en otro. Ken Pease menciona un caso que puede ilustrar este último punto. En la década de los ochenta, durante un tiempo los ladrones de vehículos se centraron en el modelo Ford Cortina, debido a que carecía prácticamente de sistemas de seguridad. La compañía redujo costes de este modo y consiguió un record de beneficios pero esto produjo la consecuencia de un aumento en el número de detenidos por robo de vehículos y la apertura de dos centros de detención que disparó los costos del aparato judicial y policial (Pease, 1997: 983).

Como he escrito en otro lugar refiriéndome al riesgo, un actor racional cuyo objetivo fuera precisamente minimizar los riesgos de sus acciones consumiría tanta energía que haría desaparecer el beneficio obtenido medido en términos de bienestar o placer (Gil Villa, 2001: 14). Sería un individuo enfermo, un atisbo del cual encontramos en el enfermo imaginario de Moliere o en los personajes atribulados por la hipocondría de Woddy Allen. Por lo tanto, entraría en contradicción precisamente con el objetivo de todo sujeto racional —y recordemos que no hay diferencia entre el delincuente y el no delincuente— que según nuestros autores es el logro de ciertos niveles de satisfacción.

Las paradojas de la prevención son congruentes con algunos de los rasgos de los nuevos paradigmas científicos, los cuales se separan de la ciencia moderna precisamente al admitir la dificultad para la prevención y el control basándonos en la observación (Lyotard, 1979). Razonando à la Lyotard, expondré un ejemplo más adaptado a nuestro objeto de estudio. Imaginemos ser un antropólogo realizando un trabajo de campo en un lugar remoto de la selva amazónica. Observamos todos los días las costumbres de un grupo de indios. Anotamos en nuestro cuaderno sus costumbres, por ejemplo que todos los días van a cierta fuente a beber agua a cierta hora. Observaciones como ésta nos colocarían en una posición de poder y reflejarían el paradigma científico moderno. Por ejemplo, podríamos venderlas a una tribu enemiga, cuyos guerreros podrían envenenar el agua poco antes de la hora prevista. O podríamos "vender" la información a las autoridades locales o internacionales para que colocaran en la fuente un suplemento de algún mineral cuya ausencia causa enfermedades a nuestra tribu.

Esto significa que la observación científica nos da poder a través de la previsión, quedando éste a merced de opciones de tipo moral por parte del investigador. Ahora bien, incluso en una escena tan simplificada como ésta, se observa cómo el modelo tradicional (observación-poder-previsión-control) no está exento de problemas. Porque el control de las circunstancias puede ser utilizado tanto para la obediencia como para la infracción de las normas. En efecto, la observación en que se basa la prevención de delitos —y en realidad el conocimiento que aporta la propia teoría— también puede ser utilizada para el fin contrario, es decir, por un potencial infractor interesado en buscar la forma de romper la norma. Esto coloca la prevención en un nuevo cul de sac que sólo se puede romper ocultando al público la información, por lo tanto, de nuevo, con una decisión dudosamente ética. Sucedería aquí algo parecido al dilema con que se encuentra una empresa de sondeos electorales: si publica el estudio, es muy probable que algunos votantes cambien la intención de su voto, logrando entonces un efecto no deseado por el partido que encargó dicho estudio. Este problema se evita no publicándolo pero entonces la empresa puede sentirse culpable de manipulación o al menos de connivencia con ciertos políticos.

Imaginemos por fin que los indios de nuestro ejemplo acuden a la fuente a beber agua a una hora distinta cada día. Nuestra posibilidad de control desaparece en ese caso al no caber previsión alguna. La falta de previsión nada tiene que ver con la explicación de la misma. Puede que la diferencia horaria en el acto de beber agua obedezca a un patrón, a una ecuación matemática con la cual simplemente no hemos dado. En el caso de la delincuencia, encontraríamos pistas del "paradigma postmoderno" en la preocupación expuesta por Clarke acerca de la posibilidad de que el delincuente cambie de objetivo o de delito ante una medida preventiva. Este autor reconoce que se trata de una cuestión abierta a la que es difícil responder con pruebas empíricas (*Ibid.*: 142). En general, eso sería más fácil para los delitos "oportunistas", como ciertas formas de vandalismo o de robo en comercios. Ahora bien, en el caso de delitos más especializados como el robo de bancos, la respuesta podría ser más complicada. En el caso de que un banco reforzara sus medidas de seguridad, algunos de los potenciales ladrones podrían decidir buscar otro banco más desprotegido, otros podrían simplemente desistir y otros más podrían intentar un tipo diferente de robo. En cualquier caso, entre los delitos oportunistas y los profesionales hay muchas otras clases de infracciones en las que el perfil del potencial infractor es alguien que salió de casa con la intención de cometer el delito si tiene la oportunidad. De ahí que, en estos casos, siga siendo valiosa la prevención.

En el capítulo de las paradojas a las que se enfrenta la prevención debemos referirnos a los argumentos expuestos por Hirschi y Gottfredson en contra de la incapacitación y de la rehabilitación como medidas políticas clásicas a la hora de atacar el problema de la delincuencia. Porque el razonamiento central es que precisamente dichas estrategias se encuentran encerradas en una paradoja —aunque los autores no utilicen esta palabra— (Gottfredson y Hirschi, 1998: 225 y ss.). Si queremos prevenir el delito, el problema consiste en identificar al grupo de personas sobre las que aplicaremos la incapacitación —encarcelamiento— o el "tratamiento". ¿Qué criterios utilizaremos? Criterios que sean socialmente aceptados como justos. No podemos por ejemplo privar de libertad a los que fuman y beben alcohol o conducen con velocidad, aunque sepamos que estas conductas pueden estar asociadas por la teoría a las conductas delictivas. El único criterio políticamente aceptado es el que la persona haya cometido ya anteriormente un delito. Ahora bien, sabemos que alrededor de la mitad de los que cometen un delito —procesado por el sistema de justicia— no vuelven a cometer otro, por tanto sería injusto aplicar las medidas a todos los que cometieron un solo delito. Podríamos aumentarlo a dos delitos, pero sabemos que alrededor de un tercio de los que tenemos constancia que los cometieron no reincidieron. La pregunta ahora sería: ¿en qué numero de delitos previos colocamos el límite? Cuantos mayor sea el número más justo será el criterio, pero sin embargo más inútil se vuelve la medida porque los delincuentes tienen ya la edad suficiente para dejar de cometer delitos de forma natural. Esta sería la dramática paradoja de las tan cacareadas medidas preventivas de la incapacitación y la rehabilitación.

Así pues, tanto si aplicamos a la prevención el modelo científico clásico o newtoniano, que es el que nos permite cierto control, como si aplicamos el modelo de los sistemas no lineales, encontraremos problemas que solucionar. La verdad es que, como en el mundo físico que nos rodea, funcionan a la par los dos modelos y es responsabilidad de los analistas sociales y de los gestores que se aplican a la prevención estudiar la forma en que están relacionados en el campo del delito. Queda claro que la prevención es una cuestión de grados y que es inaceptable, desde el punto de vista lógico y moral, tanto la postura que la convierte en la panacea de la lucha contra el delito, como la que la desecha por razones de "inutilidad" o ideológicas. En el primer caso, la prevención es imposible de conseguir plenamente desde el punto de vista del razonamiento lógico porque la delincuencia es un subsistema social en el que no funcionan sólo las leyes de Newton sino también las leyes del caos —utilizando la analogía con la física—. Pero además, aunque consiguiéramos un día poseer un modelo matemático o un ordenador capaz de controlar todas las variables de la seguridad y sus interacciones —cosa que desde luego no tenemos a la vista—, nos encontraríamos con la objeción del valor moral de la libertad.

Un mundo donde el delito fuera absolutamente previsible sería un mundo totalmente seguro donde no existiría el delito. Esto supondría vivir, por un lado en un lugar donde, la energía empleada en la ruptura de normas se iría retirando a la región más inocua de normas intrascendentes —no punibles— reduciendo a su vez el pulso, la fuerza y la espontaneidad de la vida. Una sociedad en suma sin innovación, lo que acarrea el peligro de exhibir un bajo nivel de adaptabilidad a los problemas del medio. Por otro lado, estamos aquí en el caso de las utopías donde la libertad brilla por su ausencia de acuerdo con la famosa paradoja del predictor. Una vez predicho el futuro, se plantea la duda de si podemos o debemos intervenir para alterarlo. El determinismo que plantea la idea de la prevención y seguridad absolutas implica la no intervención, lo que supone nada menos que acabar con el libre albedrío, la facultad del hombre y la mujer de modelar su destino en alguna medida —no en toda—. Pero igualmente objetable es la posición que se niega a practicar cualquier tipo de prevención sensata, consensuada con el público a la que afecta y estudiada previamente con seriedad en su complejidad por los analistas sociales. Porque en este caso, no sólo se va contra los tiempos, puesto que vivimos en una sociedad de riesgo y de prevención, sino que a través de la omisión se contribuye a perpetuar el sufrimiento de los sectores de la población que corren más riesgo de ser víctimas. Es decir, la postura que se niega a practicar la prevención, incluida la primaria, contribuye a la exclusión social.

Las paradojas de la prevención que aquí hemos expuesto, sirven, de acuerdo con lo anterior, para que reflexionemos sobre sus límites no para que la descartemos. Desde el punto de vista de la moral, el esfuerzo por la prevención está más que justificado, puesto que sirve para disminuir el sufrimiento del otro. Las reflexiones anteriores no tienen por objeto, por lo tanto, el decidir si debemos trabajar o no la prevención, sino en cómo debemos hacerlo. Debemos ser conscientes de la sensibilidad del instrumento que tenemos entre manos, debemos ser cuidadosos con las consecuencias derivadas de cada medida —también desde el punto de vista de la moral—, debemos organizar dichas medidas en un plan serio que las evalúe con criterios de eficacia pero también y sobre todo con los criterios de la moral y de la paz de la mayoría como responsabilidad hoy en día central de los poderes públicos. En suma, los gestores deben tomar conciencia de que no se trata de una tarea tan inocua como pudiera parecer a tenor de la sencillez de algunas de las medidas, sino de un trabajo cuya mayor parte de la energía debe concentrarse más que en el diseño y la aplicación de recursos, en la vigilancia epistemológica que debe acompañar tanto la reflexión anterior como la monitorización posterior.

3. TIPOS DE PREVENCIÓN DEL DELITO

Sobre las reflexiones generales pero fundamentales anteriores, estamos ahora en condiciones de pasar al plano concreto de las propuestas. Podemos distinguir tres grandes perspectivas en la prevención del delito atendiendo a las causas en que se origina y según se centre en la estructura, en la personalidad o en la circunstancia (Pease, 1997: 963).

La primera apuesta por el cambio económico y social, la segunda por cambiar o reformar a los delincuentes y la tercera por intervenir en las situaciones que propician el delito. De las tres, la que se centra en la estructura es sin duda la más difusa por cuanto exige reformas que no están directamente relacionadas con el problema de la delincuencia, como la redistribución de la renta. Es evidente que, desde el punto de vista del consenso, el riesgo de este tipo de prevención es el que las medidas de justicia social se aplacen *sine die* por causas políticas. Por otro lado conducen a debates ideológicos que en el fondo impiden, paradójicamente, la prevención. Por ejemplo, algunos se pueden plantear si las medidas de prevención son éticamente neutrales en países cuyos sistemas políticos están poco legitimados por los principios básicos del derecho y la democracia. Así por ejemplo, no faltará quien haga la lectura de que la prevención contra la delincuencia en un régimen no democrático coadyuva a la manutención ilegal del mismo. Pero el mismo argumento podrá ser mantenido para países como Francia, Reino Unido o España, desde el punto de vista ideológico de quienes creen que sus democracias políticas son falacias y sus sociedades están sometidas a la dominación de las clases políticas y dirigentes. En el terreno de la delincuencia, estas lecturas han sido sostenidas por la llamada criminología radical. El radicalismo anula la posibilidad de la prevención. Esta haría el juego al sistema, al Estado, a los ricos, a las multinacionales o a los medios de comunicación. La base anárquica de dichos argumentos impide la consecución del orden social bajo la excusa utópica de que dicho orden sólo está justificado si consigue el acuerdo "consciente" de la mayoría —la cual muchas veces está "engañada" sobre los beneficiarios de dicho orden—.

La parálisis a que lleva de suyo este tipo de perspectiva estructural hace que la descartemos aquí y nos fijemos en las otras dos. Podemos aún reclasificarlas en prevención primaria, secundaria y terciaria (Pease, 1997: 965). La primaria es la se centra en las circunstancias del delito. La secundaria intentaría cambiar a las personas que se encuentran en los grupos de riesgo a la hora de cometer delitos futuros y la terciaria lo intentaría directamente con los delincuentes juzgados como tales. Esta última ha canalizado la mayor parte de los esfuerzos durante la historia reciente de la penología pero con pocos resultados. Dos argumentos un tanto contradictorios convierten este tipo de prevención en una de las menos exitosas. Por un lado, la mayor parte de los delincuentes son reincidentes. Por otro, y de acuerdo con autores como Hirschi, la "esperanza de vida delictiva" de gran parte de los delincuentes llega hasta los 25 años con lo cual el esfuerzo preventivo llega tarde. Los dos argumentos parecen empujarnos en la misma dirección, a saber: sin abandonar la filosofía de la rehabilitación y los trabajos con los convictos, especialmente con los privados de libertad, los esfuerzos de prevención centrada en el sujeto, deben centrarse más en la prevención secundaria. Esa es la otra forma de prevenir la reincidencia que además es compatible con la parte más sensata de las propuestas de prevención estructural.

Ahora bien, llegados a este punto existe un peligro, el que la idea de prevención sea más o menos inconscientemente inclinada a la perspectiva de las personas y no de sus circunstancias. Este fenómeno se debe a que la mayor parte de los que idean las medidas son profesionales uno de cuyos riesgos de deformación es precisamente el tender a solucionar los problemas centrándose en la persona, en el sujeto. En el fondo, esto se debe al egocentrismo —y etnocentrismo— que todavía afecta a los planes académicos de educadores, psicólogos, juristas, etc., afectado por el idealismo y subjetivismo típicos del orgulloso pensamiento moderno. Defender la prevención primaria del delito, es decir, la que se opera sobre sus simples circunstancias, dejando al margen al sujeto, es en cierto modo una aporía y se enfrenta a la antipatía más o menos explícita y en todo caso a la inercia de los equipos de profesionales o de políticos encargados de llevar a cabo los programas. La razón, aunque a veces permanezca oculta es sencilla: atenta doblemente contra el orgullo del profesional o del político. Se siente herido como miembro que es del género humano y además, se siente frustrado al haber dedicado muchos años al estudio del comportamiento humano, cuyo sentido se pone ahora en tela de juicio. Porque en el fondo, la prevención primaria nos está diciendo que no existen los delincuentes, que son simplemente las circunstancias objetivas las que causan el delito; es más, que casi todos podemos cometer delitos si nos vemos tentados por ciertas circunstancias.

Esta sería la razón por la cual Ken Pease, en su trabajo de revisión del tema, no se explique por qué programas de prevención primaria como el aplicado en Gran Bretaña de 1988 a 1995 con el título de *Safer Cities* (ciudades más seguras) se suspendan pese a tener éxito. Pease nos dice que se han dado dos tipos de razones (*Ibid.*: 982). La primera es que ciertos coordinadores "sentían" que los delincuentes simplemente cambiaban de objetivos. La segunda, es precisamente la señalada razón del profesionalismo, el cual, a mi modo de ver, está más relacionado con prejuicios de la formación como los aludidos que con motivos corporativistas como los apuntados por otros autores.

El mundo académico y político en el que vivimos hoy en día está afectado por la complejidad y la reflexividad y para no caer en la parálisis de la acción, debe hacerse un esfuerzo por utilizar criterios que depuren y limpien con la lógica y el sentido común las discusiones sobre los problemas sociales. Las medidas de prevención circunstancial, al margen de los prejuicios, deben ser alentadas si consiguen el éxito en sus propósitos de reducir el número de delitos. Es importante, por lo tanto, conocer las propuestas de los autores de los enfoque circunstanciales en este punto y sugerir formas de ampliarlas.

Los enfoques circunstanciales poseen una marcada vocación preventiva, lo cual se constituye en una de sus virtudes o aportaciones más importantes, de acuerdo con el principio de responsabilidad tanto ético como de coherencia metateórica que en mi opinión debe animar al analista social, tal y como se aclaró al principio de este apartado. Incluso puede decirse que dichos enfoques nacen en buena parte como reacción ante cierto hastío teórico, ante la impotencia de las teorías criminológicas tradicionales a la hora de luchar contra el delito. La mayor parte de ellas se proponen medidas preventivas o lo intentan justamente allí donde más difícil es conseguir algún resultado, como por ejemplo en relación a aspectos psicológicos o condiciones económicas y sociales familiares supuestamente causantes de la delincuencia (Clarke, 1980: 137). Por contra, enfoques como el de la acción racional, ya desde sus orígenes, intentan desarrollar "una colección de técnicas dirigidas a la identificación, análisis y modificación de las oportunidades situacionales" (Cornish, 1993: 364). Con un lenguaje más divulgativo, Felson inicia el capítulo sobre prevención —el octavo de su libro— avisando al lector que va a presentar una lista de ejemplos de lucha preventiva contra el crimen que han tenido éxito. Y añade que los protagonistas de algunas de estas experiencias ni siquiera han oído hablar de la prevención de las circunstancias que favorecen el delito (*situational crime prevention*) pero que lo importante es compartir y dar a conocer dichas experiencias, sea cual sea su fuente (Felson, 1998: 167).

Probablemente el autor que más ha trabajado la perspectiva del delito sea Ron Clarke, quien en los años 70 trabajó como empleado de la administración de justicia inglesa (en la *Home Office Unit Research*). En aquellos años Clarke agrupaba las medidas preventivas en dos grandes grupos: las que tienen lugar con la reducción de las oportunidades físicas del delito, y las que se dirigen a aumentar el riesgo de ser detenido (Clarke, 1980). Uno de los ejemplos más citados de las primeras es la medida adoptada por las autoridades de Birmingham de reducir el contenido venenoso del gas empleado con fines domésticos durante los años sesenta. El resultado fue la disminución del número de suicidios.

Este ejemplo es especialmente ilustrativo, en opinión de Clarke, porque normalmente se cree que el suicidio obedece a una fuerte motivación interna. Sin embargo, la medida demostraría que puede estar asociado a lo contrario, a la oportunidad. Sustituir las cajas de monedas de aluminio de las cabinas telefónicas por otras de acero es otra medida. Más interesante aún fue la norma que obligaba a los alemanes occidentales en 1963 a poner una barra bloqueadora de la dirección en los vehículos para impedir el robo. La medida fue un éxito. En cuanto a las precauciones destinadas a aumentar los riesgos de capturar a los delincuentes, Clarke ofrece ejemplos como la colocación de teléfonos públicos en lugares como pubs o lavanderías, dotar los aparcamientos de vigilantes o dotar los supermercados de empleados que están para atender al cliente. En efecto, en muchos casos, es suficiente con una disuasión indirecta, como la que provoca un amable empleado que se acerca al sospechoso para preguntarle simplemente si puede ayudarle en algo.

Posteriormente, Clarke ha ido reformulando su clasificación de las medidas preventivas periódicamente (Pease, 1997: 968). A mediados de los 90, ofreció una lista de nueve técnicas de prevención primaria agrupadas en tres dimensiones (Clarke, 1995):

1) Destinadas a aumentar el esfuerzo que exige el delito:
   - Objetivos más difíciles. Cajas de acero.
   - Control del acceso. Interfonos, tarjetas de identificación personal visibles
   - Desvío de los delincuentes. Localización de los pubs, callejones sin salida.
   - Control de los medios. Control de las armas, tarjetas de crédito con fotografía personal.

2) Aumento de los riesgos:
   - Chequeo de entradas y salidas. Chequeo de bolsos, productos con bandas magnéticas que disparan la alarma.
   - Vigilancia formal. Guardias de seguridad, cámaras.
   - Vigilancia a través de empleados. Cobradores de parkings, atención al cliente.
   - Vigilancia natural. Iluminación de las calles, "espacio defendible".

3) Reducción de la recompensa:
   - Eliminación de objetivos. Cabinas telefónicas por tarjetas, aparatos de audio extraíbles de los vehículos.

- Identificación de la propiedad. Marcar los objetos poseídos, anotar sus números de serie, licencia de los vehículos.
- Eliminación de fenómenos que provocan el delito. Limpieza de graffitis, reparación rápida de destrozos visibles en inmuebles o en vías públicas.
- Aplicación de las normas. Registros en hoteles, verificar mayoría de edad en las entradas de locales donde se consume alcohol.

Por su parte, Felson inventa el acrónimo *TIGER* para resumir los factores más importantes, en su opinión, a la hora de hablar de prevención de delitos (Felson, 1998: 179). El delito o la inducción circunstancial al mismo (*Induccement*) ocurría en el caso de existir un blanco valioso (*Target's Rewards*) cuya apropiación exige poco esfuerzo (*Effort*), con poco riesgo (*Risk*) y ante la ausencia de sentimientos de culpa (*Guilt*). O sea:

$$I = T - G - E - R$$

De la fórmula del delito se puede deducir la de su prevención cambiando de signo los factores.

$$-I = -T + G + E + R$$

En efecto, el delito se podría prevenir, de acuerdo con la fórmula anterior de cuatro grandes formas:

1) Disminuyendo los beneficios que otorga. Y allá donde sea posible incluso eliminarnos, como en el caso de esas tiendas que no operan con dinero sino únicamente con cheques.

2) Aumentando los sentimientos de culpa del potencial infractor. Dotando una biblioteca de lectores de bandas magnéticas insertadas en los libros hará que algunos alumnos no caigan en la tentación de robarlos. El alcohol es un gran anestésico del sentimiento de culpa, recuerda Felson. Por lo tanto controlando su ingesta se reduce la posibilidad de muchas infracciones.

3) Aumentando el esfuerzo que supone romper con la norma. Por ejemplo, atando con una cadena algunos productos.

4) Aumentado el riesgo de ser detenido. Aumentado la vigilancia tanto "dura" como "blanda", es decir, el personal de seguridad y el de asistencia al cliente o instalando sensores magnéticos en las salidas.

Mención aparte merecen las medidas de prevención del delito a través de la intervención en el espacio físico. Tal vez el primer trabajo clásico al respecto sea el de Jane Jacobs, a principios de los años 60

(Jacobs, 1961). El estudio, realizado en los Estados Unidos, llegaba a la conclusión de que los barrios más seguros eran los que cumplían las siguientes condiciones:

a) Había un uso mixto del espacio. O sea, donde se daba una mezcla de actividades no especializadas, donde la gente entraba en relación cada día por motivos cotidianos —comprar, comer, etc.—

b) La mayoría de los habitantes vivía a una distancia de sus destinos diarios —sobre todo laborales— que era posible hacer a pie.

c) Donde había un flujo constante de gente caminando por una zona de calles pequeña o abarcable.

Aproximadamente una década más tarde aparece el libro de Oscar Newman que se haría famoso por el concepto de "espacio defensible" (Newman, 1972). Newman estudio 4000 bloque de viviendas oficiales de la ciudad de Nueva York con el objetivo de averiguar qué cosas del diseño arquitectónico atraían el vandalismo y la delincuencia. Al final, dividió estos factores en tres grupos:

1) Anonimato. El cual a su vez era propiciado por:

a) La altura del edificio.

b) El número de inquilinos que comparten la misma entrada al edificio. A más gente, más probabilidad de delitos.

c) El número de viviendas por edificio. Los edificios con largos pasillos que albergan muchas viviendas son más peligrosos

d) Características de los espacios compartidos. Si varios edificios comparten jardines, parques infantiles, o entradas, es pero que si no lo hacen.

2) Vigilancia. El que un espacio sea defensible depende en gran medida de que su vigilancia sea posible, la cual no tiene por qué recaer en manos de personas especialistas, como guardias de seguridad, sino que puede ser efectuada por cualquier vecino. Los delincuentes eligen siempre sitios poco vigilados, de ahí que sea más seguro un edificio que opte por pasillos externos —que dan a la calle— más que internos. Igualmente, es más seguro que la puerta de entrada de directamente a la calle que a jardines o recovecos que pueden constituir callejones sin salida.

3) Rutas de salida alternativas.

Newan encontró, por último, que los edificios plagados de entradas y salidas, ascensores o escaleras de incendios, son preferidos por los delincuentes porque favorece su escapatoria.

Paul y Patricia Brantingham han trabajado en la criminología medioambiental publicando hallazgos interesantes para la prevención (1981). Muchos delincuentes actúan, como el resto de la gente, en las zonas que conocen. Podemos trazar un mapa compuesto de "nodos" y de "caminos" que una la casa del ladrón, con su lugar de trabajo o escuela, el sitio donde más le gusta pasar el tiempo libre y la zona de compras más visitada. Esa será la zona en la que actúe, comprendiendo un conjunto de dos o tres calles que unan esos puntos. Por otro lado, utilizando datos sobre todo de Canadá, llegan a la conclusión de que una casa tendrá más probabilidades de ser objeto de robo si se halla en una calle que a su vez está atravesada por intersecciones (podemos preguntarnos cuántas calles desembocan en mi calle) que si se halla en un callejón sin salida, es decir, más aislada.

A mediados de los ochenta, Alice Coleman realizó, sobre la base de los estudios anteriores, una investigación más sofisticada en una ciudad inglesa. En primer lugar, agrupó las características que describían las viviendas en cuatro grupos de variables (Coleman, 1994: 33):

1) Variables de tamaño.
   – Número de viviendas por bloque
   – Número de viviendas por entrada
   – Número de pisos por bloque
   – Número de pisos por vivienda

2) Variables de circulación
   – Caminos elevados (puentes metálicos)
   – Salidas interconectadas
   – Rutas verticales (ascensores y escaleras)
   – Tipo de pasillos

3) Características de la entrada
   – Posición de la entrada
   – Tipo de entrada
   – Existencia de Bajos huecos (casas sobre columnas)
   – Casas sobre garajes

4) Características del lugar (de la manzana, no del edificio)
   – Organización de los espacios
   – Bloques más o menos juntos
   – Rutas de acceso
   – Áreas de recreo.

La idea de Coleman era que cierta combinación de dichas variables se correlacionaría positivamente con "señales" de desorden espacial que atraerían a los delincuentes. En concreto, y con datos de encuesta, Coleman cruzó aquellas variables con otra lista que ordenó en un grado acumulativo y "degenerativo" de la forma siguiente:

- Basura

- Graffiti

- Señales de vandalismo

- Niños pequeños sueltos

- Orina

- Excrementos

La probabilidad de que aparecieran señales mayores de abuso —como excrementos— sería mayor allí donde ya habían aparecido señales menores —basura—. La idea que relaciona las señales de desorden y la delincuencia ha sido bastante explotada. Tal vez fue la expresión "cristales rotos" (*broken windows*) la que más la popularizó. La hipótesis de James Q. Wilson y George Kellling (1982) nos dice que si en un barrio o área determinados se dan signos de desorden como ventanas rotas, casas abandonadas, graffiti o basura, ello acabará socavando el control que la comunidad ejerce sobre el espacio. Así, algunas personas podrían ahora arrojar basura o no limpiar ciertos rincones que antes atenderían en una espiral de dejadez y deterioro que puede ser una sutil invitación para los traficantes de droga o para los potenciales delincuentes.

Ahora bien, la asociación entre señales de desorden o deterioro y delincuencia no es tan simple como parece[16]. Al menos, autores como Richard Taub, Taylor y Dunham se han esforzado en poner de manifiesto cómo no debemos sacar conclusiones precipitadas (1984). En primer lugar, la tasa de delincuencia de un barrio o zona no es el único indicador que la califica. De hecho, existen barrios cuyos habitantes reconocen que el riesgo de sufrir delitos es superior a la media pero, a pesar de ello, se sienten satisfechos con el nivel de seguridad en general (por ejemplo el barrio donde está situada la Universidad de Chicago, al sur de la ciudad). En segundo lugar, en su forma pura, aquella asociación refleja

---

[16] Una revisión de este y otros debates relacionados puede verse en A.E. Bottoms y P. Wiles (1997)

el estilo clásico de las primeras teorías sociológicas del espacio, las cuales pecan de excesivamente simplistas al pasar por alto la variable de las decisiones tomadas tanto por individuos sueltos como por actores corporativos, como asociaciones de vecinos. Cuando aparecen los primeros signos de deterioro algunas personas se mudan del barrio (pioneros). Pero otros, especialmente entre los mayores, se negarán a dejar sus casas. Un grupo intermedio imitará a unos o a los otros. El balance dependerá de varios factores entre los que cuenta la velocidad del proceso. Si los abandonos se suceden deprisa, esto ejercerá un efecto dominó que hará que otros se inclinen por la misma solución. Sin embargo, la acción de asociaciones públicas o privadas puede influir mucho en este proceso, así como la organización de los vecinos y la toma de medidas tanto de forma autónoma como con la ayuda del ayuntamiento, la iglesia, u otros organismos.

Pero volviendo a trabajo de Coleman, este es también interesante por otro tipo de aportaciones. Examinó —y desmitificó— cierta variables asociadas tradicionalmente con la delincuencia. Así, por ejemplo, observó que el índice de desempleo no guardaba relación con los signos de vandalismo. Por otra parte, era cierto que la propiedad de la vivienda estaba relacionada con una menor delincuencia pero esa relación se debía sólo a que había una diferencia importante entre las viviendas en propiedad y las de alquiler. Por lo tanto, es de presumir que dicha variable no pese tanto en parques donde propietarios y arrendatarios convivan.

Las recomendaciones que se deducen del estudio de Coleman siguen, en general, la línea de reducir y eliminar cuando sea posible. Reducir el número de pisos, de entradas y salidas, de usos compartidos entre bloques, de espacios vacíos. De esa forma no se genera en los vecinos la duda de si corresponde a ellos su vigilancia a los otros. La autora aporta un cuarto componente del diseño arquitectónico a la triple lista de Newman, a saber, el indicador de desorden provocado por niños no vigilados. Este factor, aparece más relacionado con el desarrollo de elementos antisociales de los propios vecinos que con la atracción de delincuentes, pero igualmente favorece de forma indirecta el delito (*Ibid.:* 17).

La autora se centra en las medidas que tienen que ver con el diseño del espacio dado que ese es su objetivo, sin embargo, el grupo de variables indicadoras del deterioro también merece la atención preventiva de forma directa. Deben colocarse papeleras, contenedores de basura, y zonas especiales para los animales en zonas visibles. El ayuntamiento debe facilitar guarderías y utilizar educadores de calle para detectar a los niños pequeños que juegan solos y elaborar actividades de ocio con ellos, en la medida de lo posible compartidas con adultos. En cuanto a los graffiti, es este probablemente un indicador muy diferente de los otros. Constituye un canal de expresión crítica de los problemas de la vida cotidiana (Fernández Seara: 1998). Como espacio de reflexión puede ser aprovechado, investigando sus mensajes y entrevistando a los escritores, para detectar los problemas del espacio y su interacción[17]. Posteriormente, pueden mediar reuniones o foros entre los graffiteros y las asociaciones de vecinos tendente a eliminar los prejuicios alrededor de esta actividad. La línea general debería ser la de canalizar respetuosamente la expresividad cultural que reflejan, poniendo a su disposición muros o murales visibles, creando páginas web y organizando alternativas en el área de la educación social que estén relacionadas —como campamentos urbanos, exposiciones, etc.—.

La obra de Coleman se titula *La utopía a examen* y conviene tomar nota de su postura porque ilustra con claridad el sentido de este tipo de estudios del espacio. Según la autora encontramos dos posiciones claramente distintas y extremas:

a) Determinismo medioambiental. Para quienes lo defienden, el espacio condiciona de forma determinante el comportamiento humano. Dime donde vives y te diré quien eres, podríamos decir en castellano. Esto supone que sostener que cualquier cambio en el espacio que nos rodea tendrá repercusiones en nuestra vida y nuestra conducta.

b) Posibilismo. La raza humana se adapta a cualquier contexto espacial, pudiendo ser feliz o infeliz en cualquier medio geográfico, lo que significa que la calidad de vida, en el fondo, dependerá de otro tipo de variables no espaciales.

Frente a ambas, la autora apuesta por una tercera y ecléctica postura (*Ibid.:* 20):

c) Probabilismo. El medio ambiente no determinará nuestro comportamiento pero sí que lo afectará, sobre todo empujándolo hacia la ruptura de normas y el desorden social si se dan determinadas circunstancias que hacen la vida poco placentera.

---

[17] Un ejemplo de investigación reciente del contenido de los mensajes, en concreto en un barrio de clase media de Lisboa, puede verse en Carles Freixa y otros (2002).

Así pues, vemos la prevención del delito, al menos en lo que afecta al espacio, desborda el objetivo concreto de la seguridad yendo más allá, contribuyendo a una mejora de la calidad de vida a través haciéndola más pacífica y placentera.

4. CRÍTICAS Y FUTURO DE LA PREVENCIÓN DEL DELITO

Respecto a las críticas, tanto Clarke como Felson coinciden en comentar las más importantes. Algunos políticos reformistas y algunos teóricos de la desviación, por ejemplo acusan al enfoque prevencionista de conservador (Clarke, 1980: 144). Según los primeros, en la lucha contra el crimen, la única política eficaz es la dirigida al corazón de la desigualdad social, con medidas más profundas y estructurales destinadas a disminuir la diferencia entre las clases sociales. Los segundos no critican las medidas por su ineficacia sino porque ayudan a mantener un *statu quo* injusto. Clarke contra-argumenta que un enfoque preventivo, en el delito como en otros problemas sociales, como la drogadicción o ciertas enfermedades de contagio, es la única forma de lograr que no todo dependa del sistema judicial. Por otra parte, frente a lo que Felson llama el prejuicio de que la prevención situacional sólo favorece a los ricos (Felson, 1998: 182), es decir, que sólo una minoría puede permitirse las medidas preventivas, la seguridad, Clarke observa que esto puede solucionarse parcialmente derivando los costes de seguridad a los productores de los blancos, por ejemplo a los fabricantes de automóviles. Por otra parte, el problema de cuánto invierte el sector público en seguridad y cuánto privatiza, es algo que depende de los programas de los partidos políticos y de los valores que se transmitan en la educación publica (*Ibid.*: 144). Debe subrayarse que en ningún caso ni Clarke, ni Felson, ni ninguno de los autores, se decanta a favor de un programa neoliberal que disminuya las inversiones públicas o que descarte la educación pública como medio de reforzamiento del valor de la solidaridad con los excluidos.

Otra de las críticas más escuchadas es la de que la prevención puede atentar contra el derecho a la intimidad, sobre todo con ciertas formas de vigilancia. Desgraciadamente se asocia la prevención a su cara más negativa, como peligrosos perros guardianes o cámaras graban indiscretamente nuestras actividades. Sin embargo, la prevención no sólo abarca muchas otras medidas sino que algunas de ellas, como las asociadas al "espacio defensible", además de disuasorias del delito recuperan el tejido social comunitario —por ejemplo edificios menos verticales o menos funcionales, con menos salidas, ascensores y salidas de incendios—. Por otro lado, las medidas siempre deben tener como límite el respeto a las libertades individuales y a la calidad de vida (Clarke, 1980: 144).

Felson ironiza sobre el declive que sufren en los últimos tiempos al parecer los enfoques preventivos en el área pública en los Estados Unidos. La prevención no es algo que cautive la imaginación de los políticos y los activistas morales americanos, la gente se cree que sabe más sobre prevención del crimen de lo que realmente saben, además, no puedes hacerte rico con ella (Felson, 1998: 181).

Llegados a este punto podemos hacernos la siguiente pregunta: ¿cuál es el futuro de la prevención primaria? En principio no parece que sea muy halagüeño. Según Pease, parece que en los últimos años está un tanto "fuera de moda", tendiendo a inclinarse más las medidas políticas en la prevención secundaria y terciaria, dejando relegada por tanto el control de las circunstancias al terreno de la iniciativa privada. (Pease, 1997: 987). Esta tendencia da pábulo a los prejuicios contra la prevención primaria al reforzar la imagen de que es un lujo que sólo unos pocos privilegiados se pueden permitir. A ello se suma el debate ideológico acerca de la necesidad de implicar a la comunidad en las tareas de prevención y de seguridad ciudadana. Aparentemente, se trata de una postura que defienden políticos neoliberales, normalmente dentro de partidos de derecha y reticentes a aumentar los gastos sociales para luchar contra la exclusión social debido a que en su opinión, de esa forma sólo se fomenta el parasitismo. Sin embargo, también es posible que políticos del otro lado del espectro político fomenten planes de prevención comunitaria bajo los argumentos de la descentralización y el fomento de la participación. En ambos casos, aunque sobre todo en el primero, deben contemplarse ciertos riesgos en la autonomía de las comunidades a la hora de organizar las campañas de prevención —en el segundo caso, el peligro sólo aparece si la descentralización se llega a convertir en abandono de sus funciones por parte de las administraciones públicas—.

Si se deja la prevención exclusivamente en manos de, pongamos por caso, asociaciones de vecinos o similares, se reforzará el mapa urbano de la exclusión social ya que los barrios habitados por personas de clase media se organizarán mejor, ya sea encargándose ellos mismos de las tareas ya sea contratando a especialistas. En los barrios más desfavorecidos, sin embargo, debido al menor nivel de estudios y de renta de sus habitantes la organización de la prevención y la seguridad será más difícil de conseguir. Otro riesgo que debe tenerse en cuenta es el peligro que encierran las situaciones de tensión producidas a consecuencia de la aplicación de las medidas. El uso de estereotipos raciales puede llevar a aplicar con más rigor los sistemas de seguridad ante personas "mal vistas" en el barrio. También es más probable que se den fenómenos como el linchamiento pues la comunidad funciona precisamente con el combustible no de la adhesión racional sino de la emocional. Parece necesaria, por lo tanto, la intervención y supervisión por parte de las administraciones públicas. El gasto público en prevención primaria es necesario, más aún, es fundamental para mantener la paz social. Puede que lo haya sido siempre, sin embargo, la discusión sobre su importancia, que debe traducirse en términos económicos, depende del diagnóstico de inestabilidad social que emitan sobre cada época los analistas sociales. Puesto que en nuestros días este es más negativo que nunca, como se viene recordando a lo largo de este trabajo, la conclusión es que también en general, la preocupación pública debe ser mayor. Ninguna excusa ideológica cabe argumentar ante este deber básico del Estado de Derecho[18]. Se trata pues, como recordaba Clarke, de una cuestión de sensibilidad política, si bien conviene subrayar que es tan básica que es exigible en términos de responsabilidad a todos los partidos a la hora de las elecciones.

La intervención de los poderes públicos debe buscar, por otro lado, un equilibrio entre los extremos del paternalismo y la dejadez con la excusa de la delegación o la autonomía ciudadana. Revitalizar los barrios como unidades de socialización aumentando las relaciones entre las familias, los centros educativos y las instalaciones de ocio, es una de las formas, sobre todo si se ve acompañada de las medidas de prevención espacial ya sugeridas. Otra de las vías que conviene poner a prueba es la que tiene que ver con ciertos modelos policiales como el MPC. El policía puede desempeñar un importante papel en la prevención porque es el que más contacto tiene tanto con el ciudadano como con el delincuente. Ahora bien, ese papel está realmente justificado sólo si el cuerpo policial se

---

[18]   No lo es, desde luego, desde el punto de vista de la tradición política liberal representada por pensadores como Hayek, una vez demostrado que la inestabilidad social reclama este gasto social como necesario para lograr el mayor bien de la mayoría.

organiza de cierta forma. En este sentido es interesante el Modelo de Policía Comunitaria, el intento más serio —a partir de los años ochenta— de transformar a la Policía de *reactiva* en *preventiva*. Este modelo supone, 1) contar con la implicación de la población —esto es lo que persiguen las expresiones en estos momentos familiares en España como Policía de proximidad o de barrio—, 2) asumir como misión fundamental la prevención de la delincuencia y 3) fomentar un estilo de trabajo más informado, estudioso y menos reactivo (Torrente, 2001: 246). Con todo, no debería sobrevalorarse el papel de la policía en general. Felson advierte contra la tendencia popular a mitificar dicho papel, cuando en realidad, los datos nos dicen que el sistema de justicia criminal apenas refleja una mínima parte del universo del delito:

1) Solo alrededor del 50% de los delitos o faltas cometidas son denunciadas a la policía.

2) De ese porcentaje, menos de 1/5 acaban en arresto

3) De las personas arrestadas, solo _ parte son condenados

4) De las condenadas, alrededor del 50% son encarcelados.

Así pues, exagerar el papel de la policía, los juzgados y las cárceles en la producción y en la prevención del crimen constituirían cierta "falacia" (Felson, 1998: 6).

Por último, para que la prevención del delito sea eficaz debe perseguir el equilibrio entre la llamada prevención primaria y la secundaria, redirigiendo los esfuerzos de ambas, de forma especial, hacia los sectores más abandonados, como son la violencia doméstica o los delitos sin víctimas como las drogas. En el primer caso medidas primarias como campañas de concienciación y disuasión incisivas en los medios de comunicación deben acompañarse de programas educativos basados en dinámicas de grupos que potencien la convivencia de los géneros tanto en los centros educativos en la educación primaria y secundaria como en la educación de adultos.

En cuanto al problema de las drogas, algunas de las medidas de prevención primaria expuestas por autores como Clarke o Felson tienen una eficacia probada, como las relacionadas con el entorno que rodea a los pubs y bares. Sin embargo, tal vez la medida más urgente y efectiva sea la limitación de horarios de apertura de los lugares de esparcimiento. En el caso de España, la costumbre de mantener los bares y discotecas abiertos durante toda la noche —e incluso empalmando con los locales "after-hours"— favorece probablemente el consumo de drogas de diseño entre los jóvenes. El sistema inglés, de cierre obligado a ciertas horas, sin duda es preventivo: cuantas más horas se pasa en los bares, más riesgo de consumo de drogas legales e ilegales[19]. Este modelo exige de nuevo voluntad política clara que priorice la seguridad de los ciudadanos por encima del miedo a la impopularidad por la falsa acusación de la disminución de la libertad. En Europa en general, y en España en particular —como reacción al reciente pasado dictatorial— se sufre lo que en otro lado he llamado *complejo de autoridad* cuyas consecuencias podrían llegar a ser nefastas si la evolución no se corrige a tiempo (Gil Villa, 2002: 81). En épocas de vacío generalizado de autoridad se corre el riesgo de que la población se canse y acabe fantaseando de forma más o menos inconsciente con la llegada del "cirujano de hierro", alguien que pondrá por fin orden ante nuestra inexplicable incapacidad de hacerlo. El "vacío de autoridad" de momento alcanza ya límites patéticos cuando observamos en informativos televisados a padres que no duermen los fines de semana esperando la llegada de madrugada de hijos e hijas de 16 o de 22 años. Sufren por el miedo de que sean víctimas de algún delito, incluido el paradójico delito que las clasificaría como no víctimas, en el caso de una intoxicación por alguna sustancia desconocida —recordemos que el mayor problema que se les presenta a los médicos de guardia ante un chico o chica que ha consumido drogas de diseño un viernes o un sábado por la noche es el desconocimiento de los compuestos químicos del producto—.

Medidas como el horario limitado de los lugares de esparcimiento son coherentes con los supuestos de los enfoques circunstanciales del delito. Más horas supone más "tentación" para los más jóvenes, es decir para aquellos que todavía no han tenido tiempo de forjarse una personalidad en el sentido de un conjunto de ideas claras sobre el mundo y su supervivencia en él en base a experiencias personales y una educación basada en el respeto a los demás y a uno mismo. Más horas supone además "más tentación" para los más jóvenes, y por tanto mayor riesgo de caer en la adicción, debido a que, como se viene demostrando repetidamente, cada vez un mayor número de ellos pasan menos tiempo con los padres y adultos en general, de forma que se sienten poco orientados en los criterios morales que deben dirigir sus acciones.

---

[19] En España algunas ciudades han adoptado en los últimos tiempos este sistema. Ahora bien, debe recordarse que la medida no es efectiva si se ordena el cierre de los bares a cierta hora pero no el de las discotecas. En este caso nada se consigue sino contentar los intereses de los dueños de las discotecas.

Junto a las medidas preventivas primarias, el problema de las drogas exige otras secundarias de tipo educativo que deben utilizar, como en el caso anterior de la violencia, pedagogías dinámicas tendentes a dramatizar el problema entre los más jóvenes además de informar con objetividad. En la situación actual, sin embargo, muchos centros no llevan a cabo ningún tipo de educación sobre el tema de las drogas o la realizan de forma muy superficial y como partes de otros temas transversales. Lo que encontramos es un conjunto fragmentado de planes o programas a distintos niveles administrativos, con menor o mayor acierto en su elaboración, los cuales a su vez pueden ser más o menos realizados en función de la voluntad de los equipos directivos y de la comunidad educativa de cada centro. Deberían organizarse dichos esfuerzos desde las administraciones autonómicas e implantarse de forma segura y controlada por medio de un entrenamiento corto de un profesor por centro. Basta con unas pocas sesiones, por ejemplo en horarios de tutorías, para que todos los alumnos sean informados de forma dinámica[20].

Informar con objetividad significa atenerse a las consecuencias probadas de las distintas sustancias sin caer en los prejuicios. En este sentido, el caso más llamativo es la confusión suscitada con drogas como la marihuana[21]. La mayor parte de los argumentos usados por los prohibicionistas se basan en asociaciones no probadas científicamente

---

[20]   Existen dinámicas que causan un impacto probado en los alumnos a la hora de explicar, por ejemplo, los efectos del tabaco o del alcohol. Para el primer caso se puede hacer se le puede tomar el pulso a alguien antes de haber fumado, durante y después. Podemos utilizar dos globos de distinto tamaño para explicar la diferencia entre el pulmón de un fumador y el de un no fumador. O podemos hacer correr a algunos alumnos alrededor de la clase mientras aspiran el aire por una pajita de forma que se mantenga adherido al otro extremo un trozo de papel. Pocos conseguirán mantenerlo mucho tiempo y luego les pediremos que describan la sensación que tienen en la garganta para compararla a la de los fumadores. En cuanto al alcohol, podemos llenar un vaso en forma de tubo con agua y colocar encima una capa de aceite. Después echaremos unas gotas de algún licor con color de forma que veamos cómo algunas de ellas quedarán atrapadas en el aceite que flota mientras que otras llegan al agua, que simboliza la sangre. También podemos dibujar 9 puntos en el encerado y pedirle a un alumnos que los una con una tiza después de haber dado 10 vueltas sobre su dedo índice apoyado en el suelo, para observar los efectos de pérdida de autocontrol.

[21]   Véase el trabajo de Lamo de Espinosa (1989) al respecto, citado en la primera parte, en el apartado del interaccionismo simbólico.

y por lo tanto prejuiciosas. No existe, por ejemplo, relación entre el consumo de marihuana y el futuro consumo de drogas duras. No existe relación entre consumo de cannabis y delincuencia. Precisamente, uno de los objetivos que procuran las leyes que permiten y regulan la venta legal de cannabis es evitar la entrada de los consumidores en la delincuencia (Márquez, 1994: 147). Los efectos negativos del alcohol o del tabaco son bastante mayores que los de los derivados del cannabis[22]. Sin embargo, sólo en algunos países como Holanda la clase política ha tenido el valor de elevar estas verdades al nivel de la legislación. Antes al contrario, en los informes holandeses se resalta cómo la seguridad que proporciona la venta de drogas blandas en los *coffeeshops*, contribuye a la protección de los consumidores más jóvenes contra las drogas duras[23].

La demonización de esta droga a lo largo del siglo XX en países como Estados Unidos es comparable a la demonización —y la consiguiente criminalización— de la mujer o de los judíos y otros declarados herejes por la Iglesia en la Edad Media. La persecución del consumo y tráfico desafiando en algunos casos los informes oficiales que apuntaban en una dirección contraria, por razones tanto económicas como tocantes a los derechos fundamentales de los ciudadanos, aceptan ser evaluadas menos con criterios de racionalidad que con criterios de psicología dinámica como los utilizados por Jean Delemeau en sus trabajos sobre la herejía[24]. En efecto, parece que podemos hacer buenas para algunos

---

[22] En informes del Ministerio holandés de Sanidad, Bienestar y Deportes aparece la comparación de los riesgos comparados del consumo del cannabis, el alcohol el tabaco. La dependencia psíquica, la dependencia física, las lesiones hepáticas, las cardíacas, las gástricas, y las cerebrales son todas ellas mayores en el caso del alcohol o del tabaco que en el del cannabis. Sólo aparece como un riesgo importante las lesiones en las vías respiratorias, que en cualquier caso no supera al del tabaco.

[23] La venta y consumo legalizados del cannabis en Holanda —desde 1976 con la denominada Ley del Opio— no ha disparado ni el consumo de la misma ni el de otras drogas "duras" como la cocaína. Antes al contrario, si comparamos datos de Holanda y de Estados Unidos observamos que en este segundo país los porcentajes de consumo de ambas drogas son superiores (Office of Applied Studies: 1997; Abraham, Cohen y De Winter: 1999). Así, "ha probado alguna vez" el cannabis el 32,9% de los norteamericanos frente al 15,6% de los holandeses. Y la cocaína, el 10,5% frente al 2,1% respectivamente. Y si comparamos con datos de consumo en España, resulta que entre 1994 y 1998 los porcentajes de quienes han probado alguna vez el cannabis o lo han consumido en el último año, son superiores aquí (22% y 8% respectivamente) que allí —en Holanda— (18% y 15%). Véase también, Escohotado (1997).

[24] Ya en 1937 el informe encargado a un comité científico por el alcalde de Nueva York, Fiorello de la Guardia: The Marihuana Problem in the City of New York, elaborado

de nuestros políticos conservadores el uso del mecanismo de proyección que este historiador de las mentalidades aplica para explicar la persecución y criminalización de la mujer hace siglos: "seres sexualmente frustrados, que no podían dejar de conocer tentaciones, proyectaron sobre otros lo que no querían identificar en ellos mismos. Pusieron delante de ellos chivos expiatorios a los que podían despreciar y acusar en su lugar" (Delemeau, 1989: 539)

---

durante 6 años, concluía que el consumo de la droga no inducía a comportamientos violentos o antisociales, deseos sexuales incontrolados, ni alteraba la estructura básica de la personalidad. Pero uno tras otro, los distintos Presidentes iban gastando más billones de dólares en criminalizar a los consumidores, con paréntesis relativos como el Carter. Uno de los casos más llamativos es el de Nixon, quien comprometió su postura a las conclusiones de una Comisión Presidencial que estudiara de nuevo los efectos de la droga. The Official Repport of National Commission on Marihuana and Drug Abuse, 30 años después del informe *La Guardia* establecía que el coste de las leyes prohibitivas era muy superior al de su valor disuasorio y que dichas leyes llevaban a la criminalización selectiva de ciertos grupos. Nixon tiró el informe a la papelera y creó la Drug Enforcement Administracion, con más de 4000 agentes y capacidad para entrar en los domicilios de los ciudadanos "sospechosos" e intervenir las llamadas telefónicas. Los gobiernos republicanos a partir de Reagan en los años 80, han continuado la política de persecución y criminalización.

IV
Los enfoques circunstanciales en la encrucijada

1. CARACTERÍSTICAS METATEÓRICAS

Dentro de lo que aquí venimos llamando enfoques circunstanciales encontramos posiciones más o menos ortodoxas. Como en muchas disciplinas, el grado de apertura hacia otros enfoques y la intención de fidelidad a los presupuestos básicos permiten hablar de versiones con ciertas diferencias. La perspectiva de Clarke y Cornish de la acción racional delictiva constituye el enfoque más flexible de todos. No obstante, comparte con la teoría del control social de Hirschi y la teoría de las actividades rutinarias de Felson ciertos rasgos metateóricos que podríamos resumir como sigue:

1) Marcado carácter sociológico. En primer lugar, la teoría del control social viene de la sociología. Muchos de los trabajos relacionados con estos enfoques se publican en revistas sociológicas (Hirchi, 1986: 109). En segundo lugar, parece clara cierta reacción antipsicológica en el origen de los enfoques. Se insistirá en que la motivación no está la clave del delito, en que más bien lo que hay que explicar es por qué la mayoría de las personas no delinquen. Así cobra importancia el concepto de circunstancia, el cual es especialmente compatible con la sociología toda vez que ésta insiste en estudiar los fenómenos sociales atendiendo precisamente a sus peculiaridades temporales y espaciales. Pero si olvidamos los precedentes de dicho fenómeno, por ejemplo, o sea su historia, o los pensamientos o base filosófica de los que en el fondo se nutre, entonces podemos llegar a ser reduccionistas. Es difícil, no obstante, valorar si hay reduccionismo y en qué grado porque si bien a veces echamos en falta consideraciones teóricas extraídas de otras disciplinas —en especial de la historia, la filosofía y la antropología— por otro lado la circunstancia no queda sola y aislada sino sintonizada, tal vez de una forma en la que los autores no son muy conscientes, con importantes rasgos socioculturales de nuestra

época. Sobre todo de tres: la inestabilidad, el riesgo y la reflexividad. La inestabilidad social se refleja en las carnes de la teoría, tanto en la propia circunstancia y sus componentes azarosos como en la fragilidad y volubilidad de los actores sociales. Por otro lado, si asumimos que vivimos en una "sociedad de riesgo" una consecuencia clara será el énfasis en la prevención en materia de seguridad. La reflexividad conecta con la racionalidad del sujeto.

2) Complejidad. Les viene dada por su énfasis en distinguir niveles dentro del estudio del delito. Cada tipo de delito requiere un análisis diferenciado.

3) Prevención contra la estructura. Los enfoques son en cierto modo "aestructurales". Al ser circunstanciales se colocan más del lado de la coyuntura que de la estructura. La infracción de la norma se debe más a la combinación inmediata de factores que al resultado lógico y previsible de una lenta gestación. No son "antiestructurales" en el sentido de negar la existencia o validez de estructuras a varios niveles, social, psicológico o espacial. Lo que ocurre es que el debate sobre su existencia y características no se considera fundamental al no explicar por qué se comenten la mayor parte de los delitos. Son también, en parte, "posestructurales" porque niegan que las estructuras sean protagonistas en las explicaciones pero además porque reflejan un cierto "cansancio teórico". Se han escrito demasiadas páginas sobre crímenes, se han dado complicadas explicaciones, se han fabricado demasiados mitos y prejuicios con la ayuda de los medios de comunicación. Todo para comprobar que, tristemente, hoy se cometen más delitos que nunca. Conviene pues ser más prácticos, menos retóricos.

4) Prevención contra la categoría de cultura o subcultura del delito o de la desviación. Los autores circunstanciales se alejan de los enfoques culturales a fuer de realistas y pragmáticos. La dimensión simbólica no les parece especialmente interesante, no le ven muchas virtudes explicativas. De ahí que, por ejemplo, les cueste reconocer la violencia expresiva. En términos sociológicos podríamos decir que son poco *bourdieunianos*. Por otro lado revisarán la clásica asociación entre los valores culturales de la clase obrera o popular y las conductas desviadas.

5) Eclecticismo metodológico. Al gusto por las estadísticas y ciertos análisis comparativos de datos sobre delitos con ciertos indicadores sociales, unen una declarada simpatía por la historia oral. Cornish

incluso piensa que en esta última reside la solución para salvar conceptual entre el crimen y la criminalidad (Cornish, 1993: 372).

2. LA CONDICIÓN MORAL

Recordemos el ejemplo recogido en la introducción sobre las condiciones mínimas necesarias para la comisión de un delito. Si un pequeño comerciante colocara parte de la mercancía en la calle, por ejemplo una caja de manzanas y luego se metiera en la trastienda, ¿qué pasaría? Según las teorías circunstanciales casi todos nosotros robaríamos una manzana al darse las dos grandes condiciones del delito: la tentación sin control. Sin embargo, puede que alguien no coja la manzana porque le remuerde la conciencia. Y es que para que un delito se lleve a cabo deben darse dos tipos de condiciones, la material y la moral. Los enfoques circunstanciales parecen minusvalorar la segunda de las condiciones. ¿Por qué? La explicación es compleja. Se dan varias circunstancias que les lleva a asumir esta postura. La primera de ellas es el temor a caer en lo que podríamos llamar de modo gráfico el "abismo de la predisposición". Como ya sabemos, estos enfoques surgen como reacción a las tradiciones criminológicas que asumen por activa o por pasiva cierta inclinación de ciertas personas —los criminales— por el delito.

Considerar el postulado de la libertad de elección moral, nos acerca peligrosamente al abismo, como viene a reconocer Clarke (Clarke, 1980: 145). Este mismo autor añade que es difícil ver que ocurra el fenómeno de que la gente obedezca las normas por cuestiones morales. Eso sería tal vez lo deseable, pero no lo real. De este razonamiento podemos deducir la segunda circunstancia, a saber, que, aparentemente, es más fácil comprobar empíricamente, en cuestión de infractor de normas, el punto de vista pesimista sobre la naturaleza humana. Si dejamos un objeto de valor abandonado, seguramente alguien lo cogerá y no lo devolverá. El peligro aquí está en caer en vicio empiricista, en creer en consideraciones extremas por el simple hecho de que parece comprobarse más casos de dicho extremo que del contrario. Porque, ¿podemos deducir de los experimentos la existencia del mal? ¿O debemos admitir la postura clásica, reflejada de forma magistral y literaria por Edgar Allan Poe, que la confirma como una intuición? "Tan seguro como que respiro —escribía este autor— sé que en la seguridad de la equivocación o el error de una acción cualquiera reside con frecuencia la *fuerza* irresistible, la única que nos impele a su prosecución. Esa invencible tendencia a hacer el mal por el mal mismo no admitirá análisis o resolución en ulteriores elementos. Es un impulso radical, primitivo, elemental" (Poe, 1980: 69). Se diría que en el fondo Felson participa de la opinión de Poe. Claro que entonces, lo mismo podría decirse del bien.

También ha habido experimentos —como el de las cartas con dinero (Farrington, D. y Didd, R.: 1980)— en los que los sujetos devuelven en bastantes casos el objeto de valor. Probablemente casi todos conocemos ejemplos en la vida real, aunque sea en pequeña escala, al respecto. Por otro lado, los experimentos dependen de muchas circunstancias que deben ser controladas, como cultura de los sujetos, el momento en que se hace, etc., que hace que las conclusiones sean provisionales. Por otro lado, asumir el punto de vista negativo de la naturaleza humana corre el riesgo de "crearlo". Toda teoría crea ideología y educa. Si todo el mundo creyera que cualquiera puede romper con la norma si se dan las circunstancias, probablemente habrá más infracciones que si se opina lo contrario.

Con todo, la minusvaloración de la condición moral es una crítica relativa. Hasta cierto punto, de forma o menos consciente, los enfoques sólo reflejan un signo de los tiempos: la crisis de las éticas religiosas deja seca buena parte de la fuente de la moral, entendida como "voz de la conciencia" en términos fenomenológicos, es decir, como sentido individual y un tanto automático desarrollado por el sujeto en su acción cotidiana y cuyo criterio último es no causar sufrimiento al otro. Además de crisis de las éticas universalistas, la globalización como morfología de las relaciones sociales contribuye a agudizar el problema. Al aumentar el número de relaciones con personas desconocidas —o simples conocidos— el criterio moral palidece. Muchas personas sólo paran en la carretera para auxiliar en un siniestro si conocen el coche accidentado.

¿De dónde viene la presunción más o menos subyacente de la negatividad de los enfoques circunstanciales? ¿Tiene raíces religiosas? Aunque aquí no puedeo responder en profundidad, es cuando menos interesante el recordar aquí la comparación entre la teología protestante y la católica —los autores pertenecen a países de tradición protestante—. Fromm señalaba que la teología luterana supuso un corte en relación a las corrientes medievales cristianas precisamente por la inyección de negatividad que aportó. La doctrina de la Gracia y el libre albedrío fue sustituida por la predestinación y la inclinación de la naturaleza humana al pecado. No hay mayor pecado que la desobediencia, creía Lutero, quien muestra ya una obsesión por la infracción y nos coloca en una situación de suma inestabilidad porque todos estamos continuamente tentados y prestos a caer en dicho pecado. ¿Han heredado alguno de estos autores de alguna manera aquella obsesión? Fromm llega a explicar que es en parte lógico que surgiera Lutero con esa visión negativa ya que en aquella época, en los albores del capitalismo, la inestabilidad económica —y por tanto social— era muy grande y sucedía que era tan fácil enriquecerse como arruinarse para los nuevos burgueses (Fromm, 1978: 88-89). Si Fromm hubiese leído a Durkheim habría visto que se trataba de un caso al que se le puede aplicar el concepto de anomia que ofrece el clásico francés en su obra *El suicidio*. Curiosamente, los enfoques circunstanciales alcanzan su desarrollo en los años 80 en una época económica que anuncia la recesión y el recorte del Estado del Bienestar. Es cierto que Felson parece señalar lo contrario en su artículo original, puesto que en su conclusión llama la atención de la aparente paradoja de los indicadores de crecimiento de los años sesenta en USA y el aumento del delito. Ahora bien, a un nivel más profundo debemos recordar que existe un consenso bastante generalizado sobre el hecho de que es precisamente en los años sesenta cuando podemos hablar de una época de transición con cambios sociales y culturales destacados que cuando menos aportan inestabilidad —por ejemplo comienza la erosión de los roles sociales tradicionales—. Así pues, los enfoques circunstanciales surgen en una fase de la época moderna caracterizada por la inestabilidad, como en los tiempos de Lutero.

Para certificar este punto podemos analizar los comentario que hace el propio Felson del papel del control social en los escritos de Hirchi. Como ya sabemos, la teoría de éste fue bautizada precisamente como teoría del control social. La sencilla tesis de que cuantos más lazos sociales, más redes o relaciones estables tenga un persona, más difícil será que rompa con la norma, debe interpretarse en el sentido de tener en cuenta que el precio a pagar por la infracción es demasiado alto lo que supone aplicar un criterio de racionalidad. Sin embargo, Felson matiza que el poder de los lazos sociales es relativo. Nos recuerda que Hirchi escribió su teoría alrededor de 1969, en una época en que los jóvenes americanos todavía estudiaban cerca de sus casas. Pero luego eso cambió y aumentaron los espacios y los tiempos en los que esos mismos jóvenes pueden llevar una doble vida, "de manera que es posible tener lazos sociales y ser al mismo tiempo delincuente" (Felson, 1998: 45).

Si el tener relaciones sociales no inmuniza contra el delito, si el control social no garantiza que no rompamos la norma, entonces la "esperanza" queda reducida a la interiorización de la norma en el proceso de socialización. Dicho proceso puede enfocarse, a su vez, desde un punto de vista más o menos moral porque al fin y al cabo, los papeles sociales que aprendemos desde pequeños no son en última instancia sino códigos más o menos claros y detallados —según la interpretación que hagan los autores y según las épocas— de lo que está bien y mal hacer en ciertas circunstancias en el desempeño de dicho papel. Como complemento lógico del control social, y con la etiqueta de autocontrol, Hirchi parece dispuesto a admitir este concepto —aunque como hemos visto, con titubeos, al descartar las creencias morales de la justificación del delito—. Pero es la opinión de Felson, como representante de la posición más dura de los enfoques circunstanciales, la que más matiza el papel de esta variable. Al principio reconoce su importancia: "comprender la fragilidad humana es por tanto esencial para comprender el delito. Todos nacemos débiles y son los padres y los profesores los que intentan enseñarnos el autocontrol que necesitamos para resistir las tentaciones" (*Ibid.*: 45).

Ahora bien, al haber asumido previamente la creencia en la naturaleza humana negativa bajo la forma de su fragilidad, el autocontrol —en el que insisten Hirchi y Gottfredson— debe perder relevancia. Ni siquiera el haber interiorizado un fuerte autocontrol durante la socialización primaria garantiza la bondad. En puridad, si el autocontrol fuera la variable decisiva no podría insistirse mucho en las circunstancias que rodean el delito. Porque al depender aquel a su vez de variables supuestamente controlables, como la familia y la escuela, el delito podría preverse y controlarse. Pero si la circunstancia es lo que manda es porque entra el juego el poder del azar en el último momento, justo antes de producirse el delito, lo que significa que el delito no puede controlarse desde el punto de vista del potencial delincuente, desde el punto de vista del sujeto. La previsión, limitada, sólo es posible desde el punto de vista de las circunstancias. De ahí que, el papel del autocontrol no sea tan importante como el que le otorgan sus creadores. Felson no hace sino ponerlo en su sitio, aplicándole los criterios subyacentes de los enfoques circunstanciales. Para él, "la oportunidad hace al ladrón" (*Ibid.*: 48). Puede que las personas con un mayor estatus social necesiten una ración de tentaciones extra, pero por mucha inversión que hayan hecho en términos de capital social, lo cierto es que "no hay ser humano que no pueda cometer un delito" (*Ibidem*). Es cierto que a veces Felson "juega" con el concepto de autocontrol, que se resiste, diríamos a abandonarlo del todo. Pero en el fondo se trata sólo de un juego o tal vez de una actitud algo timorata con la propia cruzada en pro de las circunstancias —los autores que representan el papel radical de una teoría nunca lo son del todo—. Así, llega a dividir la población en cinco grupos según tenga más o menos autocontrol (*Ibid.:* 47). En el primero estarían aquellas personas que no necesitan que nadie les recuerde la norma para obedecerla. Estos serían los únicos hipotéticamente inmunes. Pero ¿cuántos serían? Muy pocos, porque Felson reconoce que la mayor parte de la población se ubica en los grupos número dos y tres, siendo de los que necesitan apoyos y refuerzos para obedecer. Aunque el autor no lo especifica, es difícil imaginar otros grupos sociales que los santos y los aquejados de alguna psicopatología dentro del primer grupo. Felson trae a colación el ejemplo del Islam. Los musulmanes rezan obligatoriamente cinco veces al día: ¿no es esto, viene a decir, un sabio recordatorio de la fragilidad humana, de su tendencia a caer en la tentación ya sea del pecado o del delito? Advirtamos de nuevo, en este comentario, la negatividad de fondo que lo anima. Si nos colocamos dentro del universo religioso para avanzar en nuestras reflexiones sobre el tema, vemos que Felson tiende a ver sobre todo uno de los lados, el negativo. Pensemos en un ejemplo que nos es más cercano culturalmente. El papel de la oración es fundamental en los católicos. Pero en los escritos de nuestros místicos, como Teresa de Jesús, vemos que es tanto un arma contra la tentación como un instrumento de ascesis, como un camino hacia la perfección[25]. Aunque mi interpretación en este punto es discutible, es perfectamente sustentable que dicho camino es relativamente independiente de la tentación, al menos en cuanto que exige una concentración en el desarrollo de las potencias positivas del alma, y sobre todo si ampliamos la comparación a los modelos de sabiduría oriental —donde la perfección lograda por la meditación no se ve como un continuo pulso contra el mal sino como una domesticación de la energía—. Uno puede rezar con un ojo en el pecado que le tienta, pero también, como San Juan de la Cruz, cantando versos de júbilo por el esplendor de la naturaleza.

Así pues, la condición moral del delito no es suficientemente contemplada por nuestros autores. En todo caso, cuando aparece, su papel es meramente testimonial, como en los factores de entrada en la delincuencia de Clarke y Cornish o en aquellos otros considerados por Felson para neutralizar la inducción al delito —la "g" del acrónimo *TIGER*—. Pero

---

[25] *Camino de perfección* es precisamente el título de una de las obras de Teresa de Jesús.

no hay referencias conscientes a eso que algunos sociólogos han dado en llamar la cultura moral de nuestro tiempo y que no es otra cosa que el sustrato sociotemporal en el que cobran vida los dilemas morales, entre los cuales, uno de los más importantes, es sin duda la decisión de cometer un delito cuando las circunstancias favorecen. La idea es que dándose las mismas o parecidas circunstancias el yo puede decidir o no cometer el delito en función de las creencias e ideas de su época —por seguir utilizando la jerga de Ortega y Gasset, por lo demás en este punto claramente sociológica o simmeliana—[26]. Puede que el mal sea una constante, pero no la forma de encararlo, la "forma de pensar" en él. Suponiendo que en la época moderna queda dicha forma afectada de lleno por la racionalidad, el punto de partida de los enfoques circunstanciales están bien orientados. Sin embargo, la racionalidad es compleja y admite múltiples niveles y formas. Desde luego, no puede decirse que sea puramente instrumental. Da la impresión de que nuestros autores pecan en algunos momentos de excesivamente generosos a la hora de adscribir este tipo de comportamientos. En el trabajo sobre ladrones entrevistados, Feeney dice que algunas de las decisiones que han impulsado a algunos de los sujetos a cometer delitos serios bajo la influencia de las drogas o el alcohol, no podrían ser fácilmente calificadas de racionales. Sin embargo, escribe a renglón seguido: "incluso esos actos pueden ser instrumentales en la realización de objetivos que el actor —en su absorto estado— desea" (Feeney, 1986: 67). Otra cosa, añade, es que sea útil o no tratarlos como racionales de cara a conseguir desarrollar teorías de explicación, prevención o control. Tomemos un segundo ejemplo. Cuando Felson analiza la violencia juvenil en la forma, sobre todo, de reyertas, se declara en contra de la tesis de la "violencia expresiva", porque cree que los jóvenes pretendían un objetivo: "salvar la cara" (Felson, 1998: 64 y ss.). En general, la expresividad es negada por los nuestros autores de acuerdo con el comentado rasgo metateórico de su poca simpatía por los enfoques culturales[27].

---

[26] Recordemos que Ortega asistió a las clases de Simmel durante su estancia en Alemania.

[27] Un moderado ejemplo lo vemos en el trabajo: "El secuestro en Cerdeña, teoría subcultural y elección racional", firmado por Pietro Marongiu y Clarke. Según ellos, la explicación tradicional del secuestro en la isla, basada en el rasgo cultural de la violencia aceptada como mecanismo de resolución de problemas en la sociedad pastoril, no da cuenta de la evolución de los secuestros, los cuales se centran más en los turistas en los años setenta. Tampoco explicaría por qué algunos individuos

Puede que ello se deba a su afán de realismo y antiteoricismo que les lleva a no ver con buenos ojos nada que no se pueda comprobar empíricamente. Sin embargo, eso les lleva a correr el mismo riesgo de retoricismo que corren con otros temas como el de la moral. Siendo tan generosos con la definición de racionalidad instrumental, todo comportamiento humano —y animal— será instrumental, porque toda acción tiene un sentido, hasta la que no es consciente de la entidad que la realiza. Según esto, hasta el despropósito tiene un propósito.

Ahora bien, me parece que los trabajos clásicos sobre violencia expresiva y estilos culturales juveniles, como los de Hebdige (2001) —y que repasamos en la primera parte— no pueden ser ignorados. Tampoco deberían ser descartados conceptos como el de "violencia simbólica" de Bourdieu (1977). Tal vez, si queremos explicarlo más rápidamente, podríamos pensar en ejemplos extraídos de la antropología. Recuerdo un documental donde un indio ensayaba una danza guerrera dando golpes al aire con un gran palo. Entra en trance y los que están a su lado gravándolo se apartan porque consideran que puede agredirlos y hasta matarlos. Si lo hiciera, ¿cómo calificaríamos dicho asesinato, de instrumental o de expresivo?

La forma en que la racionalidad instrumental admite mezclas de otro tipo —por ejemplo reflexivas y morales— podría enriquecer el marco teórico de los enfoques, y ello al margen de la necesidad de delimitar el concepto de racionalidad limitada propiamente dicho. Aunque algunos de los diagnósticos más importantes sobre la cultura moral de nuestro tiempo son de corte pesimista (Bauman, 1994), existen también lecturas "positivas" (Gil Villa, 2002). En estas últimas, se muestra cómo el individualismo y egoísmo de los tardomodernos es en buena parte compatible con los valores de tolerancia y de mínima moral —en el sentido de evitar con nuestra acción el sufrimiento a los demás—.

En resumen, la postura de los enfoques circunstanciales podría calificarse de negativa. El signo negativo es en parte un signo de la inestabilidad de la época y en parte una consecuencia del punto de vista sobre la naturaleza humana. El énfasis en el realismo parece más bien provenir más que la asunción consciente de esta bases, de la reacción al

---

cometen secuestros y otros no. (Marongiu y Clarke, 1993: 183) Ahora bien, los propios autores reconocen, por otro lado, que el delito del secuestro por motivos económicos posee una específica naturaleza instrumental (*Ibid.*: 192).

idealismo que ha caracterizado los fundamentos de la criminología moderna. Al igual que en Lutero, leyendo a algunos de estos autores tenemos a veces la sensación de que el fantasma de la tentación —un impulso natural a hacer el mal— es la última causa que explica el delito y la ruptura de normas. Es muy probable que Poe tenga razón, que exista en nosotros dicho "demonio de la perversidad". Asumirlo supone orientar la reflexión criminológica en la dimensión de la sospecha y la política criminal en la vertiente práctica del "más vale prevenir". Ahora bien, este fondo de pensamiento corre el riesgo de desembocar en razonamientos simplistas si no se vigila constantemente. Aun suponiendo que exista en todos nosotros en cierto grado el impulso a romper con la norma eso no quiere decir que haya que ver a todo el mundo como un delincuente en potencia, presto a romper la norma siempre que se den las circunstancias materiales favorables. Pensar así podría llevar, por ejemplo, a orientar la seguridad de mi vivienda y la forma en que me conduzco en las relaciones sociales de forma tal que corro el riesgo de malinterpretar los gestos del otro, y lo que es peor, de marginarlo.

Es difícil saber cuándo, cómo y por qué saldrá a flote el demonio de la perversidad. Se trata tal vez de una forma metafórica de hablar del factor de riesgo e incertidumbre que habrá siempre a la hora de valorar ciertos delitos en ciertos momentos. La idea es claramente sugestiva desde el punto de vista de la imaginación literaria, pero de una utilidad limitada desde el punto de vista científico. En este caso, es la investigación del juego de la circunstancia y la voluntad la aportación en la que debemos centrarnos. Es ella la que permite pensar que podemos tener hasta cierto punto un cierto control de nuestro mundo. La presunción subyacente que debe informar dicho trabajo es un difícil equilibrio del mal y del bien en lo que se refiere a la naturaleza humana, es decir, al grado de optimismo o pesimismo, de idealismo y realismo, de confianza y desconfianza que deben presidir las recomendaciones que deben salir del criminólogo tanto para interpretar los delitos como para prevenirlos. Prevenirlos en el sentido de limitar el sufrimiento con criterios éticos de enjuiciamiento, y no como una forma de instrumentalizar la criminología para mantener el statu quo.

3. LA PARADOJA DE LA AMBICIÓN TEÓRICA

En la historia de las teorías científicas se observa con frecuencia una ley: si tiene éxito, algunos de sus mentores intentarán ampliar los objetivos iniciales y establecer comunicación con otras teorías cercanas. Sin embargo, esta expansión producirá tensiones entre los autores porque corre el riesgo de traicionar o contradecir los postulados iniciales. A mayor ambición teórica, más riesgo de sufrir críticas por incoherencia. De todas formas, el riesgo es la única forma de avanzar, también en la ciencia. Las críticas pueden ayudar a los autores "ambiciosos" a corregir el rumbo en sus avances, en cuanto que la decisión conservadora lleva, tarde o temprano, al agotamiento de la línea de investigación.

En nuestro caso, advertimos parte de lo dicho en el *reader* de 1993 editado por Clarke y Felson. Ha transcurrido más de una década desde las primeras publicaciones. El éxito y el reconocimiento de los enfoques ya ha sido saboreado. Llega el momento de reflexionar sobre el camino recorrido. Ante el dilema de enfrentar nuevos desafíos teóricos, los editores reconocen explícitamente las divergencias. De una parte, Felson junto con Hirchi y Gottfredson, opinan que no vale la pena intentar converger con teorías cuya imagen del criminal y otros conceptos básicos son diferentes al suyo. Por otra, Cornish y Clarke creen que su perspectiva de la acción racional puede abrirse a otros enfoques teóricos, recibir sus influencias y realizar un reparto de tareas (Clarke y Felson, 1993: 12). Será sobre todo Cornish quien se encargará de mostrar el nuevo camino. Las razones que de forma directa o indirecta justifica la apertura son varias podrían resumirse en dos. Por un lado, la perspectiva de la acción racional cumpliría con los requisitos metateóricos exigibles a una teoría de la acción de amplio espectro capaz de nutrir líneas de investigación diversas. Por otro lado, se considera una forma de llenar el vacío existente entre el estudio del crimen y el estudio de la criminalidad, ya aludido. Se ve claro que la primera razón se enuncia como un hecho o como una garantía mientras que la segunda aparece como un objetivo o promesa a cumplir. Debemos aclarar que las características metateóricas se refieren a la clásica lista de requisitos de una teoría de la acción y no a la lista de rasgos que definen los enfoques, como la presentada aquí anteriormente[28]. Según Cornish, además de la

---

[28] 1) En el debate determinismo-libre albedrío, debe adoptarse una posición heurística; 2) no adoptar ideas preconcebidas sobre la naturaleza humana, 3) las acciones deben verse como el resultado de las interacciones de la persona con su situación o de secuencias interactivas a lo largo del tiempo, 4) la "situación" debe incluir tanto objetos físicos como otras personas, todo lo cual forma una combinación que favorece o constriñe la acción; 5) los beneficios y las recompensas constituyen aspectos importantes de las situaciones, tanto pasadas como presentes, 6) debe considerarse

perspectiva de la acción racional existen otros dos candidatos que cumplen dichos requisitos —el behaviorismo radical y la teoría del aprendizaje social de Bandura—. Sin embargo, ninguno de los dos consigue exorcizar el fantasma de la patologización del comportamiento criminal, en el caso de Bandura debido a la creencia en la relevancia causal de variables cognitivas como la auto-eficacia (Cornish, 1993: 365). En cuanto al objetivo propuesto, la pregunta que surge inmediatamente es: ¿qué significa llenar la separación entre crimen y criminalidad cuando precisamente el punto de partida se basaba en asumir dicha separación?

Cornish asume que el enfoque de la acción racional comenzó trabajando la dimensión inmediata de las circunstancias que rodean al delito (*Ibid.:* 366). Incluso su preocupación por la prevención, su pragmatismo, así lo demuestran. Pero es precisamente su exclusiva atención a los factores a corto plazo lo que genera insatisfacción en los autores con ambición teórica. Porque, en el fondo, desechar los procesos de aprendizaje por el que los sujetos adquieren las motivaciones y la capacidad para delinquir, parece una postura un tanto radical o en todo caso limitadora. De manera que, para dar más cuerpo a la teoría se propone ahora concentrar la investigación en el aspecto más abandonado, el denominado "criminalidad", es decir, el que estudia la entrada, continuación y salida de la delincuencia. Como vimos en su momento, en los esquemas de Cornish y Clarke figuraban factores claramente motivacionales, incluidos los morales. En realidad se trataba de una lista bastante exhaustiva compatible con la mayor parte de teorías criminológicas.

Las preguntas que en este punto surgen son varias. Veamos la forma de ir contestándolas, con ayuda de opiniones extraídas de textos de los propios autores así como de trabajos empíricos. En primer lugar, ¿cómo se mantendrá entonces la teoría libre de la amenaza de la susodicha

---

también el historial de las relaciones que el individuo ha mantenido con su entorno (la influencia del aprendizaje), especialmente los efectos que podrían tener en la evaluación presente de los costes y beneficios de las acciones; 7) debe reconocerse explícitamente algún valor a la cualidad adaptativa o funcionalidad de la mayor parte de las acciones, ya se en términos de "maximizar", "satisfacer", "mejorar", y en cualesquiera otros que recoja el principio de los equilibrios que se establecen entre beneficios y costes (incluyendo el "esfuerzo") como base para la elección o la respuesta a las contingencias del entorno; 8) debe encontrarse alguna manera de dar explicación a los errores de la acción o respuestas de baja adaptación. (*Ibid.:* 355.356).

patologización del criminal y que el propio autor afirma ser la prueba que descalifica a otras teorías de la acción en la explicación del crimen? Cornish no parece preocuparse por tomarse tiempo y texto para aclarar este punto aunque sí que podemos leer la solución al hilo de consideraciones sobre la importancia de la descripción de los estilos de vida de los delincuentes como metodología clave para llenar la laguna entre crimen y criminalidad: "el uso de la teoría de la acción de la elección racional como forma de explorar la contribución del estilo de vida a la implicación en el crimen *comienza donde las teorías tradicionales acaban, en el presente continuo*" (el subrayado es mío, *Ibid.*: 373). Poco antes había escrito, en efecto: "parécele a este autor que las perspectivas del acontecimiento y de la implicación (se refiere al suceso delictivo y a la implicación en el mundo del crimen) sólo se integrarán cuando, a través de la consideración de los estilos de vida, las necesidades cotidianas de los delincuentes, sus deseos y oportunidades, sean debidamente localizadas" (372). Por otro lado, parece haber un cierto desencuentro entre Cornish (y Clarke) por un lado y Hirschi por otro. Este último defiende una división de tareas que podríamos llamar *post-facto*, en la que los teóricos de la acción racional se ocuparían de los sucesos delictivos (crimen), mientras que los del control social, con el propio Hirschi a la cabeza, lo harían de la criminalidad (o implicación más general de los sujetos en las actividades delictivas) (Hirschi, 1993: 114). Sin embargo, Cornish y Clarke, incluyen una "nota de los editores" al comienzo del capítulo escrito por Hirschi en la que no concuerdan con esta división de tareas y proponen otra "forma de repartir el pastel" (dicen textualmente) en la que los teóricos de la acción racional se concentrarían en las decisiones relacionadas, primero, con la implicación en delitos específicos (utilizando, entre otros materiales, los atributos a nivel individual de Hirschi) y, segundo, las decisiones relacionadas con la comisión de delitos propiamente dicha (Cornish y Clarke, 1986: 105-106).

En cuanto a las implicaciones metodológicas, la propuesta de Cornish suscita ciertas dudas. Aunque el autor no lo aclara, parece lógico que sea la historia oral la metodología que mejor se adapta al objetivo de "describir los estilos de vida" de los infractores, sobre todo si tenemos en cuenta que debe dar cuenta de los procesos de decisión relacionados no sólo con la comisión de delitos concretos sino también con la entrada, continuidad o salida en el mundo de la delincuencia. Ahora bien, para ese objetivo, la historia oral debe tomar la forma de historia de vida —frente a la variante de la historia de una comunidad o de un suceso de especial relevancia—, cuya característica y virtud central consiste precisamente en unir el pasado con el presente del sujeto entrevistado. Parece pues que la respuesta sólo habría trasladado la cuestión al terreno empírico sin resolverla.

Otra forma de aclarar las propuestas del autor es observando los estudios empíricos que supuestamente avalan los enfoques estudiados, y en concreto el de la acción racional. La pregunta en esta ocasión es: ¿validan también dichos estudios los nuevos objetivos vislumbrados por Cornish, las ampliaciones de los objetivos originales? Encontramos en los textos pistas que nos hacen mantener ciertas reservas a este respecto. Carroll y Weaver, por ejemplo, analizaron las percepciones de personas que roban en comercios. En términos de racionalidad de resultados, reconocen que con su método —análisis de protocolos verbales— no pueden pronunciarse ya que no poseen información ni sobre posibles alternativas ni sobre preferencias a la hora de valorar las consecuencias. Sí que pueden hablar de racionalidad del proceso y en ese caso encuentran que las consideraciones que hacen los sujetos a la hora de la toma de decisión son pocas y débiles: "sólo unos pocos aspectos de la oportunidad delictiva fue evaluada por los sujetos" (Carroll y Weaver, 1986: 33). Parecen guiarse sólo por el mínimo objetivo de evitar la detención y minimizar los riesgos —observando si hay vigilantes, detectores magnéticos o lo que pesa el artículo a robar—.

Pero tal vez lo más interesante sean conclusiones como esta: "los resultados sugieren que los novatos no habían tomado previamente la decisión de robar ni habían pensado acerca de los riesgos implicados" (*Ibidem*). Este comentario sería plenamente congruente con los presupuestos de los enfoques circunstanciales pero levantaría sospechas sobre la importancia de los factores que median la entrada en la delincuencia —y por tanto sobre la necesidad de centrarse en su estudio—. Porque en realidad, cuanto más poder tiene la circunstancia, menos tienen los factores predisposicionales previos. De hecho, sólo si es verdad esta afirmación puede sostenerse con propiedad que todos o la práctica totalidad de nosotros somos potenciales delincuentes. ¿Hasta qué punto, entonces, la "entrada" no puede igualmente deberse al azar, es decir, a una serie de circunstancias que combinadas de forma especial, desembocan de forma natural en la infracción? ¿Hasta qué punto existe la "entrada" y "la salida"? ¿No pueden éstas contemplarse como un no-lugar, como un fino e invisible umbral que es continuamente traspasado y que en realidad no divide nada? Podemos considerar esta interpretación un tanto extrema, sin embargo, la exponemos porque puede deducirse lógicamente de los resultados empíricos contradiciendo algunas de las ambiciosas intenciones teóricas tardías de algunos de los autores. El trabajo ya citado de Feeney con entrevistas a sujetos detenidos por robo son compatibles con este comentario. Ya hemos dicho que encontró que alrededor de la mitad dijo no haber planificado el robo. Ahora bien, este porcentaje es mayor entre los más jóvenes (63%) que se supone que deberían estar "procesando" la "predisposición" o la "entrada" en la delincuencia, es decir valorando pros y contras (Feeney, 1986: 60). Además, nada menos que un quinto no pretendía en principio robar, sino que estaba, digámoslo así, en otra cosa, en una discusión por ejemplo —"ladrones por accidente" los llama Feeney— (*Ibid.*: 55).

Existe otra línea de argumentación para ver lo problemático que resulta ampliar el alcance de los enfoques aparte de los trabajos empíricos y es la propia relación entre los autores que un lector atento podría detectar entre líneas. Esta se vuelve paradójica. Permítaseme enunciarla a través de proposiciones sueltas para hacerla comprensible mas rápidamente:

1) Si Felson representa la posición exigente y exclusivista de los enfoques y Clarke y Cornish la posición abierta y flexible, sería lógico, en principio, que fueran estos últimos y no el primero los que mostraran más simpatía por los planteamientos de Hirchi —sólo o con Gottfredson— puesto que en ellos se trabajan factores menos circunstanciales, como el "autocontrol".

2) Sin embargo, lo que sucede parece ser todo lo contrario. Felson y Clarke escriben que fue el primero quien "se mostró muy interesado en unir su teoría de la actividad rutinaria con la teoría del control social de Hirchi" (Clarke y Felson 1993: 12). Y en efecto, en la obra de Felson encontramos pruebas de ese interés por la unión como cuando recoge como factores claves en la asignación de la responsabilidad del delito los conceptos de control social y de autocontrol (Felson, 1998: 43 y ss).

3) Por su parte, Cornish parece desconfiar de conceptos como el de autocontrol de Hirchi y Gottfredson a la hora de explicar las infracciones cometidas por los jóvenes puesto que, por mucho cuidado que se ponga, "desvían nuestra atención de las circunstancias pasadas y los contextos presentes que podrían alimentar las estrategias de los comportamientos individuales" (Cornish, 1993: 356).

La paradoja se comprueba en el hecho de que el apoyo de Felson a Hirchi se deshace si lo analizamos en profundidad, pues recordemos que el primero se ve obligado a relativizar el concepto de control social asistido recordando que era válido para los años sesenta pero no tanto posteriormente. Igualmente, el valor del concepto de autocontrol sólo puede ser relativo para los intereses de Felson, lo cual queda de manifiesto indirectamente al admitir que la gran mayoría de las personas necesitamos que nos recuerden que obedezcamos la norma.

4. MÉRITO, AMPLIACIÓN Y POSIBILIDADES DE LOS ENFOQUES CIRCUNSTANCIALES

Así pues, las relaciones intrateóricas no están exentas de tensión. Pudiera ser que dicha tensión estuviera provocada por la ambición teórica o el deseo de expansión de las tareas inicialmente asumidas, una vez que éstas han sido realizadas con éxito y reconocidas por la comunidad científica. Los autores circunstanciales parecen abocados a un dilema. Si continúan ceñidos al estudio de la circunstancia más inmediata que rodea al delito, el campo parece haberse agotado desde el punto de vista de la reflexión o quedar reducido a la simple confección de anecdotarios sobre prevención. En el fondo, el peligro de esta opción es el tiempo, lo que podríamos llamar la "caída en el tiempo" como variable.

La otra opción es intentar ganar profundidad teórica, pero entonces el peligro es la contradicción de sus propios presupuestos. Sea como fuere las posibilidades de la investigación podrían explotar dos grandes bloques. En primer lugar, hay algunos caminos alejados de los factores predisposicionales que pueden ser explorados. Por ejemplo el factor moral, con sus resonancias de innatismo en filósofos como Levinas. O los condicionantes socioculturales del sentimiento de culpa, que hacen que sea hoy probablemente bastante diferente del que vislumbró Freud. O la importancia que concedemos a los lazos sociales y los criterios que utilizamos para valorarlos. O el uso que hacemos de la mentira, y en particular de la justificación de nuestros actos, en comparación con el que hacían nuestros abuelos. En general, todas estas cuestiones ayudan a entender la ruptura de normas y el delito en particular desde el punto de vista de la definición de la situación que hace el sujeto. En otros términos, ayudan a definir las circunstancias que rodean el delito, y en cierta medida lo provocan, a un nivel que rebasa la inmediatez del presente pero sin caer en la dependencia absoluta del factor-sujeto.

Para ello, puede servir una postura más flexible en lo que se refiere a los planteamientos respecto a los conceptos de estructura y cultura.

Privilegiar el punto de vista del actor no significa que no se tengan que tener en cuenta aspectos estructurales. De hecho, los enfoques circunstanciales parecen estar mejor posición a la hora de lograr ese equilibrio que otros —como los interaccionistas—, a tenor del resto de sus características. Esa puede ser una razón para privilegiados como prisma o aparato para el estudio de la delincuencia.

Aspectos como el desempleo también puede ser reconsiderados. Es verdad que en algunos estudios sobre agregados que comparan las tasas de desempleo con las de delincuencia, no se observa una correlación positiva, sin embargo, no por eso debe abandonarse la investigación. Si se desciende a la relación entre tipos de delitos y pautas de desempleo, las correlaciones aparecen (Sullivan, 1989: 224). Por ejemplo, descubrimos que el aumento de desempleo tiene mayor impacto sobre los delitos contra la propiedad que sobre los delitos violentos. También podemos descender al detalle de los periodos de tiempo estudiados, género, etc. Diversos estudios han encontrado relaciones interesantes, 1) entre desempleo y tasas de arresto entre jóvenes de 14 a 17 años y entre subempleo y tasas de arresto de jóvenes adultos (18-14); y 2) entre mercado de trabajo primario y delincuencia episódica y mercado de trabajo secundario y delitos graves (Downes y Rock, 1998: 174).

En cuanto a las categorías de cultura y subcultura, podrían tenerse en cuenta las conclusiones a las que llegamos cuando repasamos ese debate en la primera parte. Es desde luego más que posible que no exista tal categoría en el sentido fuerte que le otorgaban las teorías de la tensión, sin embargo, su relativización no implica su desaparición. En este sentido, es conveniente prestar atención a los aspectos expresivos, lo cual podría materializarse en el capítulo de la prevención en la postura tomada sobre temas como el grafitti o cierto tipo de drogas. En términos más teóricos, no parece que hoy en día sea sensato un enfoque sociológico que ignore completamente los descubrimientos de trabajos como los de Bourdieu. Pese a las críticas que se puedan hacer a las sociologías bourdieunianas, parece evidente a estas alturas que la dimensión de lo simbólico mantiene vías de comunicación con los hechos sociales de forma tal que no puede ser negada. Desde otro punto de vista la investigación de los valores culturales tampoco puede pasar desapercibida. Especialmente relevante, a este respecto, parece el aspecto del consumo en la sociedad global, y sus repercusiones en el concepto de anomia tanto de Durkheim como de Merton.

En segundo lugar estarían las posibilidades abiertas en relación no con la circunstancia sino con el sujeto, y en concreto, con el postulado de su "racionalidad limitada". Es cierto que en el campo de la economía encontramos interpretaciones un tanto radicales y desde luego negativas que acusan de retórico a dicho concepto. Para ello se basan, sobre todo, en la falta de definiciones precisas que dio H. A. Simon al concepto —llegando a sustituirlo incluso por otros términos como el de "racionalidad procedimental"—. Este autor tampoco aclaró los puentes heurísticos que determinarían las aplicaciones concretas ni explicaría las ventajas del uso de procedimientos distintos en el objetivo general de la búsqueda de la satisfacción. En todo caso, asumía que habría que buscarlas fuera de la economía (Foss, 2002: 15). Esto explicaría que el concepto haya tenido escasa presencia en campos como la economía de las organizaciones. Sin embargo, también encontramos autores trabajando en la delimitación del concepto, con la intención de "reconstruir la microeconomía sobre la base de una representación más real de la toma de decisiones económicas" (Selten, 1999: 3). "Más real" quiere decir aquí alejada de los modelos clásicos de la optimización y dentro por tanto del esquema de la satisfacción. En un trabajo titulado *qué significa la "racionalidad limitada"*, Selten concluye que no puede, con el estado actual de conocimientos, responder a esta pregunta, pero consigue mostrar numerosos ejemplos de investigación que permiten ser optimistas en cuanto a la futura delimitación de una teoría de la racionalidad limitada. Desde los que se centran en conceptos sugeridos por el propio Simon, como el de los niveles de aspiración —y la adaptación del sujeto que decide a los mismos—, hasta los llamados "modelos básicos de conducta decisional". Una lectura de este repaso induce a pensar al menos dos cosas: primera, que sería muy conveniente un estudio pormenorizado de las posibilidades de aplicación de los modelos ya existentes a los distintos tipos de delitos, tomados como actos decisorios concretos; segunda, que a su vez, cualquier esfuerzo por delimitar el modo de razonamiento de los infractores a la hora de violar la ley, incluso independientemente de los modelos investigados desde la economía o la psicología, ayudarían en la tarea general de lograr una teoría general de la racionalidad limitada.

Los avances en este sentido podrían empezar marcándose objetivos poco ambiciosos al principio, consistentes, por ejemplo, en contestar a preguntas básicas como clasificar las actitudes de los delincuentes en tipos de racionalidad "analítica" —basada en el estudio de la estructura del problema, el contemplar la relación entre opciones y resultados, y la posibilidad del uso de información numérica para el cálculo de las soluciones—, o "intuitiva" —donde la resolución se obtiene por comparación con circunstancias similares—. En un segundo plano, entrarían las cuestiones sobre las que más luz hay que arrojar en la actualidad en las reflexiones generales sobre la racionalidad limitada, tales como el origen y formación de los objetivos escogidos por el actor para su satisfacción, la construcción de alternativas —o su delimitación numérica— y la formación de expectativas —o los umbrales que provocan su remodelación—. Considerados ambos tipos de cuestiones, todo parece indicar que con una metodología que mezclase la reconstrucción de los hechos delictivos y las historias de vida de los delincuentes —respectivamente—, podría realizarse una interesante aportación a las reflexiones sobre racionalidad desde la criminología. Pero sobre todo, con esta línea de investigación los enfoques circunstanciales podrían aportar algo más al supuesto de la racionalidad del potencial infractor, el cual, hasta ahora, no pasa de ser vagamente mencionado.

En cuanto al mérito de los enfoques estudiados, en primer lugar, y desde un punto de vista metateórico, se exige cierto valor a los autores que intentan corregir el desequilibrio clásico entre el sujeto protagonista y el contexto secundario que lo rodea. *Mutatis mutandi*, cumple a estos autores el mismo honor que a nuestro filósofo Ortega y Gasset. Este nos llamó la atención sobre la belleza de la cenicienta frente al del sujeto: que al menos había un momento en el día, cabe decir en la historia de los fenómenos sociales, en los que aquella brillaba y aquél languidecía. Por su parte, los autores analizados nos han dado una valiosa lección: que debemos pensar menos en los asesinos de ciencia ficción y más en los pequeños detalles que nos rodean. La lección es valiosa porque si lo hacemos, y recordemos que reflexividad es también el incesante filtrarse de la sociología a la sociedad, viviremos más seguros. Y eso, vivir más seguros, es algo que hoy es especialmente importante, cuando los encargados tradicionalmente de velar por nuestra seguridad, el derecho y la sociología, cada uno en su plano, están hoy, por muchas razones, medio dormidos. Ahora bien, *esto significa que el individuo debe tomar cartas en el asunto*, lo cual, debe aclararse desde el primer momento, nada tiene que ver con la defensa de posturas neoliberales que defienden por razones ideológicas medidas privatizadoras[29]. El trabajo individual

---

[29]   Juzguen los lectores si, después de leer este libro, hay argumentos claros para calificar a los enfoques circunstanciales de "realismo de derechas" como hace Young, calificación de la cual se hacen luego eco algunos glosadores, como O'Donnell, al titular un epígrafe de su capítulo sobre desviación: "Rational choice and situational

puede y debe enfocarse en dos direcciones: hacia la propia seguridad y hacia la revitalización de los tejidos sociales de seguridad. Bien entendido que el término seguridad se utiliza aquí en un doble sentido, en el sentido estricto, puesto que hablamos de delitos, pero también en el sentido amplio, sociológico, y por tanto referido a vivir en un mundo en el que los roles sociales están claros y permiten un alto ajuste de expectativas. Lo que aquí —y en otras partes de la obra del autor de este trabajo— quiere decirse es que no podemos esperar a que las instituciones sociales vuelvan a garantizar la seguridad de la misma forma que en las etapas eufóricas del Estado del Bienestar. Decir otra cosa es demagogia. Porque la vida es única, urgente e individual, es decir, porque la vida no espera.

No hay en esta posición ningún juicio de valor ideológico sino sencillamente la conclusión lógica del análisis detenido de nuestra condición social y cultural: nos toca vivir en una época en la que las instituciones sociales protegen menos al individuo que nunca, *ergo*, el individuo debe dejar de lamentarse, debe tomar conciencia de su fuerza y actuar. La acción puede ser individual o colectiva, canalizándose en el seno de los movimientos sociales y organizaciones espontáneas que dan vida a la sociedad civil. En cualquier caso, la primera acción es la reflexión. O como diría Ortega, antes de ocuparse hay que pre-ocuparse. De ahí la necesidad de análisis sociales sobre la delincuencia y la infracción que tengan en cuenta las sugerencias recién aludidas. La aportación de los sociólogos es urgente, especialmente en el caso de nuestro país. Y también es necesario, en un segundo nivel de pre-ocupación, trasladar los resultados de esos análisis a la educación. Las administraciones públicas y los titulares de los centros privados deben imaginar actividades escolares —por ejemplo aprovechando las horas de tutorías—, o extraescolares, en las que se estrechen los valores de convivencia y tolerancia frente a la pura competitividad que favorece la ambición, los choques culturales y la frustración, todos ellos aspectos relacionados de forma directa o indirecta con la delincuencia, como sugieren no sólo los

---

explanations of deviance: control theory; right realism" (1997: 358-39). Los propios Downes y Rock, autores del manual de sociología de la desviación más citado en este trabajo precisamente porque lo considero el más equilibrado, amén de completo, titulan el capítulo dedicado a algunos de estos enfoques, "teorías del control" (Downes y Rock, 1998: 239 y ss.). Sin embargo, teoría de control propiamente dicha solo es la de Hirschi y aún así sólo la referida a su primer obra, no a la segunda con Gottfredson, cosa que él mismo se preocupa de dejar bien claro.

enfoques circunstanciales sino también las teorías de la anomia, los interaccionistas y los subculturales. Una educación cuya calidad descansa sólo en la vertiente cognitiva favorece a la larga la exclusión social y las conductas infractoras.

El aminoramiento del sujeto que conlleva el énfasis en la circunstancia no significa (o mejor, no debe significar, porque se tratará de una de las cuestiones sobre las que estos enfoques deberán siempre mantener una constante vigilancia epistemológica) ni su olvido, ni su desprecio, ni mucho menos su minusvaloración en términos de sus atributos. El hecho de que se reconozca la humildad del yo —de que se desacralice— no significa que su papel no sea importante. Se trata más bien de equilibrar la ecuación entre el yo y su circunstancia, que había estado demasiado escorada hacia el primer polo, pero en pura lógica, es el sujeto el único protagonista porque sólo a un ser consciente de su acción cabe atribuirle la acción.

Por esta corrección individualista quienes han practicado los enfoques circunstanciales han tenido que pagar un precio. Hasta hace poco tiempo, no han tenido muchos seguidores ni se les ha prestado mucha importancia en la academia y en los manuales de criminología. Probablemente, ello se debe a que las corrientes sociológicas mayoritarias favorecieron tradicionalmente un tipo de investigación que primara la atención a las consecuencias no previstas u efectos ocultos de la acción social (Downes y Rock, 1998: 236). Este punto de vista tendía a separar la sociología del conocimiento basado en el sentido común —o sociología espontánea—. El cambio epistemológico que supuso en las últimas décadas la irrupción de los enfoques fenomenológicos favoreció la aparición de teorías como las repasadas en este trabajo. De ahí la simpatía que, en general, muestran estos autores por dichas corrientes. De todas formas, aun reconociendo esta afinidad, Hirschi se queja de que en la teoría del etiquetado a veces no aparece por ningún lado el ingrediente de la elección, llegando a mostrar al individuo como incapaz de actitudes hostiles o violentas sin el correspondiente apoyo social (Hirschi, 1986: 110).

Y si esto sucede con la teoría del etiquetado, ¿qué no ocurrirá con el resto de las otras corrientes sociológicas? teorías del aprendizaje, teorías de la tensión social (como se conoce en el campo a la teoría de la anomia de Merton), del conflicto, o marxistas estructurales. Después de repasarlas brevemente, Hirschi concluye en lo que podemos considerar una queja antológica: "Poco ha cambiado en los últimos cien años. Entonces, cuando nació, la sociología rechazó las teorías relacionadas con el individualismo, el racionalismo y el voluntarismo. Hoy hace lo mismo. Las razones siguen siendo las mismas: las teorías del delito deben ser positivas. Deben proporcionarnos o los motivos o las causas de la conducta criminal. Pero no pueden asumir que el delito ocurra simplemente debido a la ausencia de obstáculos para cometerlo, porque entonces se las consideraría poco científicas en dos sentidos: contrarias a la premisa científica de que el comportamiento es consecuencia de sucesos que lo preceden, y contrarias a la observación científica según la cual la gente es social por naturaleza, de manera que si alguien incurre en conductas antisociales es debido a fuerzas sobre las que no tiene ningún control" (Hirschi, 1986: 111).

Cabe, a raíz de este comentario, incluir a estos autores en las tradiciones sociológicas minoritarias que matizan la fuerza de la fuente social, en la explicación tanto fáctica como moral de la ruptura de normas, haciendo un hueco al actor individual. Pero no se trata sólo de una mera petición de principio. El protagonismo del actor social implica también el salto cualitativo a la intervención, algo que ni es necesario ni ha estado demasiado bien visto en buena parte de la ciencia social practicada en la academia. Sin embargo, es aquí donde mejor se aprecian las virtudes de los enfoques circunstanciales. La intervención significa en nuestro caso prevención del delito. Los autores que hablen de prevención se arriesgan más a las críticas pero parece lógico que el valor de la responsabilidad moral que debe guiar al investigador deba trasladarse de la teoría a la práctica, como se sugería en la introducción.

Bibliografía

Abercrombie, N., Hill, S., y Turner, B.S. (1986), *Diccionario de sociología*, Madrid: Cátedra.

Abraham, M., Cohen, P. y De Winter, M. (1999), *Consumo de drogas lícito e ilícito en Holanda*, Amsterdam: UVA, CEDRO.

Adler, I. (1975), *Sisters in Crime*, New York: McGraw Hill.

Akers, L. (1973) Belmont: Wadsworth.

Almaraz, J. (1981) *La teoría sociológica de Talcott Parsons*, Madrid: CIS.

Alonso, L.E. y Conde, F. (1987), *Sociedad de consumo a la española*, Madrid: Eudema.

Álvarez-Uría, F. (1999), "Prólogo", en E.H. Sutherland, *El delito de cuello blanco*, Madrid: La Piqueta.

Austin, R.L. (1993), "Recent Trends in Official Male and Female Crime Rates: The Convergence Controversy", Journal of Criminal Justice, 21.

Barba Álvarez, R. (2002) "La víctima en los delitos relativos a la prostitución", *Cuadernos de Política Criminal*, nº 78.

Baum, D. (1997) *Smoke and Mirrors*, Boston: Back Bay.

Bauman, Z. (1994), *Alone Again. Ethics after Certainty*, London: Demos.
  - (1998a), *Life in fragments*, London: Blackwell.
  - (1998b), *Globalization*, Cambridge: Polity Press.
  - (1999), *Scene and Obscene: another hotly conteste opposition* (mimeo).

Brantingahm P.J. y Brantingham P.L. (1981), *Environmental Criminology*, London: Sage.

Becker, G.S. (1968), "Crime and Punishment: An economic approach", *Journal of Political Economy*, 76, pp.: 169-217.

Becker, H.S. (1973), *Outsiders*, London: Macmillan (también consultadas la edición de Free Press de 1963 y la argentina de Tiempo contemporáneo de 1971, *Los extraños*.

Bernstein, B. (1985), "Clase social, lenguaje y socialización", *Educación y Sociedad*, n. 4.

Bottoms, A.E. y Wiles, P. (1997) "Environmental Criminology", en Maguire, M., Morgan, R. y Reiner, R. (eds.), *The Oxford Handbook of Criminology*, Oxford: Oxford University Press.

Box, S. (1971), *Deviance, Reality and Society,* London: Holt, Rinehart and Winston.

Box, S. (2003), "Crime, power and ideological mystification", en Mclaughlin E., Muncie, J. y Hughes, G. (eds.), *Criminal Perspectives. Essential Readings*, London: Sage Bourdieu, P. (1991), *La distinción*, Madrid: Taurus.

Bourdieu, P. y Passeron, J.C. (1967), *Los estudiantes y la cultura*, Barcelona: Laia.
  – (1977) *La reproducción*, Barcelona: Laia.

Bryan, J.H. (1965) "Apprenticeships in Prostitution", *Social Problems*, 12: 287-297.

Burke, C. y Sarry, R.C. (1981) "The Female Offender; Review of Theory and Research", en Figueira-MacDonough, J. y otros, *Females in Prison in Michigan, 1968-1978*: A Study of Commitment Patterns, Michigan: School of Social Work & Institue for Social Research.

Canteras Murillo, A. (1990), *Delincuencia femenina en España*, Madrid: Ministerio de Justicia.

Carlen, P. (2002) "Introduction: Women and punishment", en Carlen, P. (ed.), *Women and Punishment*, Portland: Willan.

Carroll, J. y Weaver, F. (1986), "Shoplifter' Perceptions of Crime Opportunities: A Process- Tracing Study", en Cornish, D.B. y Clarke, R.V. (eds.), *The Reasoning Criminal*, Nueva York: Springer-Verlag

Castells, M. (1996) *La era de la información*, vol. 1. Madrid: Alianza

Castillo y Castillo, J. (1994), *Historia del consumo en España*, Madrid: debate.

Cea D'Ancona, Mª Angeles (1992) *La justicia de menores en España*, Madrid: CIS.

Cicourel, A.V. (1968), *The Social Organization of Juvenile Justice*, New York: John Wiley.

Cicourel, A.V. y Kitsuse, J.I. (1977), "The School as a Mechanism of Social Differentiation", en Karabel, J. y Halsey, A.H. (eds.), *Power and Ideology en Education*, Oxford: Oxford University Press.

Cid, J. y Larrauri, E. (2001), *Teorías criminológicas*, Barcelona: Bosch.

Clarke, R.V. (1980), "'Situational' Crime Prevention: Theory and Practice", *British Journal of Criminology*, Vol. 20, Nº. 2, pp. 136-148.

Clarke, R.V. y Felson, M. (eds.) (1993), *Routine Activity and Rational choice,* London: Transaction.

Clarke, R.V. (1995), "Situational Crime Prevention", en Tonry, M. y Farrington, D.P. (eds.), *Building a Safer Society.* Crime and Justice, vol. 19, Chicago: University of Chicago Press.

Clemente Díaz, M. (1987), *Delincuencia femenina. Un enfoque psicosocial*, Madrid: UNED.

Cohen, A.K. (1966), *Deviance and Control*, N.Y.: Prentice Hall.

Cohen, L.E. y Felson, M. (1979), "Social Change and Crime Rate Trends: A Routine Activity Approach", *American Sociological Review*, Vol. 44, pp. 588-608.

Cohen, S. (1985), *Visions of Social Control*, Cambridge: Polity Press.

Coleman, A. (1994), *Utopia on trial*, London: Hilary Shipman.

Coleman, J.S. (1966), *Equality of Education Opportunity*, Washington: U.S. Government, Printing Office.

Cornish, D.B. y Clarke, R.V. (eds.) (1986), *The Reasoning Criminal*, Nueva York: Springer-Verlag.

Cuesta, P.M. (1992), "Perfiles criminológicos de la delincuencia femenina", *Revista de Derecho Penal y Criminología*, 2.

Currie, E. (1998), *Crime and Punishment in America*, N. York: Owl Books.

Chesney-Lind, M. (1997), *The female Offender*, London: Sage.

Davis, K. (1937), "The Sociology of Prostitution", *American Sociological Review*, 2.

Delemeau, J. (1989), *El miedo en occidente*, Madrid: Taurus.

Derrida, J. (1977) *Posiciones*, Valencia: Pre-Textos
  - (1989a) *La escritura y la diferencia*, Barcelona: Anthropos.
  - (1989b), "Ja o en la estacada", *Suplementos Anthropos*, 13

Díez Ripollés, J.L., Girón González-Torre, F.J., Stangeland, P. y Cerezo Domínguez, A.I. (1996) *Delincuencia y víctimas*, Valencia: Tirant lo Blanch.

Dirección General de Instituciones Penitenciarias (1996, 97, 98, 99, 2000, 2001): *Informe general*, Madrid: Ministerio del Interior

Downes, D. y Rock, P. (1998), *Understanding Deviance*, (third edition) Oxford: Oxford University Press.
  - (2004), *Understanding Deviance,* (Fourth Edition) Oxford: Oxford U. Press.

Durkheim, E. (1982) *El suicidio*, Madrid: Akal.
  - (1985) *La división social del trabajo*, Barcelona: Destino.

Drakopoulou, Mª. (1997) "Postmodernism and Smart's Feminist critical Project in *Law, Crime and Sexuality*", *Feminist Legal Studies*, Vol. nº 1, pp. 106-119.

Eagleton, P. (1987), *Deviance*, London: Tavistock.

Entorf, H. y Spengler, H. (2002), *Crime in Europe*, Heildelberg: Springer-Verlag.

Elias, N. (1993), *El proceso de civilización*, México: FCE.

Equipo Barañí (2001), *Mujeres gitanas y sistema penal*, Madrid: ediciones Meytel.

Farrington, D. y Kidd, R. (1980): "Stealing from a 'lost' letter: effects of victim characteristics", *Criminal Justice and Behaviour*, 7.

Escohotado, A (1997), *La cuestión del cáñamo. Una propuesta constructiva sobre hachís y marihuana*. Barcelona: Anagrama.

Felson, M. (1998), *Crime and Everyday Life*, London: Pine Forge Press, 1998.

Feeney, F. (1986), "Robbers as Decision-Makers", en Cornish, D.B. y Clarke, R.V. (eds.), *The Reasoning Criminal*, Nueva York: Springer-Verlag.

Feixa, C. y otros (2002), *Graffitis, grifotas, ocupas*, Barcelona: Ariel.

Fernández Seara, J.L. (1998) *Psicología de la vida cotidiana*, Madrid: Aurensis.

Foss, N.J. (2002) "The Rhetorical Dimensions of Bounded Rationality: Herbert A. Simon and Organizational Economics", en Rizzello (ed.), *Cognitive Paradigms in Economics*, London: Routledge.

Foucault, M. (1982), *Vigilar y castigar*, Madrid: Siglo XXI
– (1988), *Nietzsche, la genealogía, la historia*, Valencia: Pre-Textos.
– (1992), *Historia de la sexualidad, vol. 1.: la voluntad de saber*, Madrid: Siglo XXI.

Freud, S. (1969), *Civilization and its descontents*, London: The Hogarth Press.
– (1991) "Nosotros y la muerte", *Freudiana*, n. 1.

Freund, P. (1982), *The Civilized Body. Social Domination, Control and Health*, Philadelphia: Temple University Press.

Fromm, E. (1978), *El miedo a la libertad*, Barcelona: Paidós.

García García, J. (1996) "Posesión de drogas y tratamiento penal del consumidor traficante", *Cuadernos de Política Criminal*, nº 58.

García-Pablos de Molina, A. (1999), *Tratado de Criminología,* Valencia: Tirant Lo Blanch.

Garrido, V., Stangeland, P. y Redondo, S. (2001), *Principios de Criminología*, Valencia: Tirant Lo Blanch.

Gelsthorpe, L. (1997), "Feminism and Criminology", en Maguire, M., Morgan, R. y Reiner, R.,*The Oxford Handbook of Criminology*, Oxford: Oxford University Press.

Giddens, A. (1999), Mag *Un mundo desbocado*, Madrid: Taurus.
– (2002) *Sociología*, Madrid: Alianza.

Gil Villa, F. (1994), *Teoría sociológica de la educación*, Salamanca: Amarú.
– (ed.) (1998), *Para comprender el ocio*, Estella: Verbo Divino.
– (1999), *El mundo como desilusión. La sociedad nihilista*, Madrid: Libertarias.
– (2001), *Individualismo y cultura moral*, Madrid: CIS.
– (2002), *La exclusión social*, Barcelona: Ariel.
– (2003), "Individualización", en Ariño, A. (ed.), *Diccionario de Solidaridad*, Valencia: Tirant lo Blanch.

Giner, S. (2003), "La sociedad civil", *Diccionario de Solidaridad*, Valencia: Tirant lo Blanch.

Goffman, E. (1995), *Estigma*, Buenos Aires: Amorrortu.

Goleman, D. (1997), *Vital lies, simple Truths. The Psychology of Self-Deception*, London: Bloomsbury.

Gottfredson, M.R. y Hirschi, T. (1998), *A General Theory of Crime*, Standford: Standford University Press.

Greenberg, D.F. (1991), "Modeling Criminal Careers", *Criminology*, vol. 29, nº 1, pp. 17-41.

Harding, S. (1996), *Ciencia y Feminismo,* Madrid: Morata.

Hebidge, D. (2001), *Subculture. The meaning of Style*, London: Routledge.

Heidensohn, F. (1995), *Woman and Crime*, New York: New York University Press (segunda edición).

Heidensohn, F. (1997), "Gender and Crime", en Maguire, M., Morgan, R. y Reiner, R., *The Oxford Handbook of Criminology*, Oxford: Oxford University Press.

Herrero, C. (2001), *Criminología*, Madrid: Dykinson.

Hirschi, T. (1969), *The Causes of Delinquency*, Berkeley: University of California Press.
 – (1986), "On the Compatibility of Rational Choice and Social Control Theories of Crime", en Cornish, D.B. y Clarke, R.V. (eds.), *The Reasoning Criminal*, Nueva York: Springer-Verlag.

Informe FOESSA/CARITAS (1998), *Las condiciones de vida de la población pobre en España*, Madrid.

Jacobs, J. (1965), *The Death and Life of Great American Cities*, Harmondsworth: Penguin.

Kagarlitski, B. (2004), "La era Putin. ¿Retorno a la estabilidad o antesala de una nueva crisis?, *Vanguardia dossier*, número 9.

Kittrie, N. (1971), *The Right to be Different*. Baltimore, Md.: Johns Hopkins Press.
 – (1995), *The War against Authority*, London: Jhons Hopkins U. Press.

Kohn, M.L. (1963), "Social class and parent-child relationships: an interpretation", *American Journal of Sociology*, vol. 68, pp. 471-480.

Lamo de Espinosa, E. (1989), *Delitos sin víctima,* Madrid: Alianza.

Larrauri, E. (1994) "Las penas de las mujeres", y "...Y el derecho penal de las mujeres", en Larrauri, E., *Mujeres, derecho penal y criminología*, Madrid: Siglo XXI.
 – (2000), *La herencia de la criminología crítica*, Madrid: Siglo XXI.

Lemert, E.M. (1967), *Human deviance, Social problems and Social Control*, London: Prentice-Hall.

Lyotard, F. (1979) *La condition Postmoderne*, Paris: Les éditions de Minuit.

Luhmann, N. (1987), "The Morality of Risk and the Risk of Morality", *International Review of Sociology*, 3, pp. 87-101.

Marco, A.G. (1975), *Estudio de la población reclusa femenina en España*, Madrid: Ministerio de Justicia.

Márquez, J. (ed.) (1994), *Las drogas: de ayer a mañana*, Madrid: Talasa.

Marongiu, P. y Clarke, R.V. (1993), "Ransom Kidnapping in Sardinia, Subcultural Theory and Rational Choice", en Clarke, R.V. y Felson, M. (eds.), *Routine Activity and Rational Choice,* London: Transaction.

Matza, D. (1969): *Becoming Deviant*, Englewood Cliffs, NJ: Prentice Hall.

Mead, G.H. (1918), "Psychology of Punitive Justice", *American Journal of Sociology*, 23, 577-602.

Mead, G.H. (1982), *Espíritu, persona y sociedad*, Barcelona: Paidós.

Merton, R. (1972), *Teoría y estructura sociales*, México: FCE.

Merton, R. (1971) "Social Problems and Sociological Theory", en Merton, R.K. y Nisbet, R. (eds.) *Contemporary Social Problems*, New York: Harcourt.

Messerschmidt, J.W. (1997), *Crime as Structured Action*, London: Sage.

Meyssan, T. (2002), *La gran impostura*, Madrid: La esfera de los libros.

Molinuevo, J.L. (2002): *Para leer a Ortega*, Madrid: Alianza.

Montañés Rodríguez, J., Bartolomé Guiérrez, R., Latorre Postigo, J.M., y Rechea Alberola, C. (1999), "Delincuencia juvenil femenina y su comparación con la masculina", en Arroyo, L., Montañés, J. y Rechea, C. (eds.), *Estudios de criminología, II*, Universidad de Castilla-La Mancha.

Office of Applied Studies (1997): *National Household Survey*. Washington DC: SAMHSA (Servicio Administrativo de Abuso de Sustancias y Salud Mental de los Estados Unidos).

Newman, O. (1972), *Defensible Space: People and Design in the Violent City*, London: Architectural Press.

O'Donnell, M. (1997) *Introduction to Sociology*, Nelson: Survey.

Ortega y Gasset, J. (1951), *Obras Completas,* Tomo V, Madrid: Revista de Occidente.
 – (1983), *Obras Completas*, Tomo IX, Madrid: Alianza Editorial.

Orrù, M. (1987), *Anomie*, Boston: Allen & Unwin.

Park, R.E. (1998) "La ciudad: sugerencais para la investigación de la conducta humana en un ambiente urbano", *Revista colombiana de educación*, n.º 36-37.

Park, R.E. y Burgess, E.W. (1967*), The City,* Chicago: University of Chicago Press.

Parsons, T. (1984), *El sistema social*, Madrid: Alianza.

Pease, K. (1997): "Crime Prevention", en Maguire, M., Morgan, R. y Reiner, R., *The Oxford Handbook of Criminology*, Oxford: Oxford University Press.

De Peretti, C. (1989) *Jacques Derrida. Texto y deconstrucción*. Barcelona: Anthropos.

Poe, E.A. (1980), "El demonio de la perversidad", *Narraciones extraordinarias*, Barcelona: Círculo de Lectores (trad. De Julio Cortázar)

Polsky, N. (1967), *Hustlers, Beats and Others*. Chicago: Aldine.

Quintana, P. (1980) *Introducción al problema de la desviación social. Biología y sociología*, Madrid: Real Academia de Ciencias Morales y Políticas.

Quinney, R. (1970), *The Social Reality of Crime*, Boston, Mass: Little Brown.

Rafter, N.H. y Heidensohn, F. (eds.) (1995), *International Feminist Perspectives in Criminology*, Buckingham: Open University Press.

Ríos Martín, J.C. y Cabrera Cabrera, P.J. (1998), *Mil voces presas*, Madrid: Universidad Pontificia Comillas.

Rock, P. (1997), "Sociological Therories of Crime", en Maguire, M., Morgan, R. y Reiner, R., *The Oxford Handbook of Criminology*, Oxford: Oxford University Press.

Reiman, J. (2001), *The Rich get richer and the Poor get Prison. Ideology, Class and criminal Justice*, Boston: Pearson.

Rosenthal, R. y Jacobson, L.F. (1980), *Pygmalion en el aula*, Madrid: Morova.

Ruidiaz García, (2000), "Instituciones de control. Visiones desde las ciencias sociales", en Corcoy Bidasolo, M., y Ruidiaz García, C. (eds.), *Problemas criminológicos en las sociedades complejas*, Pamplona: Universidad Pública de Navarra.

Sabine, G. (1981), *Historia de la teoría política*, México: FCE.

Schichor, D. (1990), "Crime Patterns and Socioeconomic Development: A Cross-National Analysis", *Criminal Justice Review*, v. 15, n. 1.

Selten, R. (1999), "What is Bounded Rationality?" Paper for the Dahlem Conference, vers. Electron.

Sherman Heyl, B. (1999), "The Training of House Prostitutes", en Rubington, E. y Weinberg, M.S. (eds.), *Deviance. The Interactionist Perspective*, Boston: Allyn and Bacon.

Simmel, G. (1997), *Simmel on Culture*, Frisby, D. y Featherstone, M. (eds.), London: Sage.

Simon, H. A. (1990) "Invariants of Human Behaviour", en *Annuary Review of Psychology*, 41, pp. 1-19.

Simon, R. (1975), *Women and Crime,* London: Lexington.

Shilling, C. (1997), "The Body and the Difference", en Woodward, K. (ed.), *Identity and Difference*, London: Sage.

Smart, C. (1994) "La mujer del discurso jurídico", en Larrauri, E., *Mujeres, derecho penal y criminología*, Madrid: Siglo XXI.
  – (1999), *Law, Crime and Sexuality*, London: Sage.

Salas, A. (2003) *Diario de un Skin*, Barcelona: Círculo de Lectores.

Simmel, G. (1950) *Schopenhauer y Nietzsche*, Buenos Aires: Anaconda.

Stirner, M. (1974), *El único y su propiedad*, Barcelona: Labor.

Sykes, G.M. y Matza, D. (1961): "Juvenile Delinquency and Subterranean Values", *American Sociological Review*, v. 25, n. 5.

Sykes, G.M. y Matza, D. (2003): "Techniques of neutralization", en Mclaughlin E., Muncie, J. y Hughes, G. (eds.), *Criminal Perspectives. Essential Readings*, London: Sage.

Sullivan, M.L. (1989), *"Getting Paid". Youth Crime and Work in the Inner City*, London: Cornell U. Press.

Taub, R., Taylor, D.G. y Dunham, J.D. (1984), *Paths of Neighborhood Change*. Chicago: Chicago University Press.

Taylor, I. Walton, P. y Young, J. (1977), *La nueva criminología*, Buenos Aires: Amorrortu.
  – (1981), *Criminología crítica*, Madrid: Siglo XXI.

Thomas, W.I. (1923) *The Inadjusted Girl*, Boston.

Thoreau, H.D. (2001), *Desobediencia civil y otros ensayos*, Madrid: Tecnos.

Torrente, D. (2001), *Desviación y delito*, Madrid: Alianza.

Vacquant, L. (2000), *Las cárceles de la miseria,* Madrid: Alianza.

Veblen, T. (1974), *Teoría de la clase ociosa*, México: FCE.

Walton, P. (1999), "Big Science: Dystopia and Utopia-Establishment and New Criminology Revisited", en Walton, P. y Young, J. (eds.), *The New Criminology Revisited*, N. York: Palgrav.

Willis, P. (1980), "Shop Floor Culture, Masculinity and Wage Form", en Clarke, J., Critcher, Ch. Y Johnson, R. (eds.), *Working Class Culture*, London: Hutchinson.
   – (1988), *Aprendiendo a trabajar*, Madrid: Akal.

Wilson, H. (1980): "Parental Supervision: A neglected aspect of Delinquency", *The British Journal of Criminology*, vol. 20, n⁰ 3, pp. 203-235.

Wilson, J. Q. y Kelling, G. (1982), "Broken Windows", *The Atlantic Monthly* (Marzo), 29-38.

Young, J. (1999), *The Exclusive Society*, London: Sage

Zedner, L. (1991), *Women, Crime and Custody in Victorian England*, Oxford: OUP.